# Le testament d'Eusèbe

Les Éditions au Carré remercient la Société de développement des entreprises culturelles (SODEC) du soutien accordé à leur programme de publication.

© Les Éditions au Carré inc., 2011
pour l'édition française au Canada
Dépôt légal : 4ᵉ trimestre 2011
ISBN 978-2-923335-36-0

Les Éditions au Carré inc.
Téléphone : 514 949-7368
editeur@editionsaucarre.com
www.editionsaucarre.com

DISTRIBUTION
Prologue inc.
1650, boulevard Lionel-Bertrand
Boisbriand (Québec) Canada J7H 1N7
Téléphone : 1 800 363-2864
Télécopieur : 1 800 361-8088
prologue@prologue.ca
www.prologue.ca

Louis Michel Gratton

# Le testament d'Eusèbe

Ce livre est strictement un ouvrage de fiction. J'en ai commencé la rédaction il y a plus de deux années, m'inspirant de la situation politique actuelle et de mon vécu personnel. Ceux et celles qui penseraient se reconnaître sont dans l'erreur.

LOUIS MICHEL GRATTON

*À Judith*

# Chapitre 1

# Mon oncle Eusèbe

Mon oncle Eusèbe est mort dimanche dernier et, ce matin, je dois subir le rituel de la cérémonie funéraire, heureusement plus simple que le supplice de trois jours que j'ai dû endurer lorsque mes parents sont décédés, il y a maintenant vingt-cinq ans. Le temps passe vite. Je me souviens encore de la centaine d'inconnus qui étaient venus me présenter leurs sympathies et de la cérémonie religieuse qui n'en finissait plus.

J'avais à peine la vingtaine et c'est alors que mon oncle, un célibataire, est devenu mon père adoptif. Son départ crée un grand vide dans ma vie, et la cérémonie de ce matin n'a rien à voir avec le deuil que je ressens. Je me console en me disant que cette formalité ne devrait durer qu'une heure : quelques témoignages, dont le mien (que je n'ai pas vraiment préparé), un café, des petits sandwichs sans croûtes au sous-sol du salon funéraire, et les salutations de mise à ceux qui se sont déplacés. Mon véritable deuil, je le vis seul depuis le moment du décès d'Eusèbe.

La notaire, Florence Desmoines, la grande amie de mon oncle, m'a avisé, lundi, au lendemain de sa mort, qu'il lui avait laissé des instructions bien précises pour ses funérailles, et qu'elle s'occupait de tout. Elle m'a aussi précisé qu'à la demande d'Eusèbe, elle ne publierait l'avis de son décès que le lendemain de la cérémonie. Étrange, je connais bien mon oncle, et cette discrétion n'est pas dans sa nature. J'ai insisté pour que la lecture de son testament soit faite dès cet après-midi. Aussi bien en finir le plus vite possible avec le protocole de la mort.

La cérémonie funéraire a lieu au Mémoria Alfred Dallaire sur Laurier Ouest. Depuis quand les salons funéraires sont-ils devenus des Mémoria, surtout quand on pense au peu de souvenirs qu'on garde des disparus ? À mon arrivée à l'établissement, je tombe face à face avec ma tante Alma, son mari Lucien, mon cousin Lucien, dit junior, et son épouse Céline. Ils représentent désormais la seule famille qui me reste et je ne les ai pas vus depuis six mois. Ma tante s'est déjà postée à la tête de la ligne de réception. Elle sera déçappointée du nombre de visiteurs, car nous n'avons informé qu'une vingtaine de personnes du décès de son frère.

Je n'ai pas le choix :

— Bonjour, ma tante.

Je fais le geste de l'embrasser sur chaque joue tout en évitant soigneusement le contact. Je ne veux pas décaper l'épais fond de teint qui masque ses taches de vieillesse et, surtout, ne pas être sali par son rouge à lèvres aussi écarlate que graisseux.

Elle en profite pour me chuchoter à l'oreille :

— Tu as oublié l'avis de décès.

— Les volontés d'Eusèbe.

— Ah ! Et puis l'urne : l'incinération, ses volontés, aussi ?

— Oui, ma tante.

Alma veut poursuivre la conversation, mais je ne lui en laisse pas la chance et je fais un pas vers son mari, Lucien, pour recevoir ses condoléances. Alma continue de marmonner ; j'entends les mots *ridicule* et *personne ne m'a consultée*. Je résiste à la tentation de lui dire que ce n'était pas de ses affaires. Je m'abstiens, ce n'est pas la place. Après avoir salué mon cousin et son épouse, je me dirige vers Florence qui est seule, debout devant une table placée au fond de la pièce. La table est recouverte d'une nappe blanche sur laquelle repose l'urne funéraire, un simple contenant en laiton ciselé de forme circulaire. L'urne est entourée de trois photos : la première représente Eusèbe enfant, la deuxième, Eusèbe portant le col romain du clergé de l'époque, et la dernière, un cliché récent pris par un professionnel. Un simple bouquet d'œillets blancs complète le décor. Florence se tourne vers moi et essuie une larme. Nous demeurons là, en silence, quelques secondes.

Nous sommes interrompus par Conrad, le meilleur ami d'Eusèbe, qui s'approche de nous.

— Mes sympathies, mon Maxime.

Puis il se tourne vers Florence, place son bras autour de sa taille et lui glisse à l'oreille :

— Nous venons de perdre un gros morceau.

Elle acquiesce d'un simple geste de la tête.

Il attend un instant et demande :

— Le déroulement de la cérémonie, ça va ?

Florence nous prend tous les deux par le bras et nous éloigne doucement de la table ; un geste de respect. À voix basse, elle nous répond :

— Le père Cahouette dirigera la cérémonie.

Elle se tourne vers moi :

— Il est l'aumônier de l'Association des anciens élèves du Collège Sainte-Marie et il a enseigné avec Eusèbe.

Et poursuit en regardant Conrad :

— Conrad, tu seras le premier à intervenir, suivra Alma, qui a demandé à dire quelques mots. Maxime, tu termineras. Après la cérémonie, nous descendrons au sous-sol pour un goûter et un café.

Je suis surpris d'apprendre qu'Alma ait demandé de participer. Ses relations avec Eusèbe étaient loin d'être cordiales ; à ma connaissance, ils ne se sont ni vus ni parlé depuis au moins cinq ans, et je n'ai aucune idée de ce qui s'est passé entre eux. Eusèbe a toujours refusé de me donner une explication. Je connais ma tante, et sa demande n'est que « pour sacrifier aux apparences ». L'intervention de Conrad est normale ; il est le meilleur ami de mon oncle depuis toujours. Ils ont tous les deux été jésuites et ils ont défroqué au même moment. De toute façon, un ex-jésuite est incapable de s'empêcher de faire des homélies.

Jean Deragon et Paul Underhill, deux autres amis d'Eusèbe, arrivent et m'offrent leurs condoléances. Ces deux-là sont des compagnons de cartes d'Eusèbe. Ils se connaissaient depuis des années et jouaient tous les dimanches des parties qui, quelquefois, duraient toute la journée. Ils me serrent la main. Il me vient à l'esprit de leur offrir mes condoléances ; après tout, le décès d'Eusèbe représente pour eux aussi une perte. J'obéis aux conventions et accepte leur compassion. Je déteste ces formalités. Je m'excuse et je retourne vers la table où reposent les cendres.

Eusèbe était le frère cadet de mon père. Un homme qui a souffert dans son enfance d'être né le deuxième de trois enfants, entre mon père Pascal, l'aîné, qui se destinait à la médecine, et la petite dernière, Alma, qui voulait devenir infirmière. Devant une telle situation, quoi de mieux à l'époque pour attirer l'attention que d'annoncer, dès le début de son adolescence, que l'on se destine à la religion et que, pour ce faire, l'on deviendra jésuite, rien de moins. Cette décision lui attira toute l'attention désirée tant au collège Sainte-Marie qu'à la maison où il devint pour sa mère « mon fils Eusèbe, qui veut devenir jésuite ». Son père, Louis Beaubien, mon grand-père, accepta cette décision sans rouspéter, mais avouera plus tard son désarroi à l'idée de voir l'un de ses enfants consacrer sa vie à la religion. Fidèle à sa parole, Eusèbe devint bel et bien membre de la Compagnie de Jésus.

Mes premiers souvenirs du père Beaubien — seuls mon père et ma mère pouvaient alors l'appeler Eusèbe — sont ceux d'un visiteur à l'air sévère, vêtu de gris et arborant son col romain comme un emblème de sa supériorité. Ses airs hautains et son attitude condescendante devenaient particulièrement irritants lorsqu'il exerçait son sacerdoce dans les paroisses environnantes. Mes parents insistaient pour le suivre d'une paroisse à l'autre le dimanche matin, et je devais faire de même. Ses sermons étaient d'un pédantisme cultivé et d'une longueur hallucinante. Nous aurions pu nous attendre à quelque chose de court et de léger, après tout il s'adressait au bon peuple. Mais non, le père Beaubien insistait pour réciter des leçons de morale chrétienne entremêlées de longues citations, obscures à point, de Teilhard de Chardin. Je me souviens encore des arômes exotiques qui émanaient de sa personne lorsqu'il venait à la maison. J'apprendrai plus tard que ces odeurs étranges pour mon jeune nez résultaient d'une combinaison d'effluves de cigarettes Gauloises et de relents de Chivas Regal, son scotch favori.

La dernière fois que je le vis dans son rôle de « père Beaubien », c'était aux funérailles de mon grand-oncle Jean-Pierre. Trois semaines plus tard, il défroquait pour devenir mon oncle Eusèbe tout court. Si l'habit ne fait pas le moine, il en influence le comportement. Autant le premier était insupportable et distant, autant le second était affable et fascinant. Eusèbe m'avouera un jour que, durant ses années sous l'étiquette « jésuite », il se rendait compte qu'il jouait la comédie ; une comédie qui cachait un être profondément malheureux. Son attitude était artificielle, calquée sur sa perception de ce que devait être un jésuite érudit, gardien de La Vérité. La disparition de son col romain libéra cet homme du carcan jésuitique.

De retour dans le monde séculier, il resta célibataire. Sa compagne de service, celle qui l'a accompagné durant vingt ans de sa vie dans les occasions sociales et familiales, était la notaire Florence Desmoines. Il y a eu beaucoup d'interrogations dans la famille sur les raisons pour lesquelles ils ne se sont jamais mariés. Je crois que Florence était une femme trop intelligente pour marier un ex-jésuite affublé d'un bagage intellectuel hétéroclite, d'une structure émotive sans dessus dessous et des habitudes de vieux garçon endurci. De son côté, Eusèbe acceptait la situation et avait l'habitude de l'expliquer avec une boutade :

— Les Beaubien ont des caractères si indépendants qu'ils sont difficiles à côtoyer. Cette attitude rend bien difficile la vie à deux !

Une remarque qui me hante à ce jour : je suis au début de la quarantaine, je vis seul, et l'idée de fonder une famille me traverse l'esprit de plus en plus souvent : mon caractère sera-t-il un obstacle ?

Ces réflexions sont interrompues par l'arrivée de Catheryne qui passe le seuil de la porte, alors en grande conversation avec Pierre Fabien et son épouse Lynda. Catheryne est une comédienne, vedette de la télévision et de la scène, qui ne passe jamais inaperçue. Elle est une belle grande femme, dotée d'un charme suprême qui cache une détermination de réussir qui prime tous les autres aspects de sa vie. Si Florence était la compagne de service d'Eusèbe, je me considère comme son équivalent auprès de Catheryne, un rôle qui me plaît et qui m'accommode. Je suis un Beaubien après tout.

Je fréquente Catheryne depuis cinq ans. Nous nous sommes rencontrés lors d'une réception au théâtre Multimonde un soir de première où Catheryne jouait le rôle principal. En fait, ce n'est qu'après la réception que nous nous sommes vraiment rencontrés. Ce soir-là, je cherchais à la pluie un taxi sur Sainte-Catherine depuis plusieurs minutes. Elle est sortie du théâtre au moment même où, enfin, une voiture s'arrêtait. Par courtoisie, je lui ai offert de partager la voiture. Durant un court trajet, j'ai eu l'impression qu'il pourrait y avoir quelque chose entre nous. Le lendemain, m'informant auprès de la direction du théâtre dont je suis administrateur, j'appris que Catheryne vivait seule depuis quelques mois. Notre relation a débuté avec un brunch le dimanche suivant. Nous aimons être ensemble, mais jalousons notre indépendance sans pour autant dédaigner, à l'occasion, devenir des compagnons d'oreillers.

Catheryne s'approche de moi tout en lançant des « bonjours » silencieux aux regards dirigés dans sa direction ; elle m'embrasse et me prend la main qu'elle sert en signe d'appui. Au même moment, le père Cahouette s'avance vers la table où reposent les cendres d'Eusèbe ; il se recueille un moment, puis nous demande de nous approcher :

— Mes bien chers amis, nous sommes réunis ce matin pour saluer le départ d'Eusèbe. Florence m'a avisé qu'il désirait une cérémonie simple, rapide et intime, et nous nous plierons à ses dernières volontés.

Puis il ajoute ces derniers mots avec un regard vers le ciel.

— Je connais Eusèbe depuis que nous avons onze ans : nous nous sommes rencontrés au collège Sainte-Marie, en classe d'éléments latins, la première secondaire de l'époque. Nous sommes dans les années cinquante et, déjà, en ville, la prêtrise n'est plus un choix de carrière à la mode. Malgré tout, Eusèbe et moi avons entrepris, seuls de notre classe, de devenir jésuites, une aventure qui a duré dix ans. La fin des années soixante et le début des années soixante-dix sont des années difficiles pour les institutions religieuses. Plusieurs, comme Eusèbe, auront le courage d'en sortir, d'autres, comme moi, choisiront d'y rester. Savez-vous qu'à soixante-dix-sept ans, je suis l'un des plus jeunes jésuites du Québec ? Malgré des choix de vie bien différents, Eusèbe et moi sommes demeurés des amis toutes ces années ; il me manquera. J'aimerais maintenant demander à Conrad Héroux, aussi son ami, un autre ex-jésuite d'ailleurs, de nous dire quelques mots.

Conrad s'approche et jette un regard vers l'urne :

— Eusèbe, tu nous as quittés. C'est une lourde perte. Tu étais un mentor, un conseiller, quelques fois un critique, mais toujours une inspiration. Un homme doté d'une intelligence supérieure et nanti d'une capacité analytique extraordinaire, mais aussi un homme, oh! comment difficile d'approche. Mais tu as influencé nos vies à tous.

Conrad se tourne vers nous :

— Je l'ai rencontré à Rome, où nous avons fait des études de théologie suivies de deux années à Paris, à la Sorbonne. Nous avons été ordonnés prêtres durant la même cérémonie à Montréal en l'église du Gésu. Puis ont suivi des années d'enseignement, lui au collège Jean-de-Brébeuf et moi, à Saint-Boniface au Manitoba. Nous nous sommes retrouvés quelques années plus tard à Montréal, après avoir quitté la Compagnie de Jésus, et nous avons partagé un appartement durant quelques mois. J'ai choisi de continuer dans l'enseignement, et lui, à la surprise de tous, a choisi le domaine des valeurs mobilières. À voir son succès à la bourse, des études en théologie et en philosophie devraient être un préalable pour les analystes et courtiers en valeurs mobilières.

Si Conrad s'attendait à une réaction avec cette saillie, il a manqué son coup. Nous sommes tous restés silencieux, chacun concentré sur nos souvenirs d'Eusèbe.

Conrad regarde vers le ciel :

— Mon cher Eusèbe, tu nous manqueras, pas seulement pour tes judicieux conseils financiers, mais pour ton intellect et ton amitié ; nous faisons tous partie de ton entourage, de ton fan club. Tu as fait partie de nos vies et tu continueras d'en faire partie. Bon voyage, mon bon ami, et à bientôt.

Conrad essuie furtivement une larme, se tourne vers Alma et l'invite à s'avancer d'un geste de la main. Ma tante, d'un pas lent, se présente devant nous. Elle a un chapelet à la main. Je ne peux pas croire qu'elle va nous faire réciter le chapelet.

Alma nous présente un visage mortuaire, baisse la tête et, d'une voix solennelle, entonne :

— J'avais deux frères et ils sont partis.

Courte pause théâtrale.

— Je suis maintenant seule de ma génération. Eusèbe et moi, nous n'étions pas très près l'un de l'autre. Qui pouvait se vanter d'être près de lui ? Mais je l'admirais pour ce qu'il était. La religion a tenu une place importante dans sa vie, et en mémoire de cette partie de sa vie, je vous demanderais tous de vous agenouiller.

Alma approche les soixante-dix ans. Elle prend un certain temps pour s'agenouiller avec l'aide du père Cahouette, puis elle nous guide dans la récitation de trois *Je vous salue Marie* suivie d'un *Notre Père*. J'ai peine à me remémorer les mots. Les prières terminées, elle s'appuie sur la table où se trouvent l'urne et les photos, et se relève avec difficulté ; nous retenons tous notre souffle. Une fois debout, sans incident, elle se dirige, en silence et d'un pas lent, la tête baissée, vers son mari, Lucien, qui lui place un bras autour des épaules. Son fils, Lucien junior, demeure impassible à ses côtés.

Le père Cahouette s'avance de quelques pas :

— J'inviterais maintenant son neveu Maxime à nous dire quelques mots.

Je me serais bien passé de cette obligation !

— À la mort de mes parents, Eusèbe a été présent pour moi ; il est devenu un père adoptif, un confident, un ami. Conrad l'a mentionné : Eusèbe était une personne complexe et sa qualité première et, peut-être, son principal défaut, était son empathie. Nous avons tous, à un moment donné, eu l'impression qu'il pouvait lire dans nos pensées ; il nous comprenait mieux que nous ne pouvions le faire nous-mêmes. C'est cette qualité qui le rendait si difficile d'approche, mais qui nous attirait vers lui. Il a eu une influence sur nous tous et il continuera à influencer nos vies pour encore des années à venir. Au revoir, Eusèbe, mes pensées sont avec toi. J'aurais aimé ajouter autre chose, mais je suis au bord des larmes et je choisis d'arrêter sur ces paroles.

Le père Cahouette a compris et il est déjà près de moi. En me serrant la main, il me remercie et demande à tous de s'approcher et de se prendre par la main.

— Prenons quelques minutes de silence pour prier, chacun à notre façon, pour le repos de son âme.

Chapitre 2

# Le testament

Je suis le premier arrivé pour la lecture du testament, et Élisabeth
Dubois, la collègue de Florence dans son cabinet de notaires, m'accompagne
vers la salle de conférence. Je suis curieux de voir qui sera présent. Je n'ai
pas à attendre longtemps : ma tante Alma et mon cousin Lucien arrivent et,
quelques minutes plus tard, suivent les trois amis d'Eusèbe : Conrad Héroux,
Jean Deragon et Paul Underhill. Je sens une faible odeur de scotch à l'arrivée
de ces trois-là. Ils ont dû aller prendre un verre après la cérémonie.

Pour gagner sa vie, Conrad est professeur d'histoire, mais sa passion
est le Centre Montpossible, une institution qu'il a fondée pour venir en
aide aux jeunes de la rue. Pour sa part, Jean Deragon est à la tête d'une
importante compagnie de construction. Il a d'abord rencontré Eusèbe
comme client et il est devenu son ami par la suite. L'autre ami, Paul
Underhill, un voisin d'Eusèbe, est l'associé principal d'une firme spécia-
lisée en relations publiques et gouvernementales.

Je suis à effectuer les présentations de mise lorsque Florence entre
dans la salle. Après avoir salué tout le monde, Florence demande à
Élisabeth de prendre place à l'extrémité de la table de conférence et elle
s'assoit à sa droite. Alma se dirige rapidement vers l'autre extrémité de
la pièce et se campe sur la chaise stratégique, à l'autre bout de la table de
conférence.

Une fois tout le monde bien installé, Florence prend la parole :

— Bon après-midi, mes amis. Si vous permettez, pas de préambule,
sinon pour vous aviser que ce testament dont nous ferons la lecture a été
rédigé devant Maître Dubois, une situation normale étant donné ma relation avec Eusèbe.

Elle se tourne vers Élisabeth :

— Je crois que tu connais tout le monde sauf peut-être madame
Alma Beaubien-Robidoux, la sœur d'Eusèbe, et son fils, Lucien.

Mon cousin sursaute à la mention de son nom, son attention était concentrée sur les photos de Florence qui ornent les murs de la salle de conférence. Il s'empresse de se lever pour lui serrer la main.

Élisabeth débute :

— Eusèbe laisse des sommes à trois organismes. Je ne les ai pas invités cet après-midi et ils seront avisés à une date ultérieure.

Alma l'interrompt d'un ton autoritaire :

— Maître Dubois, vous pouvez entrer dans le vif du sujet.

Il est bien évident que ma chère tante veut faire valoir sa position de doyenne de la famille.

Élisabeth répond, un léger rictus sur le coin des lèvres :

— Merci madame Beaubien-Robidoux.

Puis elle commence la lecture du testament :

*L'AN deux mille onze, le seizième jour du mois d'octobre.*

*DEVANT ÉLISABETH DUBOIS, notaire à Montréal, Province de Québec*

*COMPARAIT : Monsieur EUSÈBE BEAUBIEN, administrateur, demeurant au numéro 283 de la Commune Ouest, appartement 142, Montréal, Québec (132-809-798 — né : 30/11/31),*

*LEQUEL, par les présentes, fait son testament ainsi qu'il suit :*

*ARTICLE PREMIER*

*Je recommande mon âme à Dieu, quel qu'il soit, quelle qu'elle soit ou quoi qu'il soit.*

Alma fait un signe de croix et baisse la tête. La notaire Dubois poursuit la lecture sur le ton neutre de mise.

*ARTICLE DEUXIÈME*

*Je révoque tous testaments ou codicilles antérieurs au présent testament, qui seul contient l'expression de mes dernières volontés.*

Alma interrompt la notaire de nouveau et demande sèchement :

— Est-ce qu'il y avait d'autres testaments ?

Florence répond sur le même ton :

— Plusieurs autres. Celui-ci est le plus récent.

### ARTICLE TROISIÈME

*Je veux que mes justes dettes, frais funéraires et testamentaires soient payées aussitôt que possible après mon décès par le liquidateur de ma succession. Le service devra être le plus simple possible au salon funéraire en présence de mes proches seulement. Je désire que mon corps soit incinéré. Je laisse au liquidateur le soin de disposer de mes cendres comme bon lui semblera.*

Alma lui coupe encore la parole :
— Qui est le liquidateur ?
— Ça s'en vient, madame Beaubien.
Lucien, excédé, lui lance à son tour :
— Maman, s'il te plaît.

### ARTICLE QUATRIÈME

*Je donne instruction au liquidateur de ma succession de convier mes amis et connaissances (voir liste et instructions ci-jointes) à un cocktail dînatoire en ma mémoire. Ce souper devra avoir lieu dans les dix jours suivant mon décès, et le coût en sera assumé par ma succession.*

### ARTICLE CINQUIÈME

*Sous réserve des conditions préalables et de certains dons particuliers dont vous trouverez une liste ci-jointe, je lègue l'universalité de mes biens meubles et immeubles à mon neveu, MAXIME BEAUBIEN, que j'institue mon légataire universel.*

Alma, sur un ton qui frise l'agressivité, intervient à nouveau :
— Vous voulez répéter ?
Lucien se rapproche de sa mère et lui dit simplement :
— Maman, tout en lui plaçant une main sur le bras.
Maître Dubois s'exécute et répète, même si nous avons tous bien entendu. Pour ma part, je demeure surpris. Je ne m'attendais pas à cela. J'avais toujours présumé qu'il laisserait sa fortune à des œuvres caritatives. C'est, du moins, ce qu'il m'avait toujours dit.

### ARTICLE SIXIÈME

*À titre de condition, mon légataire universel MAXIME BEAUBIEN devra consacrer une portion de son héritage et de son temps au bénéfice de Montréal et de sa région. Je lui laisse le choix des moyens.*

Alma ne peut se retenir et elle lance à voix basse, mais suffisamment forte pour que tout le monde l'entende :

— Ça veut dire quoi ?

— Aucune idée, ma tante.

### ARTICLE SEPTIÈME

*Pour assister mon neveu dans cette entreprise, un comité consultatif sera formé de Conrad Héroux, Jean Deragon et Paul Underhill. Ces derniers, par amitié pour moi et pour Montréal, ont accepté de participer.*

Je les regarde tous les trois : Conrad hausse les épaules, Jean me présente la paume de ses mains et Paul sourcille des yeux. Leurs gestes plaident l'ignorance, mais leurs regards me laissent comprendre qu'ils en savent plus qu'ils ne veulent laisser paraître. Après tout, si j'ai bien compris, Eusèbe leur en a parlé.

Alma demeure silencieuse, mais son visage parle à sa place. Il en dit long !

Lucien continue de focaliser son attention sur les photos de Florence.

### ARTICLE HUITIÈME

*Je nomme pour liquider ma succession la notaire FLORENCE DESMOINES et, à défaut de Mᵉ Desmoines, je nomme Mᵉ Élisabeth Dubois avec tous les pouvoirs.*

*DONT ACTE à Montréal, sous le numéro mille six cent quarante-deux.*

*ET LECTURE FAITE au testateur par Mᵉ Élisabeth Dubois, notaire, en présence de madame Carmen Rioux. Le testateur et le témoin signent avec et en présence les uns des autres.*

La lecture terminée, j'aperçois une tante Alma qui prend des notes dans un calepin. Les rougeurs de ses joues donnent une idée de son état d'âme. Lucien junior, l'air placide, attend la suite.

Lucien a le caractère de son père et a depuis longtemps abdiqué toute forme de décision en présence de sa mère. Ce pauvre Lucien ! C'est toujours de cette façon que je pense à mon cousin Lucien, élevé sous l'aile protectrice de sa mère, une aile protectrice qui l'a presque étouffé. Son mariage avec Céline l'a sauvé. Un mariage heureux, mais difficile sur le plan des relations filiales, car je ne me souviens pas de la dernière fois où j'ai vu Alma adresser la parole à Céline, sa belle-fille. Pour ma part, j'aime bien Lucien ; au cours des années, j'ai pris l'habitude d'appeler mon cousin au moins une fois par mois pour avoir de ses nouvelles.

Élisabeth se lève et remet à chacun un dossier tout en expliquant :

— Vous trouverez dans la chemise une copie du testament et de la liste de legs particuliers. Vous remarquerez que la liste a été signée par Eusèbe. L'original est gardé dans nos dossiers.

Personne ne l'écoute ; tout le monde s'empresse de prendre connaissance de la liste. Je ne suis pas surpris de voir qu'Eusèbe a ajouté un petit commentaire à chaque point.

Un montant de cent douze mille deux cent quarante-deux dollars à ma sœur Alma « pour régler nos comptes », un montant de deux cent mille dollars à Lucien Beaubien-Robidoux junior « parce qu'il est mon neveu », un montant de deux cent mille dollars chacun à Conrad Héroux, Jean Deragon et Paul Underhill « parce qu'ils sont mes amis », un montant de cinq cent mille dollars à Florence Desmoines « parce qu'elle m'a enduré et aimé sans condition », et un montant global de un million cinq cent mille dollars à trois œuvres caritatives qui me tiennent à cœur et dont les noms seront dévoilés à une date ultérieure.

Lorsque tout le monde a terminé la lecture, Élisabeth ajoute :

— Vous trouverez dans la chemise copie de l'invitation au cocktail dînatoire en sa mémoire ainsi que sa liste d'invités.

*Salut, tout le monde !*

*S'il vous plaît, pas de regret. Je suis simplement parti voir ce qui se passe de l'autre bord. Je n'ai pas eu le temps de vous saluer avant mon départ, et pour m'excuser, je vous invite à un cocktail en ma mémoire. Ça peut paraître prétentieux de ma part, mais vous me connaissez… Je serai peut-être là sous une autre forme. Qui sait ? Je paie les taxis. Vous venez à vos risques et périls. Amusez-vous bien.*

*EUSÈBE*

Consciencieuse, Florence ajoute :

— Si vous pensez à des ajouts à la liste d'invités, n'hésitez pas.

Alma fait fi de la question et demande plutôt :

— Les legs particuliers totalisent presque trois millions de dollars. Est-ce que vous connaissez le montant total de la succession ?

Florence répond :

— Eusèbe est décédé dimanche dernier. Nous n'avons pas encore les états de compte, mais une estimation préliminaire place le montant global de la succession aux environs de dix millions de dollars.

Alma me jette un coup d'œil et passe à un autre sujet :

— Avons-nous reçu copie du rapport de l'autopsie ; j'imagine que quelqu'un l'a demandé ?

Encore une fois, le ton est agressif. Florence répond, masquant à peine son exaspération :

— Il est mort dimanche.

Je sens un juteux juron sur le bord de ses lèvres, mais elle se retient :

— Et nous n'avons pas encore reçu, non plus, copie du certificat de décès.

Alma ajoute :

— Je remarque que le testament est daté du 16 octobre, soit seulement un mois avant sa mort. C'est suspect. Était-il sain d'esprit au moment de la rédaction ?

Florence n'hésite pas un instant et répond d'un oui qui ne peut être plus affirmatif. Elle n'a pas la chance de continuer, car Conrad intervient d'une voix ferme, avec un regard qui ne cache pas son antipathie :

— Madame Robidoux, Eusèbe a été sain d'esprit jusqu'au jour de sa mort. Nous sommes tous là pour en témoigner.

Élisabeth Dubois met alors fin à la réunion en indiquant que nous serons informés de façon régulière des démarches relatives à la liquidation de la succession. En quittant le bureau, Alma me demande si je suis occupé lundi après-midi. Sans réfléchir, je réponds par l'affirmative. Elle m'annonce qu'elle veut aller au condominium d'Eusèbe pour s'assurer que tout est en ordre. J'ai le goût de lui dire de se mêler de ses affaires, mais Conrad intervient :

— Je vais vous accompagner. J'ai une clé. Et, ça tombe bien, j'avais planifié d'y aller pour arroser les plantes et sortir les vidanges : c'est ce que je fais toujours durant les absences d'Eusèbe.

Il n'a pas réalisé l'incongruité de son propos.

Je salue tout le monde et je sors de la pièce. Je n'ai pas envie de parler à personne. La lecture du testament a ramené à la surface le vide que laisse le départ d'Eusèbe.

Mon ami d'enfance Pierre Fabien et son épouse Lynda m'ont invité pour souper, et je décide de me rendre à leur résidence tout de suite pour jouer avec leurs enfants, Patrick et Joëlle. Ils ont invité Catheryne, mais elle a une représentation au théâtre ce soir.

Chapitre 3

# Maxime T. Beaubien

À mon arrivée chez Pierre et Lynda, les enfants se précipitent vers moi et m'invitent à jouer à Super Mario. J'aime ces soupers de famille centrés sur les activités des enfants : l'école, leurs amis, leurs émissions favorites, le soccer de Patrick, la natation de Joëlle. Puis, pendant que Lynda couche les enfants, Pierre me propose de l'accompagner dans sa marche quotidienne sur le mont Royal. Il me surprend ce soir en insistant pour prendre sa voiture, mais je comprends après une seconde de réflexion : nous avons l'habitude de piquer à travers le cimetière Mont-Royal en passant par le chemin de la Forêt. J'apprécie l'idée, car la mort a pris une place suffisante dans nos pensées aujourd'hui. C'est assez.

À cette heure tardive, nous sommes seuls sur le belvédère. Devant nous, le cruciforme de la Place Ville-Marie, laquelle est étouffée par des tours anonymes, réussit quand même à dominer le panorama qui s'étend à nos pieds. En toile de fond, le fleuve Saint-Laurent et les Montérégiennes qui, dans la brunante, ne sont que de vagues ombres qui dominent l'horizon. Du haut de la montagne, Montréal est magnifique en cette belle soirée d'automne. L'air, presque hivernal, est parfumé de l'odeur des feuilles mortes que le vent et la pluie ont amoncelées dans tous les recoins.

— Réalises-tu, Pierre, que toi et Lynda êtes les seuls proches qui me restent ?

— Ta tante Alma et sa famille ?

— Je ne les vois jamais. J'appelle Junior, mon cousin, une fois par mois pour avoir de ses nouvelles. Je parle à ma tante le moins souvent possible.

— Et la belle Catheryne ?

— Toujours aussi indépendante. Catheryne a deux choses en tête : sa personne et sa carrière. Il faudrait que tu me trouves une Lynda.

— Pas facile à trouver et tu ne la trouveras jamais tant et aussi long-temps que tu seras perçu comme le compagnon de Catheryne. Votre relation est bien connue du public.

Ma relation avec Catheryne est agréable et flatte mon ego ; en boni, elle a toujours refusé que notre relation soit un engagement à long terme, et cela fait mon affaire.

— Comme tu le sais, je n'ai vécu qu'une seule véritable expérience amoureuse et elle s'est mal terminée ; je n'ai pas l'intention de recommencer avant d'être certain.

— Et la lecture du testament cet après-midi, ça s'est bien passé ?

Je ne suis pas surpris de la question. Pierre est l'associé principal d'un important cabinet de comptables agréés, Fabien, Beauséjour, Irving et associés ; il s'occupe de mes affaires depuis vingt ans.

— Eusèbe laisse cent douze mille deux cent quarante-deux dollars à sa sœur Alma, deux cent mille dollars à mon cousin Lucien et le même montant à ses trois amis Conrad, Jean et Paul. Florence reçoit cinq cent mille dollars, c'est normal, et il fait des dons de un million cinq cent mille dollars à des œuvres caritatives. Il me laisse le reste.

— As-tu une idée du montant total de la succession ?

— Après les legs particuliers, il me restera sept millions de dollars mais, tu ne me croiras pas, il y une condition : il me demande de consacrer une partie de la somme, et de mon temps, au bénéfice de Montréal et de sa région.

— Et ça veut dire ?

— Je ne sais pas. Il laisse ça à ma discrétion. Mais l'héritage va me permettre de changer la direction de ma vie.

Pierre place sa main sur mon épaule :

— Je ne comprends pas ; ta vie fait l'envie de tout le monde : tu enseignes à l'université, tu t'amuses à brasser de la merde dans tes chroniques du *Journal de Montréal*, tu es en voie de devenir une vedette médiatique avec ton émission d'affaires publiques à Télé-Québec, ta blonde est l'une des plus belles femmes du Québec. Pauvre de toi, la vie est bien difficile… et maintenant tu es multimillionnaire.

— Depuis quelques mois, j'ai le sentiment que le destin me réserve autre chose. Il me semble que j'ai des talents et des capacités qui ne sont pas utilisés. J'aimerais être sur la patinoire plutôt que dans les estrades à observer et à analyser.

— Tu joues un rôle important et, avec ta chronique et ton émission télé, tu influences l'opinion publique. C'est quelque chose !

— Je veux faire plus qu'influencer, je veux être en position d'effectuer des changements. J'ai terminé mes études de doctorat au début des années quatre-vingt-dix, au moment où l'État prenait de plus en plus de place. J'aurais dû aller travailler dans la fonction publique, mais j'ai commencé dans l'enseignement, dans ce qui devait être un emploi temporaire, et j'y suis toujours resté.

— Tu es maintenant indépendant de fortune. Pourquoi ne pas te lancer en politique?

— Les politiciens pensent avoir le pouvoir, mais la réalité est bien différente. De toute façon, je ne souhaite pas faire de la politique. Qui veut en faire aujourd'hui? Une chose est certaine. j'aimerais fonder une famille.

— Ton horloge biologique qui se réveille.

— Peut-être, mais le décès de mon oncle m'a fait réaliser que j'étais en train de manquer le bateau.

— Catheryne?

— Elle n'est pas intéressée.

— Tu as fait les choses à l'envers: tu as commencé avec une maîtresse avant d'avoir une épouse. On n'est pas en France, tu ne peux pas avoir les deux. Si tu penses fonder une famille et que Catheryne n'est pas intéressée, tu dois abandonner ta très publique relation avec elle et te mettre à la recherche d'une partenaire qui aura les mêmes objectifs que les tiens.

— À quarante ans, ce n'est pas évident.

Nous prenons le sentier du retour en silence, ce que deux amis de longue date peuvent se permettre. Je me suis toujours plu ici, sur le mont Royal, un endroit qui fait partie de ma vie: j'ai vu le jour au deuxième étage de l'hôpital Royal Victoria. Puis, trois jours après ma naissance, je tétais le sein de ma mère, Joyce Thinsbury, dans une chambre aménagée à mon intention dans l'opulente résidence de mon père, Pascal, à Outremont-ma-chère. La fenêtre de ma chambre me donnait une vue sur l'Université de Montréal.

J'ai peu de souvenirs de mes années au primaire, mais je me souviens de mes années au secondaire. Mes parents m'ont inscrit au Collège Jean-de-Brébeuf, où j'ai appris à me saouler et à me geler dans les sous-bois du mont Royal, en compagnie de jeunes garçons et filles de bonnes familles, bien entendu.

Après cinq ans avec la même bande monolithique, j'ai eu besoin de changements. À dix-sept ans, j'ai voulu m'affirmer et prendre moi-même les décisions qui influenceraient ma vie. Au désespoir de mes chers parents, j'ai refusé de poursuivre mes études à Brébeuf et j'ai fait mon inscription au cégep du Vieux-Montréal, du mauvais côté du mont Royal. J'ai voulu fréquenter le monde « ordinaire », comme disait ma mère.

Ces deux années du collégial ont été difficiles avec mes parents. L'émancipation que je m'étais arrogée, mes cheveux longs, ma barbe naissante et mes fréquentations ne plaisaient pas à mes parents et étaient devenus une source de conflits presque quotidiens. La décision de m'inscrire en sciences politiques à McGill a été la goutte qui a fait déborder le vase.

Le conflit n'a pas duré ; mes parents se sont tués dans un accident de voiture : ils revenaient de Floride et mon père a perdu le contrôle de sa voiture pour se retrouver contre un viaduc. Ils sont morts sur le coup. À la nouvelle de leur décès, j'ai ressenti un soulagement. Le conflit avec mon père était rendu à ce point-là. J'ai encore des remords aujourd'hui d'avoir ressenti ce sentiment de délivrance.

Pierre brise le silence :

— La mort de ton oncle. Une surprise ? Des signes avant-coureurs ?

— Non, aucun. Le rapport d'autopsie nous expliquera peut-être.

— As-tu une idée de ce qu'il avait en tête avec sa condition au sujet de Montréal et de sa région ?

— Pas vraiment, mais je crois que je vais en savoir plus demain : Florence m'a demandé de me présenter à ses bureaux pour prendre connaissance d'une lettre qu'Eusèbe m'a adressée.

Nous sommes arrivés à la voiture. Pierre demande :

— À quoi tu penses ?

— Ma vie.

— Étrange comment la mort nous force à réfléchir à la vie.

# Chapitre 4
# La lettre

En me dirigeant vers le cabinet de la notaire, je ne puis m'empêcher de songer à ce que j'ai appris sur les circonstances de la mort d'Eusèbe. Dimanche dernier, Eusèbe, comme il en avait l'habitude, avait invité ses trois amis, Conrad, Jean et Paul, pour le brunch. Quatre compères qui aimaient se rencontrer, comme ça, le dimanche matin, pour casser la croûte et discuter de l'actualité tout en jouant aux cartes.

C'est toujours Eusèbe qui recevait. Il était le seul à aimer cuisiner. Combien de fois je l'ai entendu répéter : « Pendant des années, tous les dimanches matin, j'ai partagé le corps du Christ avec une bande d'in-connus, aujourd'hui je partage mon omelette avec des amis. » On en pro-fitait pour jouer aux cartes, mais de moins en moins au poker, car Eusèbe connaissait tellement bien ses amis qu'il devinait leur jeu et il était devenu imbattable. Le bridge à l'occasion, mais la concentration nécessaire et les enchères dérangeaient les discussions. La Dame de pique était donc deve-nue le jeu de prédilection.

Dimanche dernier, Conrad est arrivé chez Eusèbe le premier et, à sa surprise, un journal gisait toujours devant la porte. Lorsqu'il n'a pas reçu de réponse au coup de sonnette, il n'a pas hésité à utiliser la clé qu'Eusèbe lui avait confiée. Au même moment, Jean et Paul arrivaient. Ils le trou-vèrent mort dans son lit.

Le bureau de Florence est situé sur la rue Cherrier, entre Saint-Hubert et Berri, dans une ancienne maison qu'elle a rénovée. Il est impossible de stationner dans le quartier ; j'ai donc pris le métro jusqu'à la station Sherbrooke. À la sortie, je remarque la grande murale peinte sur le mur de briques d'une résidence. J'ai quelques minutes d'avance et je m'assois sur un banc pour rédiger une note dans mon agenda élec-tronique, un rappel qui s'ajoute à plusieurs autres, des idées qui ont le potentiel de devenir des sujets pour ma chronique dans *Le Journal de*

*Montréal* ou mon émission *Administration publique* à la télévision de Télé-Québec.

Je lève les yeux et un panneau m'indique que je suis assis dans un parc dédié à J.-Z. Léon Patenaude : « 1926-1989 Résidant du quartier, actif en politique et dans le milieu du livre ». Mon cynisme, toujours à fleur de peau, une caractéristique des Beaubien, me fait imaginer un petit organisateur politique de quartier pour qui la Ville a baptisé un parc à la suite des pressions de sa famille et de quelques amis. Par simple curiosité, je devrais demander à Conrad qui était J-Z. Nouvelle note pour mon agenda : *Une émission sur le nom des parcs de Montréal.*

Je suis sur Cherrier, à l'est de Berri, une section de rue que j'ai toujours aimée avec ses maisons de blocs de granite construites par la bourgeoisie d'une autre époque, rénovées aujourd'hui en copropriétés pour servir une nouvelle bourgeoisie. Les notaires et les psychologues semblent s'être partagé ce bout de rue.

Le bureau de Florence est situé au premier étage. Des rénovations ont redonné à ces lieux leurs charmes d'autrefois : les planchers de chêne ont été sablés, les boiseries ont été décapées et le grand escalier menant au deuxième, complètement refait. Florence habite le deuxième. À droite du hall d'entrée, dans ce qui devait être autrefois le salon, Florence et son associée ont installé leurs bureaux.

À mon arrivée, elle est au téléphone ; elle me salue et me fait signe de la main de me diriger à ma gauche vers la salle de conférence. Seul, j'en profite pour admirer les photos de Florence qui décorent les murs de la salle de conférence, ces photos de jeunesse, prises alors qu'elle gagnait ses études en travaillant comme *bunny* au Club Playboy, coin de La Montagne et De Maisonneuve. Ce travail lui a valu une notoriété qui aurait pu être négative, mais qu'elle a tournée à son avantage ; elle n'a jamais caché ce petit épisode de sa vie et, en affichant les photos, elle a éliminé toute connotation négative que cette aventure de jeunesse aurait pu lui valoir. Je n'ai pas de difficultés à imaginer plusieurs de ses clients se vanter que leur notaire est une ancienne *bunny* de Playboy. Eusèbe ne se cachait pas pour le dire : « Ma lapine favorite. »

Florence entre, un dossier sous le bras, et elle m'accueille d'une ferme poignée de main.

— Alors, Maxime, sais-tu quoi faire pour Montréal ?

Je ne m'attendais pas à une entrée en matière aussi directe et, pour un instant, je reste bouche bée. Florence poursuit.

— Eusèbe te fait sûrement quelques suggestions dans sa lettre. J'ai demandé à Conrad de venir prendre un verre vers cinq heures.

Elle a à peine terminé sa phrase qu'il arrive. Je ne suis pas à l'aise avec l'idée qu'elle ait invité Conrad. Il me semble qu'il n'y a pas de presse. Mais il est vrai qu'Eusèbe lui a demandé d'être l'un de mes conseillers.

Elle s'adresse à Conrad :

— Tu nous excuses un moment ?

Puis elle sort une enveloppe de son dossier et me la présente :

— La lettre d'Eusèbe.

Sur ce, elle se lève et rejoint Conrad à la cuisine sous prétexte de préparer quelque chose à boire.

Lettre à la main, je sens une poussée de chaleur. Je décachette :

*Mon cher Maxime*

*Comme tu le sais, et nous en avons souvent discuté, notre ville souffre, notre ville est en difficulté, notre ville est mal organisée, notre ville est en état de siège ; elle est à l'agonie. Notre ville, c'est Montréal ; notre ville, c'est Westmount ; notre ville, c'est Dorval ; notre ville, c'est Longueuil ; notre ville, c'est Laval ; notre ville, c'est la grande région de Montréal. Non seulement la région est mal organisée, mais elle est sans défense face à une guerre de pouvoir avec les régions. Tout le monde sait ça et tout le monde se rend compte qu'il faut se mobiliser, mais personne ne veut bouger, enlisé dans une mosaïque incompréhensible de structures administratives et de responsabilités individuelles divergentes.*

*J'aimerais que tu trouves le moyen de former un front commun des forces vives (je déteste cette expression) de la grande région de Montréal, avec l'objectif de défendre la région métropolitaine face à Québec et aux régions.*

*La clé du succès réside d'abord dans la mobilisation de la population. J'ai confiance au bon jugement du peuple, suffit de bien lui expliquer la situation pour le mobiliser, et tu as bien amorcé ce travail avec ton émission télé. Je mets à ta disposition les ressources financières nécessaires pour assurer ton indépendance financière et te donner les moyens d'aller plus loin.*

*J'aurais bien aimé t'accompagner dans cette mission, mais la nature est intervenue pour mettre fin à mon séjour sur cette terre. Je suis atteint d'un cancer terminal et je refuse les traitements, à quoi bon attendre de perdre l'esprit. J'ai donc obtenu d'un ami le nécessaire pour m'envoyer dans l'au-delà. Il n'y aura aucune trace, ne t'inquiète pas. J'aimerais cependant que cette dernière révélation reste entre nous. Prière de détruire cette lettre après lecture.*

*Cher Maxime, je pars en paix avec moi-même ; s'il te plaît, pas de regret et bon courage.*

*EUSÈBE*

J'en suis à une deuxième lecture lorsque Florence et Conrad reviennent. Ils ont apporté du café.

Sans dire un mot, Conrad commence le rituel du service pendant que Florence, toute aussi silencieuse, ouvre son dossier et sort quelques feuilles qu'elle place sur la table. Je comprends par leur silence que c'est à moi d'ouvrir la conversation :

— Conrad, je prends mon café noir.

Je ne prends généralement pas de café après le repas du midi, mais je suis décontenancé. Je ne savais pas qu'il était atteint d'un cancer. J'avais bien remarqué qu'il avait l'air de plus en plus fatigué, mais j'attribuais ce changement à son âge. Hier encore, je répétais à qui voulait l'entendre que j'aimerais bien mourir comme mon oncle : calmement, dans mon sommeil. Mais un suicide…

Je replace la lettre dans son enveloppe. La préparation de la tasse de café me donne quelques secondes pour me remettre et tenter de comprendre les intentions d'Eusèbe. Il sait que je caressais, plus jeune, le rêve de faire de la politique. À l'université, étudiant en sciences politiques, mes rêvasseries de jeunesse m'imaginaient dans le rôle de premier ministre du Canada, dans un personnage doté du charisme de John F. Kennedy, de l'admirable arrogance intellectuelle de Pierre Elliott Trudeau et de la sagesse du respecté Lester B. Pearson. Plus tard, mes ambitions deviennent plus modestes et se transforment en l'idée d'influencer les décideurs publics grâce à mes chroniques et à mon émission de télé. Mes succès sont mitigés et mes idées tombent souvent dans le néant, victimes de l'immuabilité de l'appareil de l'État et des aléas de la vie politique. Le regard de Florence interrompt ma réflexion :

— Florence, Eusèbe demande que cette lettre soit détruite.

Florence me fait un signe et je l'accompagne à la cuisine où se trouve une déchiqueteuse. Florence me tend quelques documents :

— Voici un état financier sommaire de la succession.

Florence me laisse quelques minutes pour en prendre connaissance puis me regarde dans les yeux et demande :

— Est-ce qu'il y avait quelque chose dans la lettre que je devrais savoir à titre de liquidatrice de la succession ?

— Saviez-vous qu'il était atteint d'un cancer ?

Un silence gêné. Les deux me font un signe de tête affirmatif.

Conrad explique :

— Eusèbe nous avait demandé de ne pas t'en parler.

Florence devine mon état d'âme :

— Il ne voulait pas que tu t'inquiètes ; seuls Conrad et moi étions au courant de ce qui lui arrivait, mais il nous avait caché la sévérité de sa maladie. Sa mort nous a tous les deux pris par surprise.

Je change de sujet :

— Dans sa lettre, Eusèbe me demande d'organiser un front commun pour permettre à la région de Montréal de mieux s'organiser et se défendre. Étiez-vous au courant ?

— Au cours des derniers mois, Eusèbe a souvent exprimé ses frustrations devant la situation de Montréal en général et de sa dépendance face à Québec. Nous avions discuté de différentes possibilités pour mobiliser les citoyens, mais ce n'était jamais allé bien loin. Il ne t'en avait jamais parlé ?

— Oui, à quelques reprises en prenant un scotch, mais c'était purement théorique, une idée qu'il émettait lorsque nous discutions de certaines de mes émissions et du peu de réactions qu'elles suscitaient.

Florence, qui avait déjà replacé ses documents dans leurs dossiers, se lève en nous disant :

— Eh bien, un méchant contrat !

Elle regarde sa montre et suggère :

— Messieurs, il est bientôt dix-huit heures et j'aimerais vous inviter à souper si vous êtes libres. Je vous suggère que nous allions sur Saint-Denis où nous aurons l'embarras du choix.

Aussitôt dit, aussitôt fait, et nous partons tous les trois sur Cherrier, direction ouest. Au coin de Berri, Florence nous met en garde :

— Je suis convaincue que je finirai mes jours à cette intersection. Faites bien attention, les voitures viennent de partout et il est quasi impossible pour un piéton de traverser.

Après plusieurs minutes d'attente, nous réussissons l'exploit, non sans avoir à éviter de justesse un groupe de cyclistes.

À la suggestion de Conrad, nous choisissons un petit bistro français. Florence commande un saumon avec une sauce à l'oseille et Conrad, une bavette de cheval. J'ai pour ma part choisi une spécialité de la maison : un tartare de saumon avec frites.

Je ne peux m'empêcher de penser au suicide d'Eusèbe et j'aimerais en parler à quelqu'un, mais je ne peux pas. Le suicide, dans notre société, est perçu comme un acte de désespoir ; je crois au contraire que c'est un acte courageux dans les circonstances. Pour me changer les idées, je demande à Conrad :

— Coin Berri et Cherrier, il y a un petit, très petit parc dédié à J.-Z. Léon Patenaude. Les informations sur le panneau sont ce qu'il y a de plus bref. On se limite à nous dire qu'il était résidant du quartier, actif en politique et dans le domaine du livre.

Conrad sourit et me répond :

— Tu ne seras pas surpris d'apprendre que ce pauvre J.-Z. était du mauvais bord de la clôture. Il était un formidable organisateur et, au début, très près de Pacifique Plante et de Jean Drapeau. Il a été le principal organisateur de la Ligue d'action civique dans les années cinquante. Son erreur, et c'est ce qui explique l'inscription, fut de changer de bord et de soutenir Pierre Desmarais contre Jean Drapeau lors de l'élection d'octobre 1960. Il en a remis en écrivant un pamphlet contre le nouveau maire intitulé : *Le vrai visage de Jean Drapeau*. Je n'ai pas à te dire que le livre n'était pas très flatteur pour le nouveau maire.

Florence demande la question qui me vient à l'esprit :

— Pourquoi un parc en son nom ?

Conrad répond d'un hochement de tête :

— Une bonne question à laquelle je n'ai pas de réponse.

# Chapitre 5

# Catheryne

Hier, je n'ai rien « foutu » de la journée ; le testament et la lettre d'Eusèbe ont occupé mes pensées et rien à faire pour y échapper. Je n'ai parlé à personne, sauf pour un appel de mon cousin Lucien. Coup de théâtre, il voulait m'avertir que sa mère était furieuse et voulait contester le testament. Durant la conversation, Lucien m'a expliqué que le bizarre montant qu'Eusèbe a laissé à sa sœur représentait, de fait, le montant exact qu'Alma a perdu lors de la baisse du marché boursier en 2008 sur le portefeuille que gérait Eusèbe pour elle. Après cette perte, elle lui a retiré la gestion de son portefeuille et ne lui a plus jamais parlé depuis. Je savais que les deux étaient en brouille, mais ni l'un ni l'autre ne m'avait fourni une explication.

Ce matin, je me suis levé tôt pour terminer la rédaction de ma chronique. Je m'étais réservé la journée d'hier pour terminer le travail, mais la page était restée vierge. Ce matin les choses vont mieux. La vie continue. Dans mes chroniques, à l'occasion, je me permets de dévoiler mes états d'âme, et le sujet de la chronique de cette semaine est l'une de ces occasions ; le premier paragraphe de la lettre d'Eusèbe est la source de mon inspiration. Ma chronique dénonce l'hypocrisie des banlieusards, tant de l'Île que du 450, qui se targuent d'être de fiers Montréalais lorsqu'ils se trouvent à l'extérieur de la province et qui, dès leur retour, s'empressent de dénigrer Montréal, confortables dans leurs petites villes-dortoirs à l'abri des problèmes et des difficultés que vit la ville centrale dont ils dépendent pourtant tous.

Puis on sonne à la porte. Catheryne est là, toujours aussi belle. Elle porte un coton ouaté décoré d'un bébé phoque avec ses grands yeux qui me regardent. Aucun slogan nécessaire, nous avons tous compris. Catheryne est une artiste et elle adopte toutes les causes populaires ; couverture médiatique assurée, c'est important pour sa carrière. Elle m'embrasse, un baiser sans émotion, un baiser accoutumé, mais peut-être un peu plus long que d'habitude, puis elle se dirige vers la cuisine en me lançant :

— Le café est prêt ?

Je n'ai pas à répondre. Bien sûr qu'il est prêt le café, il fait partie de notre rituel du dimanche matin, un rituel qui ne change que rarement. Pour Catheryne, qui a joué au théâtre hier soir, ce matin est le début de sa fin de semaine, car, lundi, le théâtre fait relâche. Nous avons pris l'habitude de nous voir pour le petit-déjeuner le dimanche midi, pour passer l'après-midi ensemble, et la soirée, à son appartement de la rue Papineau : madame aime se lever le lundi matin dans ses affaires. Je fais partie de ses affaires, mais seulement dans la nuit du dimanche au lundi.

Je la rejoins à la cuisine. Elle est en train de se servir un café et demande :

— La mort de ton oncle, pas trop difficile ? Vous étiez très près.

Je n'ai vraiment pas le goût d'en parler, mais comment y échapper ?

— Il est mort d'un cancer.

Elle me sert un café :

— Tu ne t'en étais pas aperçu ? Un cancer ça… ça… ça, voyons, c'est quoi le terme ? Ça magane son homme. Puis, il me semble que l'on ne meurt pas subitement d'un cancer.

Elle a tout à fait raison :

— Je suis son légataire universel.

— As-tu acheté des croissants ?

Elle n'aime que les croissants aux amandes de la pâtisserie de Gascogne, sur Laurier.

— Oui, ils sont dans le sac de papier près du grille-pain.

J'ai compris. Madame a faim. Je me lève, mets le four à deux cent vingt-cinq degrés et dresse la table :

— Il me laisse une petite fortune et il me demande d'en consacrer une partie au bénéfice de Montréal.

Elle a le nez dans le réfrigérateur et me lance :

— Tu as encore oublié ma confiture de cassis.

— Oui, j'ai encore oublié, mais j'ai acheté ton brie de Meaux, et il me reste de la confiture de fraises. J'ai aussi acheté tes céréales préférées, tu sais les granolas au chanvre biologique avec beaucoup d'oméga trois.

— Maxime, ne ris pas de moi. Tu le sais, dans mon métier, mon apparence est importante. Ce matin, je dois prendre des calories : mon médecin me trouve trop maigre.

Je ne l'avais pas remarqué, mais, après un court examen, il est vrai que ses pantalons de cuir flottent un peu sur son derrière.

Catheryne s'assoit à la table de la cuisine, prend une gorgée de café et me demande :

— Il te laisse combien ?

Du Catheryne tout craché. J'ai souvent l'impression que, même si elle ne m'écoute pas, elle enregistre tout.

— Près de sept millions, et il me demande d'utiliser une partie du montant pour mobiliser la population de la grande région de Montréal pour qu'elle puisse mieux se défendre face aux régions en formant un front commun.

— Encore de la politique, toujours de la politique, je déteste la politique.

J'ignore le commentaire tout à fait prévisible venant de Catheryne, et j'ai même le goût de lui dire que son coton ouaté et le message qu'il véhicule sont politiques, mais je ne veux pas commencer un débat. J'ai compris qu'elle n'est pas intéressée.

— Tu es maintenant riche ! Qu'est-ce qu'on fait cet après-midi ? J'aimerais aller au Musée d'art contemporain voir l'exposition de Sylvie Carrière. C'est une amie, et le musée fait une rétrospective de mi-carrière de ses œuvres.

Je fais une grimace. Quelque peu compatissante, elle enchaîne :

— Je sais que tu n'aimes pas l'art contemporain et, crois-moi, l'œuvre de Sylvie est ce qu'il y a de plus contemporain, mais accompagne-moi cet après-midi et je te récompenserai ce soir à l'appartement.

Les derniers mots sont lancés avec un sourire qui ne laisse aucun doute sur ses intentions. Je suis prêt à subir le supplice d'une exposition d'œuvres modernes en échange de cette émoustillante perspective. Décrire nos ébats comme amoureux ne convient pas. Il serait plus approprié de les décrire comme des parties de fesses de qualité.

Notre relation en est une d'accommodement mutuel sans exclusivité ni engagement. Je ne crois pas qu'il y ait eu quelqu'un d'autre dans notre vie depuis quelques années, mais la porte demeure ouverte. Catheryne est dans la trentaine, je suis au début de la quarantaine, et nous sommes tous les deux des professionnels, qui, selon les conventions sociales, devraient déjà être casés. Cette liaison est une agréable façade qui nous met à l'abri des interrogations et des potins. J'ai réalisé au cours des années que Catheryne ne deviendrait pas la mère de mes enfants et, d'ailleurs, je doute même qu'elle désire avoir des enfants. De toute façon, le sujet des enfants, comme celui du mariage, a toujours été un sujet que nous évitons. À nos âges faudrait peut-être commencer à y penser chacun de notre côté.

\* \* \*

À notre sortie du musée, un vent froid de novembre s'est levé et nous prenons un taxi pour nous rendre chez elle. À mon étonnement, l'exposition de Sylvie Carrière était intéressante : ses œuvres sont composées de languettes de différentes couleurs, grandeurs et de nombreux matériaux. Une majorité d'artistes en serait restée là, laissant aux visiteurs le soin d'interpréter l'œuvre. Dans le cas de madame Carrière, elle nous donne un coup de main en ajoutant sur ses languettes des extraits de poèmes passant de Nelligan à Jean Narrache. J'avoue que j'ai aimé.

En cette fin de dimanche après-midi, le taxi ne prend que quelques minutes pour se rendre chez Catheryne. Elle habite au quinzième étage d'un édifice situé sur Papineau, au nord de Sherbrooke face au parc La Fontaine. Catheryne est née Genoueffa Delaforte, de parents immigrants, et a été élevée à Anjou, dans une famille traditionnelle italienne. Catheryne n'a pas seulement adopté un nom d'artiste, elle a voulu changer sa vie. J'ai toujours trouvé fascinant le contraste entre le décor de l'appartement de Catheryne et celui de la maison de ses parents sur le boulevard Gouin, une maison meublée à l'européenne avec ses planchers de céramique, ses reproductions de meubles antiques, ses velours foncés et ses statues de marbre.

L'appartement de Catheryne est moderne et minimaliste. Les murs sont décorés de reproductions d'œuvres de Georgia O'Keefe. Une petite cuisine et une chambre à coucher, décorée tout de rose, complètent l'espace de vie de Catheryne, un espace féminin dans lequel je ne me sens pas à l'aise.

Tout comme le petit-déjeuner à mon appartement possède son rituel, le souper chez Catheryne a le sien : dès notre arrivée, je me dirige vers le frigo pour aller chercher une bouteille de champagne. Je ne suis pas surpris par son contenu : cinq bouteilles de champagne, une bouteille de vodka Grey Goose, un contenant de jus d'orange, un berlingot de lait, du beurre et plusieurs contenants de plastique. La mère de Catheryne, Roxana, est passée cet après-midi et, comme d'habitude, elle s'est assurée que sa fille trop-occupée-pour-cuisiner ait de la nourriture pour la semaine.

J'ouvre le champagne et prépare un kir royal pour Catheryne, puis je me sers un martini vodka. Catheryne me rejoint et sort d'une armoire des craquelins au riz tout en me demandant :

— Ma mère est passée ?

— Oui, mais je n'ai pas regardé ce qu'elle a préparé.

— Attends, je vérifie.

Elle ouvre le réfrigérateur et sort deux contenants :

— J'ai deux de tes plats préférés : une sauce tomate aux champignons et des saucisses italiennes. Pour dessert, j'ai demandé à maman de te préparer un tiramisu au brandy de pêches, pour te remonter le moral.

Elle s'approche de moi et m'embrasse en me glissant à l'oreille :
— Je te remonterai le moral d'une autre façon un peu plus tard.

Chapitre 6

# Chez Eusèbe

Ce matin, retour à un semblant de vie normale : je donne un cours à l'Université du Québec : *Recherche opérationnelle et gestion urbaine*. Je n'ai qu'une dizaine d'élèves dans ce cours obligatoire pour l'obtention d'une maîtrise, et c'est le cours le plus détesté par les étudiants. Le deuxième cours que je donne est beaucoup plus populaire : *Villes et mondialisation*. J'ai décidé de continuer à enseigner pour conserver mon titre de professeur universitaire, un titre qui représente, pour le futur, un gage de mon expertise.

Après le cours, je rencontre Pierre pour le lunch ; lui et moi sommes des amis depuis des décennies. Nous nous sommes rencontrés au Collège Brébeuf et depuis nous vivons le genre d'amitié qui perdure malgré des absences prolongées. Chaque fois que nous nous sommes retrouvés, nous avons repris comme si nous nous étions quittés la veille.

Il m'a donné rendez-vous au Club Mount Stephen sur Drummond. Dans le passé, nous nous serions rencontrés au Club Saint-Denis, ce vénérable club privé des Canadiens français qui est aujourd'hui disparu. Pierre, concentré dans la lecture du *Devoir*, m'attend, assis à l'une des tables du bar.

— Bonjour, monsieur Beaubien.

Nous nous dirigeons vers la salle à manger où il est accueilli par son nom et dirigé vers sa table, une table stratégique qui lui permet de voir, de se faire voir, et de saluer les autres membres qui sont là pour le lunch.

— Comment va ton père ?

Le père de Pierre, Jacques Fabien, est le Fabien de Fabien, Beauséjour, Irving et associés. Il est l'un des fondateurs de la firme. Plusieurs auraient pensé que Pierre, en joignant la firme fondée par son père, aurait été condamné à travailler dans son ombre ; or, c'est tout le contraire qui s'est produit. Pierre est devenu l'associé principal responsable des fusions, une activité qui a fait de la firme l'une des plus importantes au Québec.

— Mon père est en pleine forme et il pense aller vivre à son « condo » du Mont-Tremblant. Je ne suis pas d'accord. C'est bien beau le golf et le ski, mais il n'a que soixante-sept ans. Ça va durer combien de temps ?

Le garçon prend notre commande : une eau minérale pour Pierre, un dry martini pour moi. Devant mon choix, Pierre lève les sourcils. Il me connaît assez pour savoir que, si je prends un martini le midi, quelque chose me dérange.

Pierre me regarde avec un petit sourire ironique :

— Un martini à l'heure du lunch ? La mort de ton oncle ?

— Indirectement ; je rencontre ma tante Alma cet après-midi sous prétexte qu'elle veut visiter l'appartement d'Eusèbe. Mon cousin Lucien m'a avisé qu'elle va m'informer de son intention de contester la validité du testament.

— Sur quelle base ?

— Incapacité mentale.

Pierre se redresse sur sa chaise :

— Pas facile à prouver. Elle veut ta coopération ?

— Je ne sais pas.

— À ce que je sache, vous n'êtes pas très proches tous les deux.

— La dernière fois qu'elle a voulu se mêler de mes affaires, la situation a tourné au vinaigre. Lors du décès de me parents, elle voulait absolument que j'aille vivre chez elle. Eusèbe est intervenu et m'a appuyé dans ma décision de prendre un appartement. Elle ne nous a pas parlé pendant un bon bout de temps.

Le serveur sert mon martini. Je salue Pierre et en prends une bonne gorgée. Trop vite, je m'étouffe. Pendant que je reprends mon souffle, Pierre me demande :

— Et la clause Montréal du testament ? Des idées ?

Je me remets finalement. Nous sommes interrompus par le serveur qui nous sert le plat principal : un saumon pour Pierre et un confit de canard pour moi. J'en profite pour ajouter :

— Eusèbe, dans une lettre confidentielle, me demande de créer un front commun dans la région de Montréal pour permettre à la région d'exercer son pouvoir et de se défendre face aux régions qui prennent de plus en plus de place au Québec.

Pierre, lentement, prend une gorgée d'eau :

— Bref, la quadrature du cercle.

— Dans son testament, Eusèbe m'impose un comité consultatif formé de Conrad Héroux, Paul Underhill et Jean Deragon. Tu les connais tous.

— Au lieu de te tourmenter les méninges, pourquoi ne les rencontres-tu pas ? Eusèbe leur a sûrement parlé avant d'inclure une telle demande dans son testament.

— J'ai l'intention d'organiser une rencontre après le cocktail dînatoire de jeudi.

— Drôle d'idée, ce cocktail.

— Mon oncle Eusèbe tout craché.

\* \* \*

Du club Mount Stephen, j'ai décidé de marcher vers le Vieux-Montréal pour mon rendez-vous avec Alma et Conrad à la copropriété d'Eusèbe. Avant de partir, j'ai vérifié ma messagerie vocale à la maison pour prendre connaissance d'un message d'Alma. Elle me demande de la rencontrer dans un café avant la visite. Elle m'assure qu'elle a avisé Conrad que nous aurions un peu de retard.

L'affluence du midi est terminée et il n'y a personne dans le café sauf Alma que j'aperçois installée à une table face à la fenêtre. Elle me reçoit comme elle ne m'a jamais reçu : elle se lève et m'embrasse :

— Bonjour, Maxime, comment ça va ?

C'est la première fois que la vieille chipie m'accueille aussi chaleureusement. J'ai toujours senti qu'elle ne m'aimait pas, qu'elle me considérait comme un enfant gâté qui s'amusait à enseigner et à écœurer tout le monde avec ses chroniques et son émission. Par surcroît, elle me considère comme un coureur de jupons trop égoïste pour fonder une famille. Elle n'aimait pas plus mon père qu'elle jalousait parce qu'il était devenu un respecté médecin d'Outremont, et encore moins Eusèbe parce qu'il était riche alors qu'elle devait vivre de sa pension du ministère de l'Éducation. Pauvre vieille frustrée.

Après une dizaine d'années comme religieuse enseignante au collège Marguerite-Bourgeois, elle avait laissé la Congrégation Notre-Dame et décidé d'aller travailler au ministère de l'Éducation pour être en mesure de changer le monde de l'enseignement. C'est du moins ce qu'elle a toujours prétendu. Partie pour Québec avec de grandes aspirations, son caractère acerbe lui a valu de se retrouver sur une tablette : elle est devenue une obscure fonctionnaire responsable des choix de lectures suggérées pour les années du secondaire.

Je m'installe à la table. Un café et une pâtisserie sont déjà devant elle. Je commande un thé avec citron.

— Comment sont les Lucien ?

Elle répond à ma question par un bref :

— Bien.

Il est évident qu'elle n'a pas aucune intention de discuter de la santé et du bien-être de son mari et de son fils. Elle enchaîne immédiatement et va droit au but :

— Qu'est ce que tu penses du testament et de l'obligation de consacrer une partie de ton héritage au bénéfice de Montréal ?

Je prends une gorgée de thé et je réponds :

— L'énigmatique Eusèbe.

Je ne veux pas en dire trop avant qu'elle dévoile ce qu'elle a derrière la tête. Je n'ai pas à attendre longtemps.

— Ce testament n'a aucun bon sens et devrait être contesté. Eusèbe, que Dieu ait son âme, ne pouvait être sain d'esprit lorsqu'il a rédigé ce torchon. Te forcer à consacrer une partie de ton héritage au bénéfice d'une ville n'est pas raisonnable. En plus, il ne te dit ni combien y consacrer ni comment t'y prendre.

— Il veut que je forme un front commun pour défendre les intérêts de la région.

— Je ne me souviens pas d'avoir lu ça dans le testament.

— Il m'a fait part de ses intentions dans une lettre qu'il m'a adressée et qu'il avait laissée à Florence.

— Je peux la voir ?

— Je l'ai détruite.

— Pourquoi ?

— À la demande d'Eusèbe.

Après un moment de silence, elle continue :

— S'il t'a demandé de la détruire, c'est qu'il y avait autre chose dans cette lettre.

Le ton est inquisiteur. Je me rends compte que j'ai fait une erreur en dévoilant l'existence de la lettre et je m'empresse de corriger le tir :

— Ma tante, la lettre m'était adressée, et Eusèbe m'a demandé de la détruire. C'est tout.

— Tout cela est bien mystérieux.

Alma, d'un air exaspéré, regarde sa montre et ajoute :

— Nous devrions nous rendre à l'appartement. Conrad est sûrement déjà là.

Elle place sa main sur la mienne et ajoute :

— Si tu veux contester, tu auras mon appui.

Sur ce, elle se lève et prend la direction de la sortie. Elle laisse sur la table sa pâtisserie qu'elle n'a pas touchée. Je n'ai d'autre choix que de la suivre en laissant un billet de dix sur la table.

* * *

La copropriété d'Eusèbe est située aux Jardins d'Youville sur la rue de la Commune. Comme prévu, Conrad nous attend à la porte. Il ouvre et Alma est la première à entrer. Elle dépose son manteau sur une chaise et passe le doigt sur une petite table en acajou à la droite de l'entrée.

— Au moins le service d'entretien a fait son travail. J'espère qu'ils n'ont rien pris.

Je ne me sens pas du tout à l'aise : j'ai l'impression d'être un intrus. L'appartement est imprégné d'une odeur de Gauloises. Sur une table, près du divan, l'indicateur du répondeur clignote. Nous n'avons pas son code.

Alma passe au salon et marmonne :

— Ça pue. Maudites cigarettes. C'est probablement cela qui l'a tué.

Les copropriétés d'Youville ont été aménagées dans une ancienne écurie. L'unité d'Eusèbe est située au troisième. Le salon est meublé de fauteuils de cuir et d'un énorme bahut qui abrite la télévision et domine le décor. Un mur de pierres a été laissé à découvert. Les autres murs sont garnis de peintures de John Little. Un seul thème : les rues de Montréal. Le décor est sobre et masculin. Les fenêtres sont petites et profondes, des fenêtres d'écurie. Des lumières halogènes sont disposées de façon stratégique pour compenser le manque de clarté. La propriété a deux chambres. Eusèbe a choisi la plus petite pour en faire sa chambre à coucher et a transformé la deuxième en bibliothèque.

Le logement fait le coin et, du salon, il offre une vue sur le port de Montréal. J'ai fait une émission sur les activités portuaires qui sont de plus en plus coincées entre les projets commerciaux, résidentiels et récréatifs. J'y maintenais qu'il était grand temps que les Montréalais reprennent les rives du fleuve et les utilisent à des fins qui conviennent aux priorités du vingt et unième siècle. Dans le passé, le fleuve était là pour être exploité. Aujourd'hui, il est là pour que l'on en profite. Les activités portuaires peuvent toujours être déménagées sur la rive sud, près de Varennes ou de Verchères, qui, elles, ont un accès facile au réseau routier.

Mes réflexions sont interrompues par Conrad.

— Tu es toujours à loyer sur Penfield ? Vas-tu prendre le « condo » ?

— Honnêtement, je n'y ai pas pensé. Ce n'est pas une mauvaise idée, mais vivre dans le Vieux-Montréal ? Pas de services.

Alma interrompt notre conversation. Elle tient à la main un sac d'ordures à moitié plein et elle nous explique :

— J'ai vidé le réfrigérateur. Il n'y avait presque rien. Savez-vous où nous devons déposer les vidanges ?

Conrad, qui vient de terminer d'arroser les plantes du salon, offre de s'en charger. La visite de l'appartement est terminée. Qu'est-ce qu'on est venu faire ici ?

# Chapitre 7

# Le cocktail d'Eusèbe

Florence a fait parvenir les invitations au cocktail dînatoire le lende-main des funérailles. J'en ai reçu une comme tout le monde et je suis demeuré perplexe lorsque j'ai lu qu'Eusèbe nous conviait à la Maison du hotdog sur Saint-Laurent. Je me serais attendu à l'un des restaurants branchés au nord de la rue Sherbrooke, mais jamais à un stand à hotdogs. Connaissant mon oncle Eusèbe, je soupçonne anguille sous roche, d'au-tant plus que l'invitation se termine sur une note inquiétante : *Vous venez à vos risques et périls.*

Le coin Saint-Laurent et Sainte-Catherine me rappelle des souvenirs de mon adolescence : les balades nocturnes pour reluquer les prostituées, les visites aux bars de danseuses les après-midi de congé et les films por-nographiques des deux cinémas du coin, maintenant disparus, qui nous offraient des heures d'instructions sexuelles pour quelques dollars. Après une visite à ces cinémas, je revenais rapidement à la maison et, à la seule idée de ce que les clients antérieurs avaient bien pu faire sur le siège que j'avais occupé, je mettais tous mes vêtements dans le panier à linge sale et prenais une longue douche tout en rêvant au jour où je serais suffi-samment vieux pour fréquenter des femmes d'expérience, à l'enthou-siasme sexuel débordant et aux prouesses étonnantes. Mes illusions sont disparues lorsque j'ai réalisé plus tard qu'elles étaient de bonnes actrices.

Aujourd'hui, la Main, ce coin défendu, est à refaire ses lettres de noblesse. Les bars *cheap* ont disparu, les cinémas ont passé au feu et les quelques restaurants qui sont restés en arrachent. L'arrivée du Club Soda, la réfection du Monument national, la Place des Arts et les festivals ont changé la vocation du coin qui est devenu le centre du Quartier des spec-tacles. Je viens de trouver le sujet d'une prochaine chronique : le Quartier des spectacles, ses origines, son développement. Le Quartier s'est créé tout seul, il s'est développé sans intervention gouvernementale, au cours des années, un peu comme le Plateau. L'améliorer est une chose, en réclamer la paternité est autre chose. Le sujet est bon et, en boni, j'en trouve un deuxième : les prostituées ont été repoussées vers l'est. Qu'en pensent les résidants ?

Pourquoi ne pas recréer un district *red light* comme le fameux quartier d'Amsterdam ? Deux rues entre le Quartier des spectacles et le Quartier gai. Une telle proposition verrait la création d'un nouveau quartier entre les deux autres, et pourquoi pas un festival du sexe avec cela ? Imaginez l'attrait touristique. Un sujet en or pour un chroniqueur cynique, mais à traiter avec beaucoup d'ironie, de peur que l'on ne le prenne au sérieux.

J'arrive face à la Maison du hotdog et je suis surpris de voir que le restaurant est ouvert au public. J'avais pensé qu'il serait fermé pour l'occasion. Florence m'a pourtant dit que la liste comprenait une centaine de noms et qu'une majorité avait répondu positivement. En entrant, j'arrive face à face avec ma tante Alma. Elle est plantée là, au beau milieu du restaurant, avec son mari Lucien qui se tient un peu en retrait. Tous les deux observent, d'un petit air dédaigneux, le va-et-vient des chauffeurs de taxi venus commander leur souper : deux *steamés all dressed*, pas d'oignons, des frites avec sel et vinaigre, et un Coke en canette qu'ils ramèneront demain soir pour les cinq cennes. Pendant qu'ils attendent, ils surveillent d'un œil diligent la rue où leur voiture est stationnée en double. On ne sait jamais quand une auto-patrouille qui n'a pas encore atteint son quota de contraventions passera dans le coin.

À l'avant du restaurant, derrière le comptoir, trois employés vêtus d'une chemise blanche et d'un tablier taché de moutarde, s'affairent à leur spécialité respective : un pour les frites, l'autre pour les hotdogs et le troisième pour les boissons gazeuses et la caisse. Celui qui prépare les hotdogs sue à profusion, et sa casquette, à l'effigie du fournisseur de saucisses, n'arrive pas à absorber la sueur qui dégouline sur son front. Son bras poilu, qu'il se passe régulièrement au visage, n'arrive pas à éliminer le problème, et des gouttes de sueur tombent sur le comptoir ; les hotdogs seront un peu plus salés que d'habitude ce soir.

Les trois hommes semblent distraits par ce qui se passe à l'arrière du restaurant où s'affèrent un grand sec coiffé d'une toque, un corpulent assistant et trois jolies demoiselles vêtues d'un costume de serveuses : blouses blanches, jupes noires et tabliers de dentelles. Un écran protège la table de travail ; impossible de voir ce qu'ils préparent. Chose certaine, ils ne cadrent pas dans le décor.

Les banquettes de cuirette noire, qui normalement sont placées devant les comptoirs accrochés aux murs, ont été disposées de façon à diviser le restaurant en deux sections. Quelqu'un, aux doigts graisseux, a écrit le mot *privé* sur un carton et l'a collé sur l'une des banquettes. Je franchis cette cloison improvisée, et je n'ai pas d'autre choix que d'aller saluer ma tante Alma :

— Bonsoir ma tante, bonsoir Lucien.

Je n'ai pas le temps de dire un autre mot avant d'être interrompu par Alma qui me lance :

— As-tu participé à l'organisation de cette soirée ?

Je lui réponds :

— Non, ma tante, c'est Eusèbe qui a tout organisé.

Et je me dirige vers Florence, que j'aperçois à l'arrière. Elle est en discussion avec un jeune mal rasé qui s'affaire à régler une chaîne de son. Dès qu'elle m'aperçoit, elle vient me rejoindre, un petit sourire sur les lèvres :

— Allô, Maxime. Tout est prêt.

— Tu ne m'avais pas dit que le cocktail était ici.

— Est-ce qu'Eusèbe te l'aurait dit ?

J'ai compris et, même si je suis curieux de connaître la suite, je choisis de ne rien demander :

— Est-ce que je peux faire quelque chose ?

Florence me suggère de recevoir les invités et de les diriger vers l'arrière, ce que je m'empresse de faire. Je viens d'apercevoir Conrad Héroux et Paul Underhill à la porte d'entrée.

Conrad ne semble pas du tout surpris du choix des lieux et, lorsqu'il m'aperçoit, il me demande simplement :

— Surpris ?

Je réponds d'un hochement de la tête. Il semble en savoir plus que moi.

Paul Underhill, l'air dédaigneux, ajoute :

— C'est la première fois que je mets les pieds ici.

Il fait une grimace et ajoute :

— Ça pue la graisse.

Puis, il se tourne vers Conrad :

— J'ai hâte de voir la suite. Eusèbe a toujours aimé surprendre. Tu te souviens de l'histoire de la radio rouge ?

Il se tourne vers moi :

— Il était encore jésuite et il donnait un cours de philosophie ; pour illustrer les difficultés de communications entre les hommes, il invitait les étudiants à venir voir sa *ra-di-o-rouge* dans la salle d'à côté.

Je connais déjà l'histoire, car elle fait partie du folklore familial. Je lui laisse le plaisir de me la raconter une fois de plus.

— Lorsque les étudiants se présentaient dans l'autre salle, ils voyaient un radis rouge accroché au plafond par une ficelle. La fameuse *radis-haut rouge* d'Eusèbe est encore commémorée à toutes les réunions d'anciens étudiants.

Paul s'arrête, examine les lieux, et demande :

— Dis-moi donc, Conrad, es-tu dans le secret des dieux ? Est-ce que l'on va manger des hotdogs ? Si c'est le cas, je vais trouver le temps long. Je ne mange pas de ces cochonneries.

Son visage se déforme en grimace.

Conrad hausse les épaules :

— Tu verras.

Il n'a pas le temps d'en dire plus, car plusieurs invités arrivent en même temps. Je fais mon devoir et je les invite à passer à l'arrière. Conrad et Paul restent près de moi ; c'est une bonne idée. Ils semblent connaître tout ce monde qui arrive en habit, cravate ou tailleur, affichant tous et toutes un air perplexe.

Après une dizaine de minutes, le nombre d'arrivants diminue et je me dirige vers l'arrière où les invités circulent entre les tables de billard. Un attroupement, dans un coin, cache un bar que je n'avais pas remarqué. Je décide d'aller me chercher un Chivas, que je boirai à la mémoire d'Eusèbe. Je n'aime pas vraiment le scotch, mais c'est une façon bien personnelle de porter le deuil. Et puis, du Chivas… Je fumerais bien aussi une cigarette, mais j'ai arrêté de fumer il y a bientôt trois ans et je me suis promis de ne plus toucher au tabac.

Les serveuses que j'avais aperçues à mon arrivée s'activent : l'une m'offre un plateau couvert de pains à hotdog miniatures, farcis de homard à la mayonnaise. Je vois que Jean Deragon vient d'arriver. Il est en grande conversation avec ma tante Alma, et je décide de le rescaper. Je n'ai pas le temps de me rendre qu'une serveuse vient interrompre leur conversation ; elle sert des petits pains à hotdog garnis, cette fois, de prosciutto et de pâte de tomate.

Autour de moi, les invités se sont regroupés et les conversations s'animent. Je suis entouré de têtes blanches à l'exception d'un groupe qui se tient un peu à l'écart en grande discussion avec Conrad ; ils sont vêtus de tee-shirts noirs et de jeans. Ils cadrent avec l'endroit, mais pas avec la clientèle de ce soir. Je devine qu'ils sont des jeunes du Centre Montpossible qui ont formé une chorale. Une serveuse me présente de petits pains à hotdog à la mousse de crevettes, décorés de caviar.

J'ai terminé mon Chivas et je décide de m'offrir une eau minérale. En chemin, une jolie serveuse me propose, cette fois-ci, de minis pains à hotdog fourrés de foie gras parfumé aux truffes. Du coin de l'œil, j'aperçois Florence qui demande aux jeunes de se rendre derrière les micros. Elle se place devant eux, et le technicien à barbe attire l'attention des invités en faisant jouer, l'espace de quelques secondes, une musique d'introduction.

La feuille que tient Florence à la main droite tremble et trahit sa nervosité :

— Chers amis, c'est à la demande expresse d'Eusèbe que nous vous avons invités à ce cocktail et c'est aussi à sa demande si vous n'avez pas été avisés de la date et de l'endroit de ses funérailles. Il détestait ces cérémonies funéraires et il n'était pas question qu'il vous en impose une. Il interdit aussi ce soir les témoignages larmoyants et émotionnels et vous avise qu'il est tout à fait heureux d'avoir entrepris cette aventure vers l'inconnu.

J'entends quelques murmures.

— Durant sa vie, Eusèbe a d'abord fait un vœu de pauvreté, et vous savez tous qu'il s'est bien repris par la suite.

Quelques rires.

— Dans son testament, il laisse des sommes d'argent à des œuvres caritatives et j'aimerais ce soir présenter quelques-uns des récipiendaires. Je demanderais à la directrice générale de la Société canadienne du cancer, madame Carole Dumas, de venir me rejoindre à l'avant.

Une dame dans la quarantaine se présente et Florence lui remet une enveloppe :

— Eusèbe Beaubien laisse un montant de deux cent cinquante mille dollars à la Société canadienne du cancer, parce… qu'il en est mort.

Des murmures…

— Et pour que la Société poursuive ses recherches.

Madame Dumas reçoit le chèque et fait un pas vers le micro. De toute évidence, elle a l'intention de s'adresser aux invités, mais Florence ne lui en donne pas la chance et la remercie tout en invitant monsieur Jacques Dumesnil de l'Accueil Bonneau à s'approcher. Un homme d'un certain âge se dirige vers Florence.

— Monsieur Dumesnil est le président du conseil d'administration de l'Accueil Bonneau.

L'homme s'approche, donne une accolade à Florence qui lui présente un chèque :

— Cher Jacques, notre ami Eusèbe, laisse un montant de deux cent cinquante mille dollars à l'Accueil Bonneau parce qu'il offre un filet de sauvetage à ceux qui en ont besoin.

Puis elle se tourne vers monsieur Dumesnil qui est resté là, à ses côtés, et ajoute :

— Merci, Jacques, et bonne chance.

Monsieur Dumesnil a compris qu'il n'aurait pas l'occasion, lui non plus, de s'adresser à l'auditoire et retourne à sa place.

Florence s'arrête et prend une gorgée d'eau. Elle place sur une table la feuille qu'elle tenait à la main, soulève la tête et attend un moment. Je devine qu'elle est sous le coup de l'émotion. Elle prend une grande respiration et continue.

— Dans un codicille à son testament, Eusèbe prévoit la création d'une fondation dont l'objectif sera d'assurer la pérennité du Centre Montpossible, le Centre de son bon ami Conrad Héroux. Le Centre vient en aide aux jeunes de la rue. Il me fait donc plaisir ce soir de vous annoncer la création de la Fondation d'Eusèbe, oui, c'est comme cela qu'il l'a baptisée, et de vous annoncer que cette fondation sera présidée par son neveu, Maxime Beaubien. En passant, Maxime n'est pas au courant de cette nomination et il l'apprend en même temps que vous. J'inviterais Maxime et Conrad à venir me rejoindre.

Je me présente à la droite de Florence, et Conrad se place à mes côtés. Il me glisse à l'oreille :

— Il m'a toujours dit qu'il laisserait un montant au Centre, mais il ne m'a jamais parlé d'une fondation.

Florence se tourne vers Conrad.

— Mon cher Conrad, tu n'étais ni au courant de la création de la fondation, ni du montant du legs, et encore moins que cette fondation avait maintenant plus d'une centaine de membres.

Florence se tourne vers les invités :

— Eusèbe vous informe, ses bien chers amis, que par votre présence ici ce soir vous devenez d'office membres fondateurs de cette fondation.

La proposition est reçue avec des rires et des applaudissements.

Conrad se tourne vers l'auditoire et place les mains sur son cœur.

Florence sort une enveloppe :

— Il me fait maintenait plaisir de vous annoncer que la Fondation d'Eusèbe débute avec un montant d'un million de dollars.

Elle me présente l'enveloppe.

D'autres applaudissements. Conrad sort son mouchoir et s'avance vers le micro :

— Chers amis, Eusèbe croyait aux objectifs du Centre à un point tel qu'il est…

Conrad s'arrête, hausse les épaules en signe d'excuse pour son lapsus et continue :

— … qu'il était depuis des années notre principal soutien financier. De toute évidence, avec la création de la fondation, il a l'intention de continuer.

Conrad ne peut plus continuer et Florence prend la relève :

— Chers amis, à titre de membres fondateurs de la fondation, n'hésitez pas à effectuer un don, et si certains parmi vous désirent nous donner un coup de main, n'hésitez pas.

Florence se tourne vers les jeunes pour s'assurer qu'ils sont prêts :

— J'aimerais maintenant inviter les jeunes du Centre à vous chanter quelques pièces de leur répertoire.

Après une dizaine de minutes d'un spectacle marqué plus par l'enthousiasme que le talent musical, Florence revient au micro et se tourne vers les jeunes :

— Merci, les jeunes.

Ils reçoivent les remerciements avec de larges sourires. Florence se tourne vers nous :

— Chers amis, vous trouverez en sortant un menu souvenir de la soirée avec une carte de donation pour la Fondation d'Eusèbe et une description des objectifs du Centre Montpossible. Pour terminer, je demanderais aux jeunes d'interpréter, à la mémoire de notre cher Eusèbe, sa chanson préférée. Et ne vous empêchez pas de vous joindre à eux !

Les jeunes commencent l'interprétation du *Moi, mes souliers* de Félix Leclerc et, après quelques versets, nous nous sommes tous joints aux jeunes pour terminer ce merveilleux texte. Si Eusèbe ne voulait pas d'émotions durant cette soirée, il a manqué son coup. À la fin de la chanson, Florence, un mouchoir à la main, essuie des larmes et elle revient au micro pour nous inviter à continuer la soirée et nous dire que le bar restera ouvert et que des taxis seront disponibles pour le retour à la maison. À ce moment, les serveuses sortent de derrière leur comptoir pour nous offrir des hotdogs, mais relish-moutarde, cette fois-ci.

En sortant de l'établissement, je me rends compte que j'ai mis dans ma poche le menu qu'on nous avait remis à l'entrée. Sur la page frontispice du menu, je remarque une citation pure Eusèbe :

« Tout comme pour les hotdogs, il ne faut pas juger les hommes à leur enveloppe extérieure. »

Il avait bien raison !

# Chapitre 8

# Les amis d'Eusèbe

La semaine dernière a été particulièrement occupée : ma chronique sur l'hypocrisie des banlieusards m'a valu une avalanche de commentaires sur mon blogue, trois interviews à la radio et deux à la télévision. Puis se sont ajoutées les réactions à mon émission sur la gestion des infrastructures sportives qui a aussi soulevé un tollé de protestations, tant de la part des municipalités que des commissions scolaires ; chacun protège son territoire, même si ce territoire est aussi celui de l'autre. Ma question à la fin de cette émission au sujet de la Ligue de hockey junior majeur du Québec a déclenché la campagne de relations publiques usuelle de cet organisme qui tente, chaque fois qu'il se sent attaqué, de justifier son existence avec un degré de démagogie rarement vu. Cette bande d'hommes d'affaires mériterait que je fasse une émission sur les dommages qu'ils causent à la majorité de ces jeunes qui ne réussissent pas à accéder au hockey professionnel et qui sont abandonnés dans la rue à vingt ans avec rien d'autre qu'un rêve disparu.

Je viens aussi de prendre une décision. Malgré la crédibilité que mon statut de professeur me procure, j'abandonne les deux cours que je donne à l'université. Je n'ai jamais eu de problèmes d'argent, mais ma carrière universitaire était mon filet de sécurité, un filet dont je n'ai plus besoin. Pour le moment, je continue ma chronique et mon émission, deux choses qui sont pour moi des défis intéressants.

J'ai aussi réalisé cette semaine à quel point Eusèbe était important dans ma vie : il a été mon seul véritable confident. Je me suis confié à l'occasion à Pierre Fabien, mon ami d'enfance, mais chaque fois je ne me sentais pas à l'aise. Nous sommes des amis, mais nous sommes aussi de la même génération. Nous avons vécu notre adolescence ensemble ; deux jeunes coqs qui compétitionnaient au tennis, qui s'affrontaient pour les meilleures notes et pour les mêmes filles. Deux jeunes coqs ne se confient pas l'un à l'autre. J'ai partagé avec lui et son épouse, Lynda, les grands moments de leur vie, leur mariage, la naissance de leurs enfants et, malgré cela, Pierre n'est jamais devenu un véritable confident. Je crois savoir pourquoi : je l'envie. J'envie sa relation avec Lynda, j'envie sa famille.

À quarante ans, l'idée de fonder une famille comme la sienne me traverse l'esprit de plus en plus souvent et, comme Pierre l'a si bien dit il y a trois semaines :

— Si tu penses fonder une famille, et que Catheryne n'est pas intéressée, tu dois abandonner ta très publique relation avec elle.

Il a raison, mais ce n'est pas une décision facile. J'aime bien Catheryne, mais notre relation est au beau fixe et a peu d'espoir d'évoluer.

Si Eusèbe était encore là, j'en aurais discuté avec lui. Son empathie faisait qu'il devinait ce qui me préoccupait, un reliquat, je suppose, de ses nombreuses heures passées dans le confessionnal à entendre les péchés réels et imaginés des fidèles. Jamais je n'ai eu l'impression qu'il me jugeait. Je pouvais lui téléphoner à tout moment. Nous pouvions passer des heures à discuter et je sortais de ces rencontres en paix avec moi-même, avec l'impression d'avoir réglé le problème qui me tracassait. Je réalisais par la suite que bien des fois Eusèbe était resté silencieux et qu'il m'avait laissé trouver tout seul la solution au dilemme du moment.

* * *

Cet après-midi, j'ai relancé les trois amis d'Eusèbe, curieux de savoir s'il leur avait parlé de ses intentions. Lorsque j'ai appelé Jean, il m'a expliqué qu'ils étaient inquiets de ne pas avoir eu de mes nouvelles depuis deux semaines et que lui, Conrad et Paul, avaient hâte de connaître mes intentions. Ce n'est pas ce que j'avais en tête.

Jean nous a invités à ses bureaux au vingt-septième étage de la tour de la Bourse, au bas de la côte du Beaver Hall. Je suis le premier arrivé. La salle de conférence est impressionnante et pourrait recevoir une trentaine de personnes. Quelqu'un a préparé du café et a placé le tout avec de l'eau et des jus sur une petite table.

Les grandes fenêtres de la salle me donnent une vue du port, du fleuve et des ponts de la Rive-Sud. La journée est claire et les Montérégiennes, ces incongruités qui ont poussé au milieu de la vallée du Saint-Laurent, sont visibles dans leur petite majesté individuelle.

Le mur intérieur de la salle est vitré et me donne l'occasion de voir l'arrivée des invités. Le premier à se présenter est Paul Underhill. Étrange petit bonhomme que ce Paul Underhill. Il est l'un des plus importants lobbyistes du Québec, avec un accès privilégié à deux pôles importants de notre société, les politiciens et les patrons. Cet accès, qu'il a développé au cours des années comme responsable du financement pour différents partis politiques, lui donne une influence qu'il monnaye depuis longtemps. Eusèbe aimait le taquiner et l'avait surnommé son *entremetteur favori*. Underhill, lui, préférait se décrire comme un « facilitateur ».

— Bonjour, monsieur Paul.

Je m'avance pour lui serrer la main. Il la prend et me salue d'une petite révérence. Son regard fait le tour de la salle et je sens son inconfort lorsqu'il réalise qu'il est le premier arrivé. Personne n'est là pour remarquer son entrée. Pour pallier la situation, il s'excuse tout en sortant son téléphone cellulaire et se dirige d'un air préoccupé à l'autre bout de la table de conférence. Il signale un numéro et, au bout d'un instant, inscrit sur un bloc-notes ce qui semble être plusieurs noms et numéros de téléphone. Aucun des messages ne paraît urgent puisque, à l'arrivée de Conrad Héroux, il ferme son cellulaire, replace le bloc-notes dans sa serviette de cuir et se dirige vers lui.

Quel contraste entre les deux hommes : Conrad est un bel homme et aurait pu être mannequin dans sa jeunesse, car il possède un corps svelte et une physionomie de jeune premier malgré son âge. Il est vêtu d'un col roulé gris, veston bleu marine et pantalon gris. Je ne me souviens pas de l'avoir vu vêtu autrement, même lorsqu'il était jésuite. Il fait contraste avec Paul qui fait à peine un mètre soixante-sept et qui doit peser soixante kilos. Paul est toujours habillé d'une façon très formelle : un habit bleu foncé trois-pièces, cravate à pois et mouchoir blanc à la poche du veston. Malgré l'image qu'il désire projeter, Paul donne l'impression d'un homme nerveux et incertain. Une « chenille à poils », comme aurait dit ma mère. Elle affublait René Lévesque du même sobriquet. Pas surprenant de la part de quelqu'un du nom de Joyce Thinsbury, élevée à Westmount.

Le physique de Conrad l'a toujours bien servi. Eusèbe me racontait que, quand son ami avait annoncé son entrée en religion, la moitié des étudiantes de l'Université de Montréal sont tombées dans une profonde dépression. Combien d'entre elles, quelques années plus tard, ont fait un détour, un beau dimanche matin, avec mari et enfants, pour aller voir le père Héroux célébrer la messe et recevoir la communion de ses mains, tout en se rappelant quelques belles soirées de leur jeunesse où la communion avec Conrad avait pris des allures bien différentes.

Paul et Conrad ont terminé la préparation de leur café lorsque Jean arrive dans la salle de conférence. Il est de ces hommes dont la simple prestance leur donne un air d'autorité. Des trois mousquetaires de mon oncle, Jean est celui que je connais le moins. Il est un autodidacte et membre de l'élite d'affaires francophone. Il a fait son argent d'abord dans la construction résidentielle, puis a bifurqué vers la construction d'infrastructures. Natif de Drummondville, il a entrepris sa carrière à dix-sept ans dans l'entreprise de construction familiale pour la quitter après quelques années parce que son paternel ne voulait pas quitter la direction de l'entreprise. Jean emploie plus de trois cents personnes et son entreprise possède l'un des plus importants parcs de machineries de construction de la province.

Maintenant que les trois amis sont arrivés, nous pouvons débuter :

— J'aimerais d'abord remercier Jean de nous recevoir dans ses magnifiques bureaux.

— Cela me fait plaisir.

— Comme vous le savez déjà, Eusèbe me demande de consacrer une portion de mon héritage et de mon temps *au bénéfice de Montréal et de sa région*. C'est très large. Je me demande si Eusèbe vous avait parlé un peu plus de ses intentions.

Jean est le premier à réagir :

— Eusèbe était très fier de toi et ne se cachait pas pour le dire.

Conrad ajoute :

— Oui, très fier, mais il était aussi d'avis que tu n'utilisais pas ton plein potentiel et que tu pourrais faire beaucoup plus avec ta vie.

Jean poursuit :

— Il considérait que ta nouvelle émission télé était un pas dans la bonne direction. Une émission comme celle-là crée une notoriété.

— Eusèbe était emballé par mon émission et m'a fait des dizaines de suggestions. À l'origine, l'émission avait pour objectif d'expliquer les rouages de l'appareil de l'État et de présenter les forces et les faiblesses du système. C'est Eusèbe, frustré du manque de rigueur de nos débats de société, qui m'a encouragé à préparer des émissions spéciales sur les dossiers chauds de l'actualité, en présentant et en expliquant les motivations derrière les six catégories d'intervenants que l'on retrouve toujours dans ces dossiers.

Paul demande :

— Six catégories d'intervenants ?

— Les politiciens au pouvoir, les fonctionnaires, l'opposition, les promoteurs, les groupes de pression et les journalistes, en particulier ceux d'entre eux qui sont en mal de sensation, de plus en plus nombreux, qui se rendent coupables d'omissions volontaires dans leurs reportages, histoire de fournir une bonne dose de sensationnalisme à leur public. Eusèbe voulait que je m'élève au-dessus de la mêlée pour présenter de façon neutre tous les points de vue et ensuite suggérer une grille d'analyse.

Jean ajoute :

— C'était tes meilleures émissions. Je pense au dossier du déménagement du Casino, de la réfection du pont Champlain et de la rue Notre-Dame.

Conrad lance :

— Je crois qu'Eusèbe pensait à beaucoup plus que ton émission. Pour influencer la population, il faut que celle-ci soit à l'écoute, et qui syntonise une émission le dimanche matin à Télé-Québec, entre la Messe du Seigneur et une émission qui nous présente un cultivateur qui fait pousser des tomates trois couleurs ?

— Plus de trente-six mille personnes.

Conrad, contrarié d'avoir été interrompu, répond à Paul d'un sec :

— Quoi ?

— La cote d'écoute de Maxime dimanche dernier était de trente-six mille personnes. Je reçois les cotes d'écoute au bureau.

— Ma cote d'écoute augmente toutes les semaines. Elle a débuté en bas de vingt mille auditeurs.

Jean ajoute :

— Le million est encore loin.

Un peu vexé, je poursuis.

— J'ai l'impression qu'Eusèbe voulait que je fasse autre chose pour la région de Montréal.

Jean répond :

— Oui, son fameux dossier de Montréal ; durant les derniers mois, c'était devenu son sujet favori.

La remarque m'ouvre la porte pour lancer l'intervention que j'ai préparée avant de venir :

— J'ai eu de longues discussions avec Eusèbe sur le sujet, et nous étions sur la même longueur d'onde : la région de Montréal est en difficulté parce qu'elle dépend des politiciens de Québec et qu'elle a été placée en état de siège par les régions qui détiennent le pouvoir. Dès qu'il est question de donner à Montréal les outils qui lui permettraient de se gérer adéquatement, le gouvernement provincial fait la sourde oreille. La seule façon de faire avancer les choses est de mobiliser la population de la grande région pour forcer les politiciens à agir.

Jean suggère :

— Tu devrais écrire un livre sur Montréal et sa région, en développant l'idée que Montréal est une ville-région du monde.

— Oublie ça. Un livre sur le sujet se vendrait peut-être à mille exemplaires, lance Paul.

Conrad les interrompt :

— Dans mon cas, vous le savez, mes intérêts gravitent autour des services sociaux. Ici aussi la relation Montréal-Québec ne fonctionne pas. Tous les jours, je suis en mesure de juger de l'ineptie des services offerts aux démunis, aux sans-abri, aux immigrants et aux ethnies de la région de Montréal. Tous ces services relèvent d'une bande de fonctionnaires qui vivent à Québec, et de politiciens qui viennent des régions. Ces problèmes sont des problèmes propres à Montréal et ils devraient être gérés à Montréal par des gens de Montréal avec des solutions imaginées par des Montréalais. Nous devrions mobiliser tous les organismes sociaux de Montréal.

— Je crois qu'il faut d'abord mobiliser la population de Montréal.

Jean ajoute :

— Nous pourrions créer une fondation pour financer des études sur le sujet.

Paul intervient sur un ton agressif qui me surprend :

— La Ville de Montréal a subi un grand choc avec la réforme Harel et les fusions. Puis, elle a vécu une période encore plus bouleversante avec les défusions de Charest. Toutes ces conneries proviennent des politiciens de Québec.

— Vous avez tous raison, mais comment influencer l'opinion publique pour forcer le changement ?

Paul répond :

— Maxime, la publication d'un livre sur la structure administrative de la région de Montréal ne pourra jamais servir de base à une mobilisation. Ce qui intéresse les gens, ce sont les scandales dans l'octroi des contrats d'infrastructures, les enveloppes brunes pour financer les partis municipaux, les voyages en bateau des politiciens. Un livre sur la magouille se vendrait et serait lu par des milliers de gens, pas un sur une saine et efficace gestion gouvernementale.

— Avez-vous une autre idée ?

Paul répond :

— Nous pourrions créer une chaire d'études urbaines à l'Université du Québec à Montréal. Ces études auraient pour but de proposer des solutions aux problèmes de Montréal.

Jean ajoute :

— Comme le disait Dumont quand on lui demandait ce qu'il ferait s'il gouvernait, « d'abord, on va arrêter de niaiser ». Un livre, une chaire universitaire et une fondation pour financer des études sont toutes de belles initiatives et elles serviraient à augmenter la notoriété et la crédibilité de Maxime. Tout cela mettrait la table pour une candidature de Maxime à la mairie de Montréal. Sans quoi, elles ne serviront à rien. Les élections auront lieu en novembre, l'année prochaine. Paul et moi sommes des membres influents du parti du maire Castonguay. Il n'a pas l'intention de se représenter et, mon Maxime, nous pourrions te livrer la nomination sur un plat d'argent.

— Oubliez cela. Je n'ai aucune intention de devenir politicien, et l'idée même de devenir maire de Montréal serait une entrave à l'idée de former un front commun dans la grande région. Messieurs, vous m'offrez de bonnes suggestions, mais je ne crois pas que nous avons trouvé une solution. Nous devrions tous y penser et se revoir avant les fêtes.

Conrad, d'un air sérieux, me demande :

— Faudrait aussi se voir au sujet de la Fondation d'Eusèbe. Florence m'a fait parvenir les règlements généraux qu'Eusèbe aurait exigés, et j'aimerais en discuter avec toi.

Chapitre 9

# Noémie Goodman

Depuis quelques semaines, je prépare une émission sur ces organismes à but non lucratif qui, sous le prétexte d'objectifs vertueux, cachent des groupes de pression défendant des intérêts particuliers. Je veux dénoncer ces groupes qui, de connivence avec les médias, sont suffisamment puissants pour modifier les priorités gouvernementales en leur faveur et au détriment d'autres souvent plus importantes.

Ma première cible vise l'association d'usagers Transport pour Tous dont l'objectif officiel est la promotion du transport en commun. L'association s'oppose à toute augmentation de tarifs, à toutes les mesures favorisant le transport automobile, bref, milite agressivement pour le transport en commun. Transport pour Tous reçoit des subventions des deux paliers de gouvernement, une information du domaine public, mais refuse de dévoiler ses autres sources de financement. Au fil de mes recherches, je me suis rendu compte que l'association n'a que quelques membres et n'est rien d'autre qu'un lobby financé par les syndicats des employés des compagnies de transport en commun.

Dans la même émission, j'entends dénoncer les organismes qui voient le jour presque quotidiennement dans les arrondissements de la ville, avec des objectifs ronflants, qui ne servent qu'à créer des emplois pour les personnes qui en font la promotion et qui brouillent les cartes dans les dossiers de développement local.

L'un d'entre eux est le soi-disant Groupe Qualité-Vie du Sud-Ouest, dirigé par une dénommée Noémie Goodman. La brochure du groupe définit sa mission : « Assurer le maintien d'une vie de quartier de qualité grâce à la mobilisation des forces vives du milieu ». Le texte m'informe que l'un des objectifs du groupe est d'identifier de nouvelles vocations aux usines abandonnées du quartier de façon à offrir aux résidants, aujourd'hui sur l'aide sociale, des emplois permanents à proximité de leur résidence. L'organisme, au cours des derniers mois, a réussi à faire dérailler l'adoption de trois règlements de zonage qui auraient permis le lancement de trois projets résidentiels de luxe dans le quartier. J'ai rendez-vous avec cette Goodman ce midi chez Magnan.

Je suis quelques minutes en retard, et le stationnement adjacent à la taverne est déjà complet. Chanceux quand même, je trouve une place sur la rue Augustin-Cantin, non sans passer quelques minutes pour tenter avec plus ou moins de succès de déchiffrer les restrictions de stationnement qui s'appliquent à ce bout de rue : six affiches dont deux semblent contradictoires. Je tente ma chance.

J'entre par la porte ouest et mon attention est attirée par le comptoir réfrigéré où des pièces de rôti-de-bœuf-pour-emporter sont offertes. Le rôti de chez Magnan est quelque chose : les épices, introduites entre le gras et la viande, servent à donner un goût unique à ces magnifiques pièces de viande. Le roast-beef de Magnan avec sa sauce aux poivres et le smoked meat de Schwartz accompagné d'un Black Cherry Coke sont deux institutions montréalaises qui devraient faire la liste des biens culturels à protéger.

Du coin de l'œil, je vois Noémie Goodman qui me fait un signe de la main. Les photos d'elle que j'ai vues dans les journaux ne lui font pas justice : de longs cheveux noirs noués à la nuque par un simple élastique, des yeux perçants et intelligents, une jolie bouche aux lèvres sensuelles, et un nez peut-être un peu trop long pour son visage. Si son héritage génétique ne lui a pas rendu service avec son nez, il a amplement compensé en lui donnant une belle peau basanée. Je suis désappointé : elle n'est pas seule, mais c'est de bonne guerre. Les gens avec qui j'ai des entrevues se méfient habituellement et se font accompagner. Elle se lève et me reçoit avec un sourire qui me désarçonne un peu. Elle me sert la main et se tourne vers ses compagnons de table :

— Monsieur Beaubien, j'aimerais vous présenter deux de mes collaborateurs à Qualité-Vie. D'abord, mon adjoint, Martin Desrosiers.

Le grand jeune homme ne se lève pas : cheveux en broussaille, barbe de quelques jours, air arrogant, pour ne pas dire baveux, chemise à carreaux, jeans délavés et bottes de travail. Martin me donne une poignée de main indifférente. Puis, Noémie Goodman me présente la jeune demoiselle qui les accompagne :

— Et voici Sophie Lalande, notre femme à tout faire.

La petite se lève et me reçoit avec une bise sur les deux joues. Un joli petit bout de femme, toute de noir vêtue, un accent français, des anneaux d'argent aux extrémités des arcades sourcilières qui semblent un compromis entre les ordinaires anneaux aux oreilles et les plus spectaculaires anneaux à la langue et aux narines. J'ai donc devant moi un grand rebelle en uniforme et une petite « goth » prudente. Je ne suis pas surpris ; ils cadrent bien avec la faune qui peuple ces organismes dits sociaux communautaires.

Madame Goodman est vêtue d'une simple blouse blanche et d'un pantalon en denim orné d'un filigrane couleur argenté en forme de fleur sur les cuisses, un pantalon qui n'a pas été acheté dans un magasin à rabais. Six bières sont déjà sur la table ; deux doigts en direction d'un garçon de table suffisent à équilibrer les choses. Noémie m'explique qu'elle invite sa petite équipe pour le lunch chez Magnan tous les mardis pour discuter de la semaine à venir.

— C'est devenu une tradition.

Martin enchaîne :

— Les autres jours nous mangeons des sandwichs au beurre de peanut.

Il insiste sur le dernier mot, et il ajoute :

— Au salaire minimum, c'est tout ce que nous pouvons nous offrir.

Cette dernière phrase m'est littéralement lancée au visage. Je ne sais s'il s'adresse à moi, à sa patronne ou au monde en général. J'opte pour la dernière option.

Je suis pris de court par la présence physique de Noémie. La dernière fois que j'ai ressenti une telle expérience, je l'ai vécu avec ma Parisienne, Solange DeLucas, mon premier et seul amour. Ce n'était ni sa beauté, ni son caractère, ni son corps, ni sa personnalité, c'était l'ensemble qui m'avait rendu amoureux. Notre relation a été brève mais marquante dans ma vie. Depuis son départ, Solange est restée le modèle à qui je compare toutes les femmes.

Ce court moment de réflexion devient rapidement un moment de silence inconfortable. C'est la petite aux anneaux qui brise le silence en annonçant qu'elle est affamée. Le grand baveux réagit en faisant signe à une serveuse.

— Qu'est-ce qu'on mange ce midi ?

La serveuse s'adresse à Sophie.

— Une assiette de pétoncles panés avec frites, s'il vous plaît.

Je remarque au menu que c'est la semaine du festival des pétoncles. J'aime les pétoncles, mais je choisis le rôti de bœuf. Je ne viens pas chez Magnan tous les jours. Martin demande un spaghetti, sauce tomate. Le plat le moins cher sur le menu. Je fais l'erreur de le lui offrir :

— Martin, commande ce que tu veux, c'est moi qui paie ce midi.

La réaction ne se fait pas attendre et est, encore une fois, lancée avec une brièveté et un ton qui ne laisse aucune place à la réplique.

— Je suis végétarien, et c'est le seul plat végétarien sur le menu.

Madame Goodman ne réagit pas et s'adresse à la serveuse :

— Moi, je ne suis pas végétarienne. Un rôti numéro deux, cuisson médium, et une pomme de terre au four.

Puis elle se tourne vers moi :

— Monsieur Beaubien, j'assume que vous êtes déjà venu chez Magnan ?

— Évidemment, mademoiselle Goodman. Je commande le numéro trois avec la sauce aux poivres.

La serveuse nous quitte d'un pas rapide. Le regard de Martin se fixe un long moment sur sa très courte jupe en cuir suffisamment serrée pour laisser deviner la rondeur de ses fesses qui se dodelinent au rythme de ses pas. Il vide une de ses bières d'un trait, le tout suivi d'un long soupir. Sophie, d'un air contrarié, lui lance :

— Bravo. Monsieur va maintenant roter tout l'après-midi.

Martin ne répond pas, s'essuie les lèvres sur la manche de sa chemise et entame sa deuxième bière.

Madame Goodman s'adresse à moi :

— J'ai découvert Magnan lorsque j'ai commencé à travailler dans le coin. Les résidants de Hamstead ne fréquentent pas l'endroit.

Ce commentaire m'ouvre toute grande la porte :

— Avez-vous toujours habité Hamstead ?

— Oui, je suis née à Hamstead, mais ma famille, comme plusieurs, a migré de la rue Saint-Urbain. Mon arrière-grand-père, Isaac, a commencé à travailler dans la guenille comme tailleur de patrons, mon grand-père, Aaron, a fondé une petite entreprise de confection en sous-traitance, et mon père, John, a créé sa propre marque de vêtements. La tradition de travail dans la guenille vient de se terminer pour ma famille avec moi ; mon père a été obligé de fermer l'entreprise il y a deux ans, victime des importations de Chine. Il m'a bien offert de devenir importateur, mais je n'ai jamais eu d'intérêt pour les affaires. Voilà l'histoire de ma famille.

Je ne m'attendais pas à une telle introduction, mais décide de lui rendre la pareille :

— Pour ma part, je suis né à Outremont ; mon arrière-grand-père, Napoléon, était médecin, mon grand-père, Louis, était médecin et mon père, Pascal, était médecin. La médecine dans la famille se termine avec moi.

Martin réagit avec un accent français moqueur :

— Eh bien ! ma chère Sophie, tu réalises que nous cassons la croûte avec deux petits bourgeois nés dans la soie. La fille d'un industriel et un fils de médecin.

Madame Goodman répond sur un ton sec :

— Mon cher Martin, je ne m'excuserai pas pour être née dans une famille à l'aise. Mon père, mon grand-père et mon arrière-grand-père ont gagné leur vie à la sueur de leur front et ne doivent pas s'excuser pour l'avoir fait. J'admets que j'en profite aujourd'hui, mais j'espère être jugée par mes gestes et non sur mes origines. De toute façon, je suis fière de ma famille qui a toujours eu une conscience sociale. Mon arrière-grand-père, Isaac, était un organisateur d'Abraham Blumenthal, le premier échevin juif de Montréal élu dans le quartier Saint-Louis en 1912. Il s'est battu pour obtenir des écoles séparées pour la communauté juive pour que son fils Aaron, mon grand-père, alors âgé de onze ans, ne perde pas son héritage culturel. Lorsque cette proposition a été refusée par la commission scolaire catholique, il a aidé à faire élire des commissaires juifs à la commission scolaire protestante qui a, par la suite, accepté les écoles juives. Puis mon grand-père et mon père ont tous les deux étés actifs dans la communauté juive de Montréal.

Martin ne réagit pas. J'en profite pour ajouter :

— Vous savez, madame Goodman…

— Noémie, s'il vous plaît.

— D'accord, Noémie. Nos arrière-grands-pères avaient quelque chose en commun : tous les deux se sont frappés à l'intransigeance de l'Église catholique, mais pour des raisons bien différentes. Le tien voulait la religion dans l'école, le mien voulait sortir la religion de l'école. À l'époque où ton arrière se battait pour ses écoles, mon arrière-grand-père, Napoléon, était un franc-maçon. Il faisait partie de la loge Émancipation qui voulait laïciser le système d'éducation et sortir l'église des écoles et cela, tu t'en rends compte, en 1910. Il fut même placé sur une liste noire par Mgr Bruchési, l'archevêque de Montréal. Cette liste a été publiée dans les journaux au grand désespoir de mon arrière-grand-mère, une bonne catholique pratiquante. Cet événement est devenu le scandale de la famille, et personne n'osait en parler. Nos arrière-grands-pères se sont sûrement rencontrés à l'époque.

Noémie continue :

— Tu sais, les Juifs et les Canadiens français ont souvent été du même bord. Au début du vingtième siècle, les Anglos contrôlaient les grandes entreprises de services publics tels l'électricité, le transport et les industries nécessitant de gros investissements comme l'acier et les filatures. Les Juifs et les Canadiens français, pour leur part, sans capital, se lançaient dans des activités de fabrication nécessitant peu d'investissements, mais beaucoup de main-d'œuvre. Les francophones se spécialisaient dans la chaussure et les Juifs, dans la guenille, et cela, dans le même quartier, le long du boulevard Saint-Laurent. Le gros de la main-d'œuvre était composé d'immigrants italiens.

— Est-ce que c'est encore comme ça ? demande Sophie.

Je m'empresse de répondre :

— Non, l'industrie de la chaussure est disparue de Montréal, tuée par les importations, et la même chose arrive à l'industrie du vêtement.

— Et les Anglais ont toujours l'argent, lance Martin à personne et à tout le monde.

J'ignore la remarque. Noémie fait de même. Ce moment de silence nous permet d'entamer notre repas.

Après un instant, je demande :

— Dis-moi, Noémie, où as-tu appris ton français ? Il est excellent avec un soupçon d'accent que je n'arrive pas à identifier.

— Ma langue maternelle est le français. Ma mère est d'origine marocaine ; sa famille, des Juifs séfarades francophones, a immigré en 1956 tout de suite après l'indépendance du Maroc. Mes parents ont insisté pour que je fasse mon primaire en français, mais j'ai poursuivi mes études en anglais par la suite.

Martin, qui a déjà terminé son spaghetti, lance :

— En anglais, pour être sûr de ne pas s'assimiler à la majorité francophone.

Noémie, sur un ton exaspéré :

— Martin, nous avons déjà eu cette discussion et tu ne veux rien comprendre. Je ne crois pas à l'assimilation, je crois à l'intégration. Je tiens à mon héritage culturel ; autant à celui de mon père, un juif montréalais, qu'à celui de ma mère avec ses souches maghrébines. Ce qui ne veut pas dire que je ne peux apprécier la culture québécoise contemporaine. Je suis heureuse de lire Arlette Cousture et Mordecai Richler, de la même façon que je lis Fatima Mernissi, une féministe marocaine. Je suis en train de lire Michel David. J'écoute Aznavour, Elton John et Céline Dion. Je me considère chanceuse d'avoir une culture qui ignore les frontières. La mondialisation n'est pas seulement économique.

Martin s'apprête à répondre lorsque Sophie l'interrompt :

— Savez-vous combien de fois vous vous êtes engueulés sur ce sujet depuis un an ? Et vous recommencez ce midi parce que vous avez un auditoire. Changeons de sujet, voulez-vous. Noémie, ont-ils décidé d'une date pour la fermeture de Qualité-Vie ?

— Le 31 mars.

Je suis surpris par la nouvelle :

— Qualité-Vie ferme ?

— Qualité-Vie était un projet pilote du ministère des Affaires sociales et ils ont décidé d'y mettre un terme.

— Je tombe donc sur le chômage le 1<sup>er</sup> avril, lance Martin qui se lève et se dirige vers les toilettes.

Noémie ignore sa remarque :

— Je ne suis pas fâchée de la fermeture. Je ne ressentais plus beaucoup de satisfaction à travailler à Qualité-Vie et je commençais à douter de la pertinence de ses objectifs.

Je suis surpris d'une telle remarque exprimée devant l'un de ses employés. Je jette un regard rapide vers Sophie. Noémie a compris et elle m'explique :

— Sophie et Martin sont au courant de mes états d'âme.

Chapitre 10

# Chez Maxime

Ma corvée du samedi matin est un mal nécessaire : réveil à huit heures, une heure plus tard que durant la semaine... préparation d'un café... vêtements sales dans la laveuse... un bol de céréales en faisant la lecture des journaux du matin... inventaire du réfrigérateur et préparation d'une liste d'épicerie... vêtements mouillés dans la sécheuse... départ pour le centre de conditionnement physique... supermarché.

Pour un célibataire, la solitude d'une fin de semaine est un supplice : la programmation télévisuelle conspire pour renforcer le sentiment d'isolement : la soirée du hockey du samedi soir est soporifique et l'offre des autres stations se résume à des films, traduits de l'américain, du genre à faire pleurer les gens dans les chaumières. Dans mon cas, un bon livre permet toujours une éphémère évasion. Mais, bonne nouvelle, ce soir Noémie vient souper.

Après notre rencontre chez Magnan, je lui ai téléphoné pour l'inviter à souper au restaurant tout en spécifiant que, cette fois-ci, je désirais un tête-à-tête. Pas très subtil, je l'avoue, mais elle a accepté et, surprise, elle a suggéré de le faire à mon appartement : « Je me charge de la nourriture et tu t'occupes du vin, de la vaisselle et des chaudrons. J'aime bien le chablis. » La demoiselle sait ce qu'elle veut.

J'anticipe sa visite avec un mélange de plaisir et d'appréhension. Le lieu de résidence en dit beaucoup sur une personne, et mon appartement en dit plus sur mes parents que sur moi. Je vis ici depuis vingt-cinq ans ; c'est l'appartement que j'ai loué après à la mort de mes parents. J'ai tout meublé avec les meubles antiques de ma mère et j'ai décoré les murs avec les tableaux de Léo Ayotte que mon père collectionnait. Rien n'a changé depuis. La seule pièce que j'ai aménagée à mon goût est le bureau-bibliothèque.

Ce matin, j'ai donc complété ma routine avec un effort additionnel pour ranger ce qui traînait et changer les draps du lit. Je suis prêt à tout...

J'ai même modifié le message sur mon répondeur téléphonique : « Bonjour, je suis absent pour la fin de semaine. Laissez-moi un message et je vous rappelle lundi et bonne fin de semaine. » Je crains un appel de Catheryne.

Avant l'arrivée de Noémie, j'ai eu le temps de faire un peu de travail de recherche : depuis mon émission sur les groupes de pression, je suis encore plus fasciné par le pouvoir qu'exercent ces groupuscules. Un organisme que j'ai dans ma mire est Mémoire-Montréal, un groupe dont la mission est de soi-disant protéger le patrimoine architectural de Montréal. Encore ici, l'organisme refuse de dévoiler ses sources de financement et ne parle jamais de son effectif. Il s'oppose à tous les projets de développement du moment, qu'il s'agisse de la démolition d'un édifice ou de la construction d'un nouveau. Je leur reproche leur manque de discernement : dans le passé, ils ont fait échouer des projets qui auraient été bénéfiques pour un quartier et qui auraient pu en amorcer une revitalisation. Il y a des choix à faire et le bien commun devrait primer, mais les politiciens d'aujourd'hui hésitent à confronter ces groupes, car ces derniers sont des favoris des médias parce qu'ils créent de la controverse. Un sujet intéressant pour mon émission.

La sonnerie de la porte d'entrée se fait enfin entendre. Je presse le bouton du répondeur :

— Bonsoir, Noémie.

La réponse me parvient, à peine perceptible à travers le bruissement électronique :

— Bonsoir, Maxime.

Je m'empresse de déclencher la porte d'entrée. Je jette un coup d'œil rapide à l'appartement ; rien ne traîne. J'attends quelques secondes et me rends à l'ascenseur pour la recevoir.

Les portes s'ouvrent et la dame tient un sac dans chaque main ; je m'empresse de les prendre et tente simultanément une accolade maladroite. Je ne réussis qu'à m'empêtrer dans les sacs. Je les dépose sur le comptoir de la cuisine et prends son manteau.

— Maxime, je me suis habillée relaxe ; après tout, c'est moi qui fais la cuisine.

Elle porte un jean et une blouse blanche ornée de dentelles. Ses cheveux sont attachés en queue de cheval.

— Tu as bien fait. Ce soir, pas de stress.

Je ressens tout le contraire. Ces premières minutes sont inconfortables. Je regrette d'avoir accepté sa suggestion de souper ici à l'appartement. Pour un premier rendez-vous avec une femme, le restaurant est un meilleur choix : c'est un terrain neutre avec un rituel bien établi :

l'apéritif, lecture du menu, discussion sur les choix, les interruptions régulières des serveurs et la présence des autres convives. La retrouver chez moi, dans mon appartement, c'est l'avoir dans mon intimité.

Histoire d'amorcer la conversation, je lui explique :

— J'habite ici depuis vingt-cinq ans. J'ai pris l'appartement lorsque mes parents sont décédés ; un accident de voiture. J'avais dix-neuf ans.

Je la dirige vers le fond du couloir vers mon bureau :

— Voici mon bureau où je passe beaucoup de temps.

Noémie se dirige vers la fenêtre :

— C'est incroyable de vivre au centre d'une ville de plus d'un million d'habitants et d'avoir une vue comme celle-là.

Je lui fais visiter les autres pièces, ma bibliothèque, ma collection de livres sur Montréal. Elle semble agréablement surprise de mon intérêt pour notre grande ville.

— On mange ? me lance-t-elle.

Nous retournons vers la cuisine et elle commence à vider les deux sacs qu'elle avait apportés tout en me décrivant le menu de la soirée :

— Nous allons commencer avec un bortch au chou que ma mère a préparé. Heureusement, parce que cette soupe russe exige au moins deux heures de préparation et empeste la maison. Puis, je te ferai un saumon au citron et nous terminerons avec un *kugel* aux nouilles.

Pendant que je lui verse l'eau minérale qu'elle me demande et que je me prépare un martini, elle sort d'un des sacs et enfile un tablier décoré d'un proverbe : *Worries go down better with soup*. Elle a vu mon regard :

— Un vieux proverbe juif. Un cadeau que j'ai fait un jour à mon père, je ne sais plus pour quel anniversaire.

Elle boit son verre d'un trait et, pendant qu'elle s'affaire à préparer le repas, je dresse la table. Je remarque qu'elle fouille dans mes armoires sans gène ; elle en sort un chaudron et une plaque à biscuits. Sur cette dernière, elle place ce qui ressemble à de petits raviolis. Elle met le tout au four.

— Maxime, maintenant, je prendrais bien un verre de vin. Les *knishes* ne prennent que quelques minutes à réchauffer.

Je sors une bouteille de chablis du réfrigérateur et lui présente :

— Voilà mademoiselle, un chablis Premier cru Vaudevey 1997, du Domaine Clotilde.

Elle me répond sur le même ton :

— Très bien, monsieur, le chablis du Domaine Clotilde est l'un de mes chablis favoris. Je ne bois que du chablis. Je suis une femme très simple, tu sais.

— Permets-moi d'en douter.

Nous nous dirigeons vers le salon. Elle s'installe sur le divan. Je la rejoins et propose un toast à cette première véritable rencontre. J'insiste sur le mot véritable. Son sourire me confirme qu'elle a compris.

— Tu sais, Maxime, je suis vraiment une femme simple, bien que tu sembles en douter, et je suis également très directe. Je n'aime pas tourner autour du pot. J'ai compris que ce soir est une *date*. Hier, j'ai mentionné à Sophie, tu sais la jeune demoiselle que tu as rencontrée chez Magnan, que j'allais dîner avec toi, et elle m'a informée que tu fréquentais l'actrice Catheryne Leclair depuis plusieurs années.

Je suis prêt à répondre, mais elle m'arrête d'un signe de la main.

— S'il te plaît, attends avant de répondre. Je vais commencer par te décrire ma situation personnelle. *It's only fair.*

Je m'inquiète.

Elle prend une gorgée de vin et continue :

— J'ai trente-cinq ans, je vis toujours chez mes parents qui sont rarement ici. Ils vivent en Floride l'hiver et à Saint-Donat, l'été. Donc, ma vie est simple, elle tourne autour de mon travail, de quelques amies que j'aime bien, de mes parents dont la santé m'inquiète, le tout entremêlé de quelques fréquentations masculines qui d'ailleurs semblent arriver de moins en moins avec les années. J'ai été courtisée par plusieurs hommes, et quelques-uns m'ont intéressée, mais pas assez pour que je leur sacrifie ma liberté. À ton tour maintenant. Mais, attends encore avant de répondre, je veux vérifier les *knishes* dans le four.

Elle revient avec la bouteille de vin, en verse un peu dans mon verre et la dépose sur la table à café. Elle s'assoit et me fait un sourire. Je comprends que c'est à mon tour de déballer l'histoire de ma vie amoureuse :

— J'ai eu plusieurs femmes dans ma vie, mais seulement une véritable histoire d'amour : il y a maintenant plus de vingt ans, je suis revenu de mes études à Paris avec une Française et nous avons habité ensemble presque deux ans. Elle ne s'est jamais habituée à vivre ici et elle est repartie en France. Son amour pour moi n'était pas assez fort pour compenser les difficultés du déracinement. Depuis, ma vie amoureuse ressemble à la tienne. Quelques fréquentations, mais rien de sérieux. Pour ce qui est de Catheryne, elle est une amie, une très bonne amie, mais rien de plus. Les médias et la population nous perçoivent comme un couple, mais pas nous.

Sur ce, Noémie se lève, me lance un « merci » et, d'un signe de la main, m'invite à la suivre :

— Viens, les hors-d'œuvre doivent être prêts, et je dois préparer le saumon.

Noémie sort les *knishes* et les place sur une petite assiette.

— Attention, l'intérieur est encore très chaud.

Elle place l'assiette sur la table de la cuisine.

— Je peux t'aider ?

— Non, tout est sous contrôle.

Je m'installe à la table et j'en profite pour l'observer. Tous ses gestes sont efficaces ; ce n'est pas la première fois qu'elle cuisine. Les ingrédients nécessaires ont été coupés d'avance et placés dans des contenants. Une femme organisée. Je m'amuse à l'imaginer en permanence dans mon appartement et l'image me plaît.

Dans une poêle, elle fait tomber des oignons :

— Tu sais, il n'existe pas vraiment de cuisine juive. Le peuple juif a été dispersé dans plusieurs pays et nous avons fini par emprunter les meilleurs plats de chaque pays et nous les avons adaptés à nos goûts. Les *knishes* que tu manges et les *piroshkis* que tu vas mettre dans le bortch sont de Tchécoslovaquie. Le bortch vient de Russie. La recette de saumon vient d'Allemagne ou de Hollande, je ne me souviens plus. Le met favori de mon père est la goulache de Hongrie. Lors des cocktails juifs, les hors-d'œuvre favoris sont les *egg rolls* miniatures, les carrés de pizza et les petites saucisses à hotdog.

Elle place le saumon sur les oignons puis y ajoute des tomates et couvre le tout de plusieurs tranches de citron. J'ose intervenir :

— Ça me semble beaucoup de citrons ?

— Je n'ai pas encore terminé. Regarde. En plus des citrons, j'ajoute un peu de vinaigre de cidre et j'adoucis le tout avec deux bonnes cuillères de sucre. Je couvre et ce sera prêt dans trente-cinq minutes. Tu aimes les *knishes* ?

— Oui, elles sont délicieuses, mais si je continue, je n'aurai plus faim pour le reste.

— Elles se réchauffent très bien. Pendant que je sers le bortch, parle-moi donc de tes parents. Tu m'as dit que tu les avais perdus lorsque tu avais dix-neuf ans ?

Pendant qu'elle sert la soupe, je lui explique les circonstances entourant la mort de mes parents et, pour alléger la conversation, je termine avec la chicane entre Alma et Eusèbe pour me prendre en charge.

Elle me sert le bortch au chou. Je goûte et trouve la soupe intéressante, mais un peu grasse à mon goût. Noémie me présente les *piroshkis* et me suggère de les mettre dans le bouillon ; bonne idée, elles absorbent l'arrière-goût de gras qui m'agaçait. Après la soupe, elle me sert le saumon accompagné de riz. Heureusement que c'est un mets léger, je n'ai presque plus faim.

Les activités entourant la préparation du souper ont créé une atmosphère familiale. Notre conversation se continue, facile, agréable et caractéristique de l'interrogatoire amical auquel se livrent deux amoureux potentiels durant une première rencontre.

Nous sommes rendus au dessert et Noémie me sert un *kugel* aux nouilles; un mélange de nouilles, de raisins, de noix, d'œufs, de pain et de sucre. Le tout cuit au four et servi avec un coulis aux fraises.

Le repas terminé, comme un vieux couple, nous avons placé la vaisselle sale dans le lave-vaisselle et lavé les plats qu'elle doit ramener chez elle.

— Je t'offre un digestif?

— C'est bien gentil, mais je n'aime pas les digestifs.

Sur ce, elle se lève:

— Merci, Maxime, j'ai passé une agréable soirée.

— Moi aussi, le repas était excellent et l'idée de manger ici était une excellente idée. Attends, je t'accompagne à ta voiture.

Nous descendons au rez-de-chaussée et nous nous dirigeons vers le stationnement.

— Mademoiselle conduit une Mercedes. Je suis impressionné.

— C'est la voiture de ma mère. Je conduis une Honda Accord.

Elle range ses affaires sur la banquette arrière, puis se tourne vers moi.

— Maxime, j'ai passé une belle soirée.

Elle s'approche de moi et m'embrasse. Un baiser qui dure. Je sens la pression de sa langue sur mes lèvres. Je ne résiste pas. Le tout est suivi d'un large sourire. Elle ouvre la portière de la voiture, s'installe, ferme la porte, ouvre la vitre et me lance un chaleureux:

— À bientôt, Maxime.

Ça y est, je suis en amour.

# Chapitre 11

# Départ

Une semaine fort difficile : souper, lundi, avec une Catheryne qui m'a inquiété en ramenant notre conversation sur l'éveil soudain de son instinct maternel. Je m'étais rendu à ce souper avec la ferme intention de lui annoncer la fin de notre relation. Estomaqué, je n'ai rien dit et je le regrette encore. Deux conversations avec Noémie cette semaine m'ont rappelé mon manque de courage. Pour empirer les choses, j'ai fait l'erreur de mentionner à Catheryne que je recevais les amis de mon oncle à souper samedi soir et, à ma grande surprise, elle s'est offerte pour agir comme hôtesse. « La saison théâtrale est terminée pour les fêtes », a-t-elle dit. J'ai dû annoncer à Noémie que je ne pouvais la voir cette fin de semaine à cause « d'engagements préalables ». Je crois qu'elle a compris et elle n'a pas insisté.

Seul élément positif, je crois avoir trouvé une solution à l'énigme créée par la « clause Montréal » du testament : souvent la solution à un problème nous pend au bout du nez sans qu'on la voie.

\* \* \*

L'hiver est arrivé à Montréal ce matin ; il doit faire moins vingt degrés et le ciel est gris. Catheryne vient de m'appeler pour me dire qu'elle passait à l'épicerie pour se procurer quelques articles nécessaires pour recevoir les amis d'Eusèbe et qu'elle sera là dans une heure. Je ne sais pas ce qu'elle a planifié pour le souper.

Nous serons huit : j'ai invité Florence, qui a accepté, et Pierre, qui s'est excusé ; il passe la fin de semaine à son chalet des Laurentides avec sa famille. Les épouses de Jean et Paul, Isabelle et Anne-Marie, se joindront à nous pour le souper.

En attendant Catheryne, je m'assure que l'appartement est en ordre, puis je m'installe à ma table de travail pour réviser les notes que j'ai préparées pour la rencontre de cet après-midi. J'ai à peine terminé que j'entends la sonnette de la porte. Catheryne entre, dépose ses sacs et glisse ses mains, encore froides, sous ma chemise. Elle m'embrasse dans le cou tout en me chuchotant à l'oreille :

— Je suis gelée, tu me réchauffes ?

Son ton est aguichant, un ton que nombre de femmes simulent à merveille. Mon actrice préférée joue ce rôle à la perfection au moment opportun depuis des années, et je me plais à jouer le jeu avec elle. Je la prends dans mes bras et je l'embrasse.

— Nos invités ne tarderont pas à arriver.

Elle sort de ses sacs des contenants qui ressemblent à ceux que sa mère utilise et me demande :

— Parmi les amis de ton oncle, je suis surprise que Conrad n'ait jamais pensé à fonder une famille.

— C'est bien le contraire. Conrad a déjà été marié, mais le mariage n'a duré que trois ans.

— Tu me parles rarement de Paul Underhill. Je sais qu'il est marié, mais a-t-il des enfants ?

— Je n'ai rencontré son épouse Anne-Marie qu'à quelques reprises. Je sais qu'ils ont une fille.

Catheryne m'interrompt :

— Il est marié à la poétesse Anne-Marie Lavigueur.

— Oui. Elle vit, depuis quelques années, dans leur résidence secondaire à Frelighsburg au pied du mont Pinacle. Paul possède un pied-à-terre dans le même complexe de copropriétés où vivait mon oncle.

— Drôle d'arrangement.

— Le menu de ce soir ?

— Nous allons débuter avec du saumon fumé, suivi de boulettes de viande à l'italienne...

— Laisse-moi deviner, celles de ta mère ?

— Elle a insisté. Je sers ensuite un coq au vin accompagné de riz et nous terminerons avec un tiramisu et, avant que tu ne le dises, celui de ma mère. Si ça ne te convient pas, il est trop tard.

Je lève les bras en signe de soumission :

— Ça me va. Ça me va.

— J'ai acheté deux bouteilles de vin d'Alsace pour servir avec le saumon, deux valpolicellas pour les boulettes et deux cahors pour le poulet. J'ai aussi acheté une caisse de champagne que tu vas aller chercher dans ma voiture.

Elle ouvre le réfrigérateur pour y placer ses vins et me demande :

— Tu me montres où est ta vaisselle *fancy* ?

Je la dirige vers une grande armoire. Elle sort les assiettes et les verres de cristal de ma mère que je garde précieusement depuis vingt-cinq ans. Catheryne soulève les verres à la lumière :

— Tout doit être lavé.

Nous passons deux bonnes heures à laver la vaisselle, à dresser la table et à préparer le repas.

Catheryne regarde sa montre :

— Ils devraient être ici d'une minute à l'autre.

Elle a à peine terminé que nous entendons la sonnerie de la porte.

Elle se lève et me lance, tout en se dirigeant vers la porte d'entrée :

— Laisse-moi les recevoir.

Je la rejoins, mais reste en retrait. Elle ouvre la porte et reçoit Jean Deragon avec un grand sourire. Jean hésite et, sur un ton moqueur, demande :

— Est-ce bien la résidence de Maxime Beaubien ?

Catheryne lui tend la main, mais Jean s'approche et lui donne l'accolade. Catheryne s'excuse de devoir retourner à la cuisine alors que Jean me fait un signe du pouce tout en gardant les yeux fixés un peu trop longtemps sur le postérieur de Catheryne, mis en évidence par un jean très serré. Jean lève la tête, il vient de se faire prendre. Il sourit, lève les épaules et ajoute :

— Le corps est trop vieux pour performer, mais l'esprit est assez jeune pour apprécier. En passant, tu es un maudit chanceux.

Je n'ai pas le temps de répondre. Nous sommes interrompus par nos autres invités qui arrivent. Catheryne revient de la cuisine. Elle les connaît tous.

Paul Underhill exécute devant elle sa petite courbette habituelle, lui prend la main, l'embrasse, et explique que son épouse viendra un peu plus tard. Je les invite à passer au salon ; Florence, pour sa part, s'excuse et se rend à la cuisine pour voir si Catheryne a besoin d'aide.

J'en profite pour lancer la discussion :

— Il y a deux semaines, nous avons discuté de trois éléments : la publication d'un livre, la création d'une chaire universitaire et la création d'une fondation. Trois excellentes suggestions, mais je ne crois pas que nous pourrons soulever la population avec cela.

Nous sommes interrompues par Catheryne et Florence qui arrivent de la cuisine ; elles placent sur une table une cafetière et des bouteilles d'eau minérale et nous invitent à nous servir, puis elles prennent place.

— Une chose est certaine, les régions s'organisent et Montréal n'a pas de temps à perdre. Les régions ont déjà formé le RDCR, le Regroupement des Communautés régionales, pour défendre leurs intérêts.

Pendant ce temps, la grande région de Montréal demeure divisée et vulnérable. La situation est urgente, il faut faire quelque chose pour mobiliser, et les décideurs, et les citoyens. Je vous propose de créer un comité de citoyens dont la mission sera de faire le contrepoids au comité des régions.

Conrad est le premier à intervenir :

— Tu réalises que ta cause n'est pas sympathique ? Ce sont les régions qui ont la cote aujourd'hui parce que non seulement elles gueulent fort, mais toujours d'une même voix. Nous, à Montréal, passons pour une puissante et riche région qui accapare tout ce qui se passe au Québec, ne laissant aux autres que des emplois saisonniers et des villages vides. Les politiciens appuient les régions, rien de surprenant, car ces mêmes politiciens viennent majoritairement des régions. Et en réalité, Montréal n'existe pas : c'est plutôt un collage d'agglomérations, d'arrondissements, de fiefs, de comtés où chaque élu tire au maximum sur son bord de couverte.

Jean intervient :

— Un comité, ce n'est qu'une boîte à blabla. J'ai une meilleure idée : il y a des élections municipales l'année prochaine, le *synchronisme* ne pourrait être mieux. Au lieu de former un comité, tu devrais te joindre au parti du maire Castonguay. Je sais, confidentiellement, qu'il ne se présente pas l'année prochaine, et tu serais un candidat idéal. Tu pourrais créer le front commun dont tu rêves beaucoup plus facilement comme maire de Montréal.

— Jean ! Ce n'est pas la première fois que tu dis cela et je te répète : je n'ai aucune intention de faire de la politique active et de passer pour un bouffon, un voleur ou pire, les deux à la fois. Le monde change ; regarde comment les médias sociaux changent les choses. Je crois qu'il est possible aujourd'hui de mobiliser une population en dehors des cadres traditionnels.

Jean reprend la parole :

— Si on prend cette stratégie, ne comptez pas sur moi. Mon nom ne peut être associé à un groupe de pression qui va se lancer dans une guerre de tranchées avec le gouvernement provincial et les régions, et qui risque d'indisposer les banlieues de Montréal. Plus de quatre-vingts pour cent des contrats de ma compagnie viennent de ce monde-là.

Paul ajoute :

— C'est la même chose pour moi, mais tant qu'on prend des mesures pour que mon rôle demeure confidentiel, je te conseillerai comme me l'a demandé Eusèbe.

Jean se lève pour prendre un verre d'eau :

— Tu es certain, Maxime, que le comité, c'est la direction que tu veux prendre?

— Oui.

— Je suis prêt à t'aider, j'ai donné ma parole à Eusèbe, mais comme Paul, en demeurant dans les coulisses.

Conrad lance:

— Pour ma part, je n'ai pas peur de déranger et je vais te donner un coup de main. As-tu pensé à un nom pour ton comité de citoyens?

— Notre comité devrait être un regroupement d'individus et non d'organismes. Les personnes qui représentent des organismes et qui se joignent à notre genre de regroupement doivent toujours prendre en ligne de compte la position de leur organisation. Jamais facile. Nous devons regrouper des gens qui peuvent se permettre d'être indépendants de pensée et qui n'ont rien à craindre des conséquences de leurs opinions. Je pense, par exemple, à d'anciens présidents du Conseil du patronat, ou encore de Chambres de commerce. L'opinion de ces personnes et leur réseau d'influence, justement à cause des postes qu'elles ont occupés, conservent un certain poids et nous donneront une crédibilité. Ce qui sera nouveau, révolutionnaire pour certains, c'est que ce comité défendra les intérêts de la grande région de Montréal, ce qui inclut Laval et la couronne nord, Longueuil et la couronne sud. Je sais que nous ne ferons pas l'unanimité, mais, si la population acquiesce, les élus n'auront pas le choix de suivre. Un nom qui me vient à l'esprit est *comité pour la région de Montréal*. Par contre, si ce nom décrit bien ce que nous sommes, il manque de punch. Et de plus, je n'ai pas vérifié, mais je crains que ce soit un nom qui a déjà été utilisé.

Paul Underhill intervient:

— Vous savez, lorsque nous faisons référence à *région de Montréal*, il faut définir ce que nous voulons dire. L'île de Montréal ou le Grand Montréal? Il y a souvent confusion: il y a eu le territoire retenu par le comité ministériel, communément appelé le CMPDGM. Il a été approuvé officiellement et il englobe la CUM et les douze MRC qui l'entourent. Ou bien parlons-nous de la Région métropolitaine de recensement, le RMR, qui n'a pas exactement le même territoire, mais presque. Aujourd'hui, le Grand Montréal est défini par le territoire de la CMM, la Communauté métropolitaine de Montréal, qui regroupe quatre-vingt-deux municipalités et trois millions six cent mille personnes.

Conrad réagit:

— Tu viens de donner, Paul, le parfait exemple de la confusion qui entoure la région de Montréal. Je me fous du territoire exact; dans la tête de tout le monde, la grande région de Montréal représente la moitié de la population du Québec. Le nom de notre comité devrait refléter cette réalité.

Florence intervient :

— Je reviens à ce que disait Paul il y a un instant ; lorsque nous utilisons le mot *Montréal*, il y a toujours confusion entre la ville elle-même et la région. Je ne sais pas si vous vous en souvenez, mais Eusèbe, lors d'un souper chez lui, avait déjà pensé au terme *Montréalie* pour définir la région.

Paul l'interrompt :

— Je me souviens très bien. Pourquoi ne pas utiliser le terme ? Notre comité pourrait se nommer Comité de citoyens pour la Montréalie.

Conrad réagit :

— Une suggestion intéressante, mais j'ai un problème avec le terme *comité*. Il y a tellement de comités qui ne réussissent pas à accoucher de quoi que ce soit, que le terme a acquis une connotation négative.

Paul suggère :

— Je suis membre du Cercle des lobbyistes du Québec. Pourquoi ne pas nommer notre comité Cercle de la Montréalie ?

Après quelques minutes, nous sommes tous d'accord, alors que Isabelle et Anne-Marie font leur entrée. La première réunion du Cercle de la Montréalie vient de se terminer.

Chapitre 12

# Transition

La session à l'université est enfin terminée. Je suis revenu à l'appartement vers dix-sept heures et je n'avais qu'une chose en tête : me préparer un grand martini, m'allonger sur le divan et m'abrutir devant la télévision sans penser à rien. Cet état d'esprit est le résultat direct de la correction d'une trentaine de travaux de fin de session sur les conséquences financières de la mise en place d'un péage pour avoir accès à un centre-ville. Cinq points de plus aux étudiants qui ont fait le parallèle entre un péage et les dispendieux parcomètres de Montréal. J'aime bien enseigner, j'aime le sujet, j'aime les discussions avec les étudiants allumés, mais je déteste tout ce qui entoure la tâche : la correction des examens et des travaux, la mesquinerie à l'intérieur du département, les rencontres pour trouver des économies de bout de chandelle imposées par les budgets restreints, et les étudiants médiocres qui demandent la révision de leurs résultats à la fin de chaque session. La bonne nouvelle : ma carrière de professeur s'est terminée aujourd'hui.

Ce soir, je suis seul, Noémie est au repas de Noël de Qualité-Vie, et mon souper en solitaire ne sera donc pas très agréable. Catheryne est à Toronto. De mon côté, j'ai un plan bien précis : je me place en mode repos et je commence à profiter des deux semaines de vacances des fêtes. Première étape, me vêtir de mon uniforme de fin de semaine : coton ouaté, jeans et pantoufles. Deuxième étape, préparation d'un martini à mon goût : un verre rempli de cubes de glace que je couvre de gin, un soupçon de vermouth et trois olives. J'ai à peine terminé la préparation que le téléphone sonne.

— Bonsoir, Florence, comment ça va ?

— Cela pourrait aller mieux : les fêtes sont arrivées et Eusèbe n'est pas là. Et toi ?

— Pas trop mal pour un vendredi soir de fin de session. J'ai remis les résultats cet après-midi. C'est terminé, et je suis en vacances.

— As-tu été satisfait de la rencontre de samedi dernier ?

— J'y ai pensé toute la semaine et je suis convaincu qu'Eusèbe aurait aimé l'idée de créer le Cercle. J'ai hâte de commencer, mais rien ne se fera avant les fêtes.

L'allusion au Cercle me rappelle ma rencontre avec le maire Clément Castonguay :

— J'ai rencontré le maire Castonguay hier soir. Il est venu à l'université pour présider une cérémonie de remise de bourses. Il a fait un impressionnant discours sur l'actif inestimable que représentent les universités pour Montréal. Puis nous l'avons reçu à un cocktail. Sais-tu, j'aime ce gars-là. Je pense qu'il fait un excellent travail comme maire et il m'est sympathique. Durant la réception, je me suis senti tout drôle à l'idée que je deviendrais un problème pour lui, et que je risque de le faire mal paraître pour son manque de leadership.

— Tu as encore le temps de changer d'idée. Mais je ne t'ai pas appelé pour te parler du Cercle. J'ai reçu copie de l'autopsie : Eusèbe est décédé des complications d'un cancer généralisé qui avait atteint ses organes vitaux.

— Ça confirme ce que nous pensions.

— J'ai parlé au médecin qui le traitait et ils sont un peu surpris de la rapidité avec laquelle la maladie l'a emporté. D'après eux, il aurait dû vivre encore quelques mois. Faudra décider quoi faire avec les cendres.

— Je vais les enterrer avec mes parents au cimetière Notre-Dame-des-Neiges.

— Excellente idée.

— Merci, Florence, bonne fin de semaine et joyeux Noël, si je ne te vois pas d'ici là.

— Minute, Maxime. J'ai reçu une lettre des avocats d'Alma qui m'informe qu'elle examine la possibilité de contester certaines clauses du testament. Ils me demandent de ne faire aucune distribution et de leur remettre une copie du rapport de l'autopsie.

— Tu n'as pas le choix que d'obtempérer.

— Oui, je sais. Une situation désagréable. En passant, qu'est-ce que tu fais pour les fêtes cette année ?

Catheryne et moi avions pris l'habitude de nous offrir un voyage durant les fêtes. Nous partions le lendemain de Noël. L'année dernière nous étions à Madagascar.

— Cette année, je reste à Montréal.

— Bonsoir, Maxime, et bonnes vacances.

Mon martini est maintenant à point, les cubes de glace ont refroidi le mélange tout en diluant légèrement l'âpreté du gin. Je m'installe à mon bureau pour ouvrir le courrier de la journée : mon compte Visa, deux lettres de sollicitation pour des œuvres de charité et trois cartes de Noël. Je n'envoie pas de cartes de Noël. Je n'aime pas cette période festive. Le premier Noël qui a suivi la mort de mes parents, Eusèbe m'avait offert un voyage de ski à Chamonix. Je me souviens encore de la carte qui avait accompagné les billets d'avion : « Tu trouveras ci-joint une bonne excuse pour ne pas passer Noël chez ta tante Alma. Joyeux Noël, mon cher Maxime. » Alma n'a pas changé au cours des années. Longtemps, Eusèbe a maintenu cette tradition sans jamais me donner une indication de ma destination. J'anticipais avec plaisir ces aventures et cette occasion de me retrouver seul au milieu d'inconnus sans trop savoir avec qui et comment je passerais le jour de Noël et le jour de l'An. J'ai rarement été déçu.

Même avant la mort de mes parents, je détestais le jour de Noël. Le dernier bon souvenir qu'il m'en reste est celui de l'année où j'ai reçu mon train électrique. Le père Eusèbe — mon père avait été appelé à une urgence médicale — avait passé l'après-midi à assembler les rails sur une grande table que mon père avait fait installer au sous-sol. Dieu que j'ai passé du temps avec ce train électrique ! J'avais construit tout un village avec une forêt, une montagne, des ponts et des tunnels. Au cours des années, de nombreux autres trains se sont ajoutés, plusieurs d'entre eux achetés avec le chèque que je recevais maintenant pour Noël, mes parents jugeant que j'étais maintenant assez vieux pour acheter mes propres cadeaux. J'avais neuf ans. En plus du chèque, je recevais un chandail, des gants et des livres dont j'avais donné les titres au préalable. Mes parents s'offraient toujours la même chose : ma mère recevait un bibelot Royal Doulton pour ajouter à sa collection, et mon père recevait une bouteille de *single malt whisky*.

Le rituel de l'échange de cadeaux avait lieu le matin de Noël au pied du sapin toujours décoré des mêmes boules antiques qui venaient de ma grand-mère maternelle. L'échange était suivi d'un petit-déjeuner spécial, café et chocolatine, puis nous nous rendions à la messe de dix heures. Le rituel se poursuivait durant l'après-midi. Mon père, à titre d'aîné, se faisait un devoir de recevoir la famille pour le souper traditionnel. Mon père et Eusèbe ouvraient la bouteille de scotch qu'il avait reçue le matin. Alma venait avec son mari Lucien et mon cousin. Les deux Lucien n'avaient pas le droit de boire autre chose que du vin durant le repas.

Ma mère préparait toujours la dinde avec une farce cuisinée de pain, d'oignons, de saucisses et d'abats et, chaque année, Alma nous informait que sa mère, ma grand-mère Eugénie, ne mettait ni d'abats ni de saucisses dans sa farce et elle refusait d'en manger. Malgré les critiques d'Alma, ma mère a toujours continué à inclure les abats et la saucisse. Après tout, cette farce était la recette de sa mère. Le repas se terminait avec le traditionnel plum-pudding couvert d'une sauce au rhum, trop riche et trop sucrée après un repas aussi copieux. Je ne regrette pas mes Noëls en famille.

Au cours des dernières années, je me suis réconcilié avec Noël : la veille, j'étais reçu chez Catheryne pour un souper aux fruits de mer et, le jour de Noël, Catheryne et moi passions la journée avec Pierre, Lynda et les enfants. Le lendemain, nous quittions la ville pour notre voyage annuel. J'avais continué la tradition établie par Eusèbe, et je ne dévoilais jamais à Catheryne notre destination. Toujours l'une des grandes villes du monde.

La sonnerie du téléphone me fait sursauter. L'afficheur m'informe que, coïncidence, c'est Catheryne.

— Bonsoir, Maxime.

— Ton voyage à Toronto a bien été ?

— J'ai hâte de t'en parler. J'arrive.

Elle raccroche avant je puisse dire un mot.

Notre relation est une relation d'accommodement et tous les deux nous avons toujours su que cette relation pouvait se transformer le jour où une personne entrerait dans la vie de l'un ou de l'autre. Nous en étions tous les deux conscients. Nous en avons même discuté à quelques reprises au début et nous étions toujours arrivés à la même conclusion : notre relation n'est pas exclusive et nous nous donnons tous les deux la permission de fréquenter d'autres personnes. Le hic, c'est que ni moi ni Catheryne, à ce que je sache, n'avons fréquenté quelqu'un d'autre depuis trois ans.

Le moment de lui dévoiler qu'il y a peut-être quelqu'un de nouveau dans ma vie est arrivé. Je crains sa réaction : Catheryne, malgré ses grands airs d'indépendance, est une émotive. Je suis convaincu qu'elle va interpréter mon annonce comme un rejet et elle accepte difficilement le rejet ; suffit d'être avec elle lorsqu'elle n'obtient pas un rôle.

J'ai à peine le temps de me changer qu'elle arrive.

Je la reçois avec un baiser qu'elle évite presque, pressée de s'installer au salon.

— Maxime, tu ne croiras pas ce qui m'arrive : j'ai obtenu un rôle principal dans une comédie américaine avec Jack Nicholson. L'histoire d'un vieil escroc qui a trouvé refuge au Canada il y a plusieurs années ; il est arrêté et il doit faire face à des procédures d'extradition. Je jouerai le rôle de son avocate et je te laisse deviner la suite. Faut fêter ça ! Ouvrons le champagne !

Sur ce elle se lève et se dirige vers la cuisine. Je n'ai d'autre choix que de la suivre. Dans la cuisine, elle se retourne, se jette dans mes bras et me dit à l'oreille :

— Maxime, c'est la chance que j'attendais !

— Je suis content pour toi.

Je sors la bouteille de champagne, l'ouvre et je sers deux verres.

— Tes parents doivent être fiers de toi.

— Oui, mais ils craignent que je déménage à Hollywood. En passant, ils nous attendent demain soir vers dix-sept heures et, comme d'habitude, nous devons emporter des fromages. J'ai hâte de savoir où nous allons cette année !

— Catherync, jc voulais te parler.

— À voir ton expression, je crois que je n'aimerai pas ce que tu as à me dire.

— J'ai rencontré quelqu'un.

— Je la connais ?

— Je ne pense pas. Noémie Goodman, elle est directrice de Qualité-Vie et…

— C'est sérieux ?

— Nous nous connaissons que depuis deux semaines.

— J'ai compris ; elle t'intéresse.

Elle se lève.

— Tu m'excuses, mais je retourne à la maison. On se parle après les fêtes.

Elle met son manteau et me lance :

— J'aurais aimé le savoir avant ce soir.

Elle quitte sans me donner la chance de m'expliquer.

Pour un petit vendredi soir tranquille… Je termine mon martini qui n'est plus à point. La glace a fini de fondre et la préparation est maintenant trop diluée. Je décide de m'en préparer un autre pour m'accompagner dans l'attente de la pizza congelée que je viens de mettre au four. Je n'ai plus bien faim.

La sonnerie du téléphone se fait de nouveau entendre. Je réponds et j'entends enfin la voix de Noémie :

— Bonsoir, Maxime. Tes corrections sont terminées ?

— Oui, je me sens comme un étudiant qui vient de terminer sa session : la disparition d'un lourd poids de sur mes épaules ; un sentiment de liberté, mais je suis fatigué.

— J'ai finalement eu des nouvelles de mes parents et ils ne reviendront pas de Floride pour les fêtes. Ma mère ne se sent pas bien, et ils préféreraient que je me rende plutôt là-bas.

Un bref silence me fait comprendre que je dois réagir :

— Noémie, si ta mère ne se sent pas bien tu devrais y aller.

— J'ai expliqué à ma mère que quelqu'un me retenait à Montréal, et elle a compris.

Avec cette annonce, mon humeur s'améliore. Elle continue :

— Depuis des années, mes parents et moi allons au Château Frontenac pour les fêtes. Je n'ai pas encore annulé nos réservations et j'ai pensé que nous pourrions y aller ensemble.

— Une offre que je ne peux refuser.

— Excellent. Les réservations sont pour dimanche soir et nous pouvons prendre la voiture de ma mère.

Je conduis une Mazda Miata que je n'utilise pas l'hiver, une voiture de célibataire qui vit au centre-ville. L'hiver, si j'ai à voyager, je préfère louer. Et, depuis un certain temps, je veux essayer un Ford Expedition Eddie Bauer.

— Noémie, je préférerais un quatre-quatre pour voyager l'hiver, surtout sur la 20.

Noémie me revient avec l'argument :

— Je ne vois pas pourquoi tu insistes. C'est de l'argent gaspillé. Mais c'est ton argent. Pas de chicane, nous irons à Québec en *truck*.

J'entends, en bruit de fond, de la musique et je me souviens qu'elle est au party de Noël de Qualité-Vie.

— Comment est le souper ?

— Comme on peut s'y attendre, étant donné les circonstances. Mais, moi, j'ai eu de bonnes nouvelles cet après-midi : je me suis trouvé un emploi.

— Excellentes nouvelles.

— Tu parles à la future directrice générale du Centre Montpossible, un centre qui s'occupe des jeunes de la rue.

Je suis tellement surpris que je ne réagis pas.

— Maxime, il faut que je rejoigne mon monde. Je t'appelle demain.

Le timbre de la minuterie me rappelle que j'ai une pizza congelée au four. Finalement, je peux m'installer devant la télévision et relaxer. Ce que je réussis à faire non sans la contribution appréciable de la bouteille de champagne que j'ai retrouvée ouverte sur le comptoir de la cuisine.

Chapitre 13

# L'organisateur

Le voyage à Québec s'est bien passé : quatre jours agréables meublés de courtes marches glaciales sur les plaines d'Abraham, de lèche-vitrines dans la Basse-Ville, d'une journée de ski au mont Sainte-Anne et de longues heures dans notre chambre du Château Frontenac où nous avons appris à mieux nous connaître. La première fois, à quelques minutes à peine de notre arrivée, aurait pu être mieux : nous étions tous les deux excités, nerveux, fatigués. Il est rare que les premiers ébats soient réussis : l'on ne dévoile pas son intimité aussi facilement. Nous nous sommes repris durant les nuits et les quelques après-midi qui ont suivi. Sur ce plan, aucun doute, nous nous entendons très bien, merci.

Le jour de Noël, Noémie m'a offert un livre pour ma collection d'ouvrages sur la métropole, *Montréal vu du ciel*, des éditions Stromboli, et je lui ai offert une broche que j'ai achetée en catimini à la boutique de l'hôtel. Un quatre jours qui s'est bien passé et qui a fait de nous un couple dans tous les sens du mot. Le lendemain de notre retour à Montréal, Noémie est allée voir ses parents en Floride.

Discrètement, durant notre séjour à Québec et depuis notre retour, je visite la page Facebook de Catheryne ; elle a l'habitude d'y annoncer toutes ses sorties. Catheryne est en vacances à New York ; ses entrées quotidiennes laissent croire à de belles vacances.

Hier, je regardais la dernière partie entre les Cowboys et les Giants lorsque j'ai reçu un appel de Jean Deragon. Il m'invitait à rencontrer l'une de ses connaissances, Frédérique Barette, un organisateur d'événements. Il m'a expliqué que lui, Conrad et Paul s'étaient rencontrés hier matin pour le brunch et que l'idée leur était venue de retenir les services d'un spécialiste en organisation pour m'aider à mettre sur pied le Cercle de la Montréalie.

L'appel de Jean m'a pris par surprise et j'ai accepté son offre, avec toutefois un brin d'hésitation. La suggestion est bien intentionnée, je n'en doute pas, mais elle me laisse inconfortable : j'avais cru comprendre que Paul et lui ne voulaient pas s'en mêler. Et puis, je ressens un sentiment d'envahissement, d'ingérence dans mes affaires. « De quoi se mêlent-ils ? »

Les Beaubien sont des individualistes qui ont de la difficulté à travailler en équipe ; le « caractère Beaubien », comme l'avait baptisé Eusèbe. Lui, mon père et Alma étaient considérés comme des êtres distants, arrogants et hautains parce que réticents à cacher leur supériorité intellectuelle. Ils ne toléraient ni les opinions mal fondées ni les logiques déficientes et ne se cachaient pas pour le dire.

Eusèbe était le pire des Beaubien ; comme jésuite, c'était un comportement normal, comme courtier en valeurs mobilières, un peu moins, d'autant plus qu'il adorait naviguer contre le vent. Eusèbe était d'avis — et ne se cachait surtout pas pour le dire — qu'il était anormal que seulement huit pour cent des conclusions des analystes se traduisissent par une recommandation de vente, alors que les recommandations d'achat (ou de « conserver », ce bel euphémisme pour camoufler une recommandation de vente) se situaient à plus de quatre-vingt-dix pour cent. Il effectuait donc ses propres analyses. Ses clients l'appréciaient, mais pas ses confrères, trop paresseux pour le faire. Quant à ses patrons, les revenus qu'Eusèbe leur apportait encourageaient leur discrétion.

Chez Alma, qui avait rêvé de faire carrière dans la fonction publique, cette supériorité à fleur de peau, dans une organisation bureaucratique, structurée et peuplée de carriéristes syndiqués, fut un handicap sérieux.

Pour mon père, Pascal, un médecin, cette attitude était un atout qui mettait ses patients en confiance, mais sa condescendance fut un problème avec d'autres, en particulier dans ses relations avec moi. Une conversation avec mon père équivalait à un long monologue.

Chez ma mère, Joyce, j'ai eu l'impression que son stoïcisme anglo-saxon lui permettait d'endurer, sinon d'accepter. Je suis conscient d'avoir hérité de ce trait de caractère qui me sert bien dans mon métier de chroniqueur et d'analyste, mais qui pourrait s'avérer un désastre dans ma vie personnelle. Je devrai être prudent, d'autant plus que Noémie, elle aussi, possède du caractère.

* * *

Nous devons rencontrer ce Frédérique Barette au septième étage du pavillon Henry F. Hall de l'Université Concordia sur le boulevard de Maisonneuve. Jean Deragon m'a donné rendez-vous au coin de ce boulevard et de Bishop. Il est là à l'heure convenue ; il fait contraste dans cet environnement de jeunes tous vêtus du même uniforme : veste de cuir, jeans délavé, cotons ouaté et *running shoes*. Un homme trapu, un mètre soixante-dix, quatre-vingt-dix kilos, cheveux gris, cravaté et portant un imperméable dont le prix pourrait habiller toute une classe de l'université.

Le pavillon Hall est une construction universitaire, donc construite à l'épreuve des étudiants : planchers et murs de béton, cages d'escaliers protégées par des treillis métalliques qui tentent de se faire passer, sans succès, pour des motifs décoratifs, et des couleurs sombres pour masquer la poussière, la saleté, les traces de doigts et les résidus de toutes sortes.

Je suis habitué à l'atmosphère universitaire tant à McGill, mon *alma mater*, qu'à l'Université du Québec. Ici, je vois une différence marquée : je suis frappé par la diversité ethnique des étudiants que je croise. Jean Deragon devine mes pensées et avec un hochement de la tête me lance :

— Le Québec de demain.

— Le Montréal d'aujourd'hui.

En haut de l'escalier roulant, la diversité culturelle de l'institution devient évidente : trois grands panneaux vitrés ont été réservés à des organisations étudiantes : le panneau du Concordia Collective for Palestinian Human Rights est séparé de celui du Jewish Union et, en lettres deux fois plus grosses, par celui du Concordia Christian Fellowship.

Nous nous sommes donné rendez-vous dans le hall du Food Court face au comptoir de Pizza Hut. En haut de l'escalier, un petit homme aux cheveux grisonnants se dirige vers nous ; je le devine dans la quarantaine. Il a le genre de physionomie qui met en confiance. Il nous accueille avec un sourire un peu forcé, une poignée de main pressée, un peu plus longue pour Jean, et il nous dirige immédiatement à la distributrice de café. Je ne croyais pas qu'il avait pris notre offre de prendre-un-café de façon aussi littérale. J'avais imaginé que nous serions allés prendre un verre à un bar de la rue Crescent.

— Vous m'excuserez, mais je n'ai pas beaucoup de temps. Je donne un cours dans quarante minutes. Comment prenez-vous vos cafés ?

La cafétéria est pleine à craquer. Nos tasses de carton en main, nous nous installons dans un coin isolé du local près d'une fenêtre surplombant le boulevard de Maisonneuve. Drôle d'endroit pour effectuer un premier pas vers la création d'un groupe de pression suffisamment puissant pour changer le Québec ! Pas du tout ce que j'avais imaginé. Jean ouvre la conservation :

Je connais Fred depuis des années et il est le meilleur organisateur que je connaisse. J'ai utilisé ses services lors d'un congrès international de chambres de commerce, et c'est là que j'ai pu apprécier ses talents. Si je me souviens, Fred possède une maîtrise en histoire, il a été adjoint politique de deux ministres à Ottawa, candidat défait dans une élection, puis homme de pointe du premier ministre du Canada lors de la dernière élection. Lorsqu'il n'y a pas de campagne électorale, il devient organisateur d'événements.

Fred tente de prendre une gorgée de café. Il est encore trop chaud.

Il dépose la tasse, me regarde et réagit à l'introduction avec un peu d'arrogance, il me semble :

— Jean a oublié de te dire que je l'ai aussi avisé que j'ai décidé de prendre mes distances de l'organisation d'événements. Cela fait presque vingt ans que j'y suis mêlé et j'en ai assez. Je cherche une nouvelle carrière plus stable. Il y a de bonnes chances que je consacre tout mon temps à l'enseignement.

Dans ce cas, que fait-il là ?

— Jean me dit que tu veux fonder un groupe de pression pour défendre les intérêts de la grande région montréalaise. Te rends-tu compte de ce que tu risques ? Tu as une belle carrière de chroniqueur et ton émission télé est en voie de faire de toi une vedette de l'information. Tu es perçu comme un analyste neutre qui n'a pas peur de s'attaquer à toutes les vaches sacrées qui broutent au Québec. En prenant la tête d'un groupe de pression, tu te lances en politique et tu prends parti dans les deux sens. Finie, ton impartialité !

Comme si je l'ignorais.

— J'enseigne, j'analyse et je critique la gestion gouvernementale depuis des années et je suis arrivé à un moment de ma vie où je veux me jeter dans la mêlée. La fondation d'une organisation dédiée à la défense de Montréal est le moyen que j'ai choisi pour faire contrepoids aux lobbys des régions qui prennent de plus en plus de place au Québec.

— Penser que l'on peut faire contrepoids aux régions en créant un groupe de pression à Montréal est un peu naïf et a peu de chance de succès. Les régions ont le pouvoir politique à Québec. Lorsque Montréal revendique, les politiciens refusent de peur de déplaire aux régions qui les élisent. Plus tu vas mettre de la pression, plus les régions vont réagir.

— Ma décision est prise et je vais de l'avant. Il faut faire quelque chose.

— Je trouve ta cause bien sympathique. Tout le monde dénonce le merdier qu'est l'organisation de la grande région de Montréal, mais personne n'ose proposer de solutions. Un groupe indépendant peut faire avancer les choses. Mais, comme je le disais, je me suis promis de ne prendre aucun mandat pour quelques mois. Je suis fatigué : j'ai passé l'été à voyager autour du monde, vingt pays en trois mois, pour convaincre des régimes dictatoriaux de participer à un congrès international sur la démocratie qui aura lieu à Ottawa le mois prochain. Ce n'était pas une mince affaire, mais j'en ai convaincu dix-huit de se présenter. La menace de se voir couper de l'aide financière américaine s'ils ne participaient pas, y a joué pour quelque chose, mais il fallait tout de même se les taper.

Comment est-ce que Jean Deragon a bien pu penser qu'un individu comme Frédérique Barette, quelqu'un qui a organisé les campagnes d'un premier ministre, qui est responsable de l'organisation d'un congrès international, comment est-ce qu'un individu de cette trempe peut-il être intéressé par un petit mandat comme celui que je lui propose ?

— Le congrès se termine à la fin du mois, et j'ai l'intention de limiter mes activités aux deux cours que je donne ici à Concordia.

J'accepte le refus et ne trouve rien de mieux que de demander :

— J'ai toujours pensé que l'organisation des congrès internationaux était la responsabilité du ministère des Affaires étrangères qui donnait un mandat à de grandes firmes spécialisées dans ce type d'événement.

— Tu as tout à fait raison. Les mandats sont donnés à de grandes firmes avec une condition : l'engagement d'un coordonnateur dont le nom est fortement suggéré. Pour être l'objet de cette « suggestion », être l'un des organisateurs politiques du premier ministre aide beaucoup, cela dit avec un petit sourire du coin des lèvres. Ce type de mandat est une récompense pour services rendus et permet aux organisateurs politiques de gagner leur vie entre les campagnes électorales. Mais j'en ai assez de cette vie et, rendu à mon âge, j'aimerais un peu de stabilité. J'ai récemment demandé au premier ministre de me trouver un poste permanent dans la fonction publique ou dans une agence gouvernementale. J'attends toujours.

Il s'arrête, regarde sa montre et ajoute :

— Vous m'excuserez, mais je dois aller à mon cours. Jean, si je pense à quelqu'un, je t'appelle.

— Écoute Fred, nous ne cherchons pas un organisateur aujourd'hui, mais plutôt un consultant en organisation. Trois cents dollars de l'heure, maximum deux heures par semaine, qui te seront versées qu'on les utilise ou pas.

Fred se retourne, l'air incrédule :

— Vraiment ? Alors j'accepte. Si je n'aime pas, on met fin à l'entente et si vous n'aimez pas, vous faites de même.

Puis il tourne les talons.

Avant que j'aie pu dire un seul mot, il était parti, nous laissant seuls avec nos cafés infects, que nous n'avons pas touchés. Jean arbore un large sourire de satisfaction. Il m'annonce :

— Tu as bien joué tes cartes, c'est exactement ce qu'il voulait entendre.

— L'argent?

— Non, le défi. Un gars comme Fred Barette ne peut refuser un défi comme celui que tu lui as proposé.

Je ne sais si je dois être heureux ou mécontent. Content d'avoir ce type, mais pas heureux d'être celui qu'on informe des décisions prises.

Chapitre 14

# Communications

Noémie est revenue de Floride dimanche soir et a commencé son nouvel emploi chez Montpossible lundi. Si je ne connaissais pas Conrad, j'aurais l'impression que Noémie est tombée amoureuse avec lui. Depuis lundi, nous avons eu des conversations quotidiennes et elle ne tarit pas d'éloges pour ce que Conrad a réussi à accomplir avec si peu de moyens. Je suis heureux pour elle. Une chose me dérange, elle m'a très peu parlé de la visite chez ses parents.

De mon côté, une semaine occupée : mon émission reprend dimanche. J'ai choisi un sujet d'actualité : l'état des infrastructures de la ville. J'ai invité un habitué des émissions d'informations, un de ceux qui répètent toujours la même rengaine sur l'incompétence de l'administration municipale. Cet ingénieur retraité est un favori des journalistes parce qu'il présente le point de vue qu'ils veulent entendre. Pour présenter une opinion divergente, j'ai aussi invité un autre ingénieur qui va expliquer que ces bris sont dus d'abord à notre climat et qu'ils sont inévitables. J'ai ensuite demandé à un spécialiste en fiscalité d'expliquer que les programmes de réfection des infrastructures majeures ne dépendent pas des municipalités, mais des gouvernements provinciaux et fédéraux qui, seuls, ont les ressources financières.

Fred Barette a communiqué avec moi au début de la semaine pour me demander de rencontrer l'une de ses amies, Carole Boutet, une spécialiste en communications qui, dans ses mots : « Nous sera très utile ». Je la rencontre à ses bureaux ce matin. Le temps est gris et il pleut, une pluie froide de janvier qui va avec mon humeur qui s'est détériorée ce matin après la réception de mon courrier. Il s'y trouvait une note énigmatique de Catheryne :

*Mon cher Maxime,*

*Je m'excuse pour mon attitude.*
*J'aime notre amitié.*
*J'aimerais te revoir.*
*Catheryne*

J'espérais que ma relation avec Catheryne était terminée et voilà qu'elle refait surface. Je n'aime pas le pressentiment que sa réapparition provoque chez moi.

* * *

Les bureaux de Communications Azur sont situés sur la rue Saint-Jacques dans l'un de ces petits édifices construits au dix-neuvième siècle et qui ont une personnalité bien à eux avec leurs gargouilles, sculptures murales et colonnes grecques. Je suis arrivé à l'adresse donnée : un petit édifice de trois étages, sobre, mais dont l'entrée est dominée par une impressionnante porte en étain. La concavité des marches de marbre témoigne de l'usure du temps.

La réception de Communications Azur est minuscule, mais bien décorée avec ses murs couleur pastel et, sur le mur du fond, les lettres AZUR couleur bleu ciel. À mon arrivée, la réceptionniste se lève et m'invite à passer au salon. Le terme est bien choisi : des fauteuils de cuir, un foyer, et de lourds rideaux de velours rouges. Après moins d'une minute, Carole Boutet se présente et m'invite à prendre place dans un des fauteuils. Son visage m'est vaguement familier. Elle est plus grande que moi, bien proportionnée, mais avec une ossature forte. Son visage est agréable, quoique dominé d'un air sévère. Des cheveux châtains avec un peu de gris complètent le portrait. Elle est vêtue d'un tailleur noir et d'une blouse blanche ; aucun bijou. Une jolie femme, malgré sa carrure, mais pas mon genre. Je préfère les femmes un peu plus menues.

Sans préambule, elle va direct au but de notre rencontre :

— Fred et Paul Underhill, que je connais bien pour avoir travaillé avec lui, m'ont tout expliqué et je crois que vous représentez un mandat intéressant. J'aime les défis.

Le fait que Paul Underhill lui ait déjà parlé me dérange et la brusque entrée en matière me déséquilibre un peu.

— Mais j'aimerais une explication : j'ai de la difficulté à comprendre votre saut dans l'arène politique. Vous avez déjà beaucoup d'influence, pourquoi changer ?

— L'influence est une chose, le pouvoir autre chose. Le Cercle me donnera le pouvoir d'influencer l'opinion publique d'une façon partisane. J'ai le goût d'être proactif et de mobiliser la population pour former un front commun qui deviendra incontournable pour les politiciens de Québec. Mais avant d'aller plus loin avec mon projet, pourriez-vous me parler de Communications Azur ?

— J'ai travaillé durant quinze ans dans un grand bureau de relations publiques, le même bureau où Paul Underhill travaille. D'ailleurs, c'est lui qui m'a remplacé lorsque j'ai laissé mon emploi. Je n'étais pas heureuse : la majorité de mon temps était avalée par des tâches administratives, compliquées par de la politicaillerie interne. J'ai finalement démissionné il y a dix ans et j'ai fondé Communications Azur. Je travaille seule avec Claire, mon adjointe, je me spécialise dans la gestion de crise et je peux me tourner sur un dix cents.

Cela dit, Claire nous interrompt et, à mon grand étonnement, nous avise que « monsieur Barette » est arrivé.

Carole demande à Claire de le faire entrer et m'explique :

— Fred et moi croyons que le moment choisi pour créer le Cercle de la Montréalie est excellent ; quoi de mieux qu'une année d'élection pour lancer un tel projet. Les élections municipales sont dans moins d'un an, en novembre, et il faut que le Cercle devienne un élément important de la campagne. Il faut faire vite, nous avons moins de dix mois. Il faut gérer le projet comme si c'était une situation de crise et nous allons débuter dès ce matin.

Claire est revenue avec Fred qui arbore un large sourire. Après deux poignées de main rapides, Carole s'adresse à son adjointe :

— Tu vas ouvrir un dossier au nom de Maxime Beaubien, code *Le Prof*.

Carole se tourne vers moi :

— Claire et moi avons pris l'habitude d'attribuer un nom de code à nos clients. De cette façon, nous pouvons discuter d'un dossier sur le cellulaire, nous échanger des courriels et même discuter en public en toute confidentialité. Donc, monsieur Beaubien, vous êtes maintenant Le Prof chez Communications Azur.

C'est au tour de Claire d'intervenir :

— Vous allez être un client intéressant. Votre image médiatique est excellente et vous êtes un journaliste respecté par la population.

— Je ne me considère pas comme un journaliste.

— Qu'à cela ne tienne ; journaliste, analyste, vulgarisateur, la définition a peu d'importance, vous êtes une personnalité publique et vous êtes aussi bien connu par le grand public pour être le compagnon de Catheryne Leclair.

— Je vous arrête. Cette relation est une relation d'amitié ; nous ne sommes pas un couple.

— J'ai toujours pensé que vous étiez un couple.

Carole nous interrompt :

— Revenons au Cercle. Maxime, tu réalises que tout groupe de pression est d'abord identifié à son porte-parole. Les positions du Cercle seront perçues comme les tiennes. Le Cercle te fournit le véhicule pour faire valoir tes idées et ses membres sont tes faire-valoir.

Fred me demande :

— Parlant de membres, as-tu pensé à préparer une liste de personnes intéressées comme je te l'avais demandé ?

Carole nous interrompt :

— Il faut être prudent avec le recrutement et j'aimerais recevoir les curriculum vitæ de chacun, incluant le tien.

Je suis gêné d'avouer que malgré plusieurs heures de travail, je ne suis arrivé qu'avec une liste de sept noms : Florence, Conrad, mon ami Pierre Fabien, Jon Van Tran, un ancien élève aujourd'hui consultant international, Pierre-André Lepage, un éminent professeur qui m'a enseigné, et deux de mes collègues professeurs.

Fred réagit :

— C'est excellent. Si tu as confiance aux personnes qui sont sur ta liste, tu formes ton conseil d'administration avec eux. Une mise en garde : assure-toi qu'il n'y a pas de vedettes qui pourraient te faire ombrage.

— Je ne crois pas. Jon Van Tran et Pierre-André Lepage sont bien connus, mais je ne crois pas qu'ils voudront se mettre en évidence.

— Pour l'image publique du Cercle, nous aurons des membres associés qui n'auront aucun droit sauf celui d'effectuer un don annuel, de recevoir une carte de membre et de s'identifier au Cercle.

Carole, qui a suivi la discussion, lance :

— Quelle belle structure démocratique !

Fred la regarde avec un sourire :

— La démocratie, c'est bien beau, mais c'est aussi difficile à gérer.

Carole ajoute :

— Fred, je te tire la pipe. Je suis d'accord avec toi. Pour être efficace, il nous faut un conseil d'administration restreint qui accepte que le Cercle soit l'affaire de Maxime. Et il faut que les membres soient là parce qu'ils croient en ce qu'il veut accomplir. C'est la stratégie utilisée par une majorité des groupes de pression.

Transport pour tous et Mémoire-Montréal me viennent à l'esprit.

Fred change de sujet :

— Maintenant, discutons de l'annonce de la création du Cercle.

Carole réagit :

— Il faut d'abord présenter la création du Cercle comme l'initiative de Maxime. Ensuite : *Time is of the essence.* Nous devons nous organiser le plus rapidement possible. Nous sommes à la mi-janvier et les prétendants au trône de l'hôtel de ville devraient commencer à se mettre à grouiller dans les coulisses vers le mois de mars. Nous avons deux mois pour nous mettre en marche et nous s'assurer que le Cercle fasse partie de l'échiquier politique.

Carole sort un calendrier :

— Le meilleur jour pour une conférence de presse est le mardi. Nous tiendrons la conférence de presse dans deux semaines, le 24 janvier.

Sur ce, Carole se lève :

— Vous m'excusez, je dois rencontrer l'un de mes clients, une importante chaîne d'alimentation. Un reportage va dévoiler demain que ses marques privées ne contiennent pas les volumes indiqués sur l'emballage.

La fin de la réunion m'arrange. Noémie m'a demandé hier soir de la rencontrer chez Montpossible pour le lunch. C'est la première fois que je m'y rends. Le Centre est situé sur le boulevard Saint-Laurent au nord de Sherbrooke. Si Montpossible avait sa place sur ce bout de rue il y a dix ans, il est aujourd'hui une incongruité dans le quartier. Pour m'y rendre, je passe devant les boutiques huppées et les restaurants branchés du quartier où la qualité de la nourriture n'a d'égal que la beauté des serveuses.

La devanture du Centre trahit sa vocation antérieure de magasin d'alimentation : les grandes vitrines de naguère sont obstruées par des étagères sur lesquelles des plantes ont été placées pour décourager les curieux. J'entre et je suis reçu par un géant noir qui garde l'entrée et me demande sur un ton sévère :

— Je peux vous aider ?

L'accent haïtien est indéniable.

— J'ai rendez-vous avec Noémie Goodman.

Un grand sourire apparaît sur son visage.

— Excusez-moi. Vous êtes monsieur Maxime, n'est-ce pas ? Venez, je vous dirige.

En arrivant au second plancher, j'aperçois Noémie dans un corridor assise à une petite table.

— Madame Noémie, votre visiteur est arrivé.

Noémie lève les yeux et me reçoit avec un grand sourire.

— Merci, Dédé.

Elle se lève et m'attire vers un bureau fermé ; après s'être assurée que nous sommes seuls, elle me donne un baiser tout en me murmurant à l'oreille :

— *Happy to see you.*

Elle me prend par la main et me dirige vers l'arrière du bureau où une grande fenêtre donne une vue en plongée sur les deux pièces du premier étage.

— La grande pièce avec les divans est une salle multifonctionnelle où la chorale et la troupe de théâtre répètent le jour : elle devient, le soir, un endroit où les jeunes viennent passer le temps devant la télévision. La salle est pleine tous les soirs, départ minuit, sauf les soirs de grands froids, alors que des *nuits blanches* sont organisées. Nous ne pouvons pas officiellement les héberger pour dormir parce que nous ne sommes pas conformes aux normes du ministère, mais les fonctionnaires ne disent rien et tolèrent la chose pour le moment. La petite pièce, à droite, tient lieu de cuisine improvisée tout aussi illégale.

Noémie regarde sa montre alors que je lui dis :

— Viens, j'ai une réservation au Prima Donna pour midi trente.

Elle me regarde d'un air ahuri et réplique :

— Nous mangeons en bas avec les jeunes ! Penses-tu que je vais me faire voir dans un restaurant chic alors que j'offre à mes jeunes de la soupe au poulet en poudre et des hotdogs bouillis ?

Son ton n'invite pas de commentaires et je réalise que je n'ai vraiment pas réfléchi en faisant la réservation.

— O.K. J'ai compris.

Nous entrons dans la cuisine et nous nous dirigeons vers une table où des places ont été réservées. En m'assoyant, je reconnais deux de mes compagnons de table : Martin Desrosiers et Sophie Lalande.

— Maxime, tu te souviens de Martin et de Sophie ?

— Oui, je me souviens très bien.

Martin me tend la main en silence.

Il y a une cinquantaine de jeunes installés autour d'une dizaine de tables. Chaque table semble avoir son identité : deux tables sont occupées par des jeunes d'origine haïtienne ; une autre par des latinos. Le reste semble se distinguer par des caractéristiques vestimentaires : deux tables de gothiques, une autre exclusivement de filles, et une table où chacun porte une chemise couleur magenta et un bandeau de la même couleur. Une troupe de danse ? Noémie remarque mon regard. Elle se penche vers moi et me dit à l'oreille :

— Je t'expliquerai.

J'entends des applaudissements, je me retourne pour apercevoir deux jeunes qui arrivent avec de grands sacs imbibés de graisses.

Noémie m'explique :

— Les frites d'aujourd'hui sont un don de notre invité.

— Qui est l'invité ?

— Tu me dois cent dollars et c'est moins cher qu'au Prima Donna.

Ces derniers mots me sont chuchotés à l'oreille.

J'ai à peine terminé mes hotdogs que Noémie me glisse à l'oreille :

— Viens, nous allons prendre un café. J'ai besoin de tes conseils.

Je sens une urgence dans le ton. Elle se lève, informe Dédé qu'elle reviendra dans une heure et me dirige vers la sortie. Je salue mes compagnons de table d'un signe de la main et je rejoins Noémie, qui est déjà à l'extérieur. Rendu à sa hauteur, je lui fais la remarque :

— Tu es donc bien pressée.

Elle ne me répond pas et elle entre dans un café voisin du Centre et se dirige vers une banquette arrière. Elle s'assoit, s'accoude à la table et place ses mains sur son visage. Je devine des sanglots. Je prends place sans trop savoir quoi dire. Au bout d'un instant, elle lève les yeux et essuie ses larmes avec la manche de sa blouse. Je lui tends mon mouchoir. Après un long soupir, elle me regarde avec un sourire timide :

— Excuse-moi, je n'ai vraiment pas l'habitude de pleurer devant qui que ce soit.

Je lui prends la main et la sers dans la mienne :

— Qu'est-ce qui se passe ? Tes parents ? Es-tu malade ?

— Excuse-moi encore, mais je suis découragée. Le beau Conrad ne m'a pas tout dit lorsqu'il m'a engagée comme directrice générale. Tous les jours, je découvre un nouveau problème : il n'y a aucun système comptable et Montpossible est insolvable ; nous avons juste assez d'argent pour payer le loyer et les salaires du mois prochain, nous devons déménager dans deux mois et nous n'avons pas encore trouvé un local. Pire encore, nous n'avons aucune source de revenus autre que quelques dons et une subvention annuelle de Centraide qui a déjà été dépensée.

— La fondation de mon oncle Eusèbe vous fournit des moyens financiers, non ?

— Conrad rêve de construire des lofts pour ses jeunes et maintient que l'argent de la fondation ne doit servir qu'à cette fin.

Avant que j'aie pu réagir, elle continue la litanie des problèmes de Montpossible.

— Le Centre ne rencontre aucune des normes du gouvernement, donc aucune possibilité de subvention. Je me demande même comment Conrad a pu convaincre Centraide de l'aider. Nous ressemblons à nos jeunes : rebelles, à contre-courant de la société, avec très peu ou pas de moyens et, surtout, avec un avenir incertain.

— La fondation est là pour assurer le financement des opérations de Montpossible, pas pour construire des lofts.

— Conrad n'est pas d'accord.

— Eusèbe a imposé certaines restrictions quant à l'utilisation de cet argent. La construction de lofts ne fait absolument pas partie des objectifs. Je vais lui parler.

— Merci, Maxime, tu me rassures un peu.

— Pour changer de sujet, peux-tu m'expliquer comment Conrad a réussi à réunir sous un même toit Haïtiens, Latinos et Québécois de souche?

— Ils ont quelque chose en commun: ils sont pour la plupart homosexuels ou lesbiennes. Un autre petit détail que Conrad avait oublié de me mentionner.

— En passant, où est Conrad?

— Conrad est parti en retraite à Saint-Benoît pour se reposer.

Chapitre 15

# Cercle de la Montréalie

La conférence de presse pour annoncer la fondation du Cercle de la Montréalie a lieu aujourd'hui au centre-ville dans le restaurant circulaire situé en haut de la Place Victoria, un endroit incontournable avec son panorama sur la grande région montréalaise. La journée est claire, un peu froide, moins quinze degrés, et nous voyons à des kilomètres à la ronde. Une mise en scène parfaite !

Il est dix heures, et je suis le premier arrivé. La conférence de presse est prévue pour onze heures et une section du restaurant a été isolée pour nous. Une table munie de trois microphones a été placée devant l'une des fenêtres de façon à exploiter la vue de Montréal en toile de fond. Une serveuse m'offre un café que j'accepte. Je m'installe à l'une des tables pour réviser mes notes. Un exercice superflu, car je connais le texte par cœur, un texte d'ailleurs très court qui se résume à trois ou quatre paragraphes qui se veulent percutants pour servir de clips aux nouvelles télévisées de la soirée.

Les deux dernières semaines ont été fébriles : incorporation du Cercle, préparation de la conférence de presse, rédaction du communiqué de presse et formation d'un conseil d'administration. Nous y serons six : Pierre Fabien, Florence Desmoines, Conrad Héroux, Jon Van Tran, Pierre-André Lepage, l'un de mes anciens professeurs aujourd'hui à la retraite, et moi. Nous avons même recruté une trentaine de membres-associés. Fred et Carole ont été omniprésents dans ces préparations et leur expérience vaut son pesant d'or. Fred m'a surpris en consacrant beaucoup plus que les deux heures par semaine qu'il avait prévues. Jean avait raison : il a vraiment embarqué dans l'aventure.

Il est dix heures trente et, enfin, je vois Fred et Carole arriver. Elle jette un coup d'œil rapide aux préparatifs :

— Bonjour, Maxime. Prêt pour le grand départ ?

Elle ne me donne pas la chance de répondre.

— J'ai la confirmation de RDI et TVA. Ils ne se sont pas fait prier. Ils sont bien curieux de savoir ce que le bien connu Maxime Beaubien, l'un de leurs confrères, peut bien mijoter. En promettant un bon lunch avec crevettes et chablis, je me suis également assurée d'une large présence de la presse écrite.

Du coin de l'œil, j'aperçois Claire Beauséjour, l'adjointe de Carole, entrer dans la salle, suivie de Conrad qui porte de grands panneaux. Elle nous fait un signe de tête et s'affaire ensuite à les placer sur des trépieds. Nous nous approchons. Je n'avais vu jusqu'à maintenant que des esquisses de notre logo. Les lettres *Cercle de la Montréalie* forment un demi-cercle. Au centre, une carte stylisée de la région. Il est facile d'identifier l'île de Montréal et l'île Jésus. Au nord, une série de demi-cercles laissent deviner les Laurentides et, au sud, des triangles représentent les Montérégiennes. Les lettres sont de couleurs bourgogne sur un fond gris foncé. Claire a fini de placer les panneaux autour de la salle et s'approche de nous :

— Les panneaux ont été livrés il y a à peine une demi-heure. Un peu juste, mais au moins nous les avons. Nous avons aussi les disquettes qui permettront aux médias de reproduire le logo. Elles contiennent également le texte de ta présentation et une liste des membres du conseil d'administration avec leur photo et des notes biographiques. Maxime, tu me dois une bonne bouteille de vin, j'ai passé une partie de la nuit à faire des copies de tout cela.

Notre conversation est interrompue par les équipes de télévision qui arrivent. Les journalistes ne devraient pas être loin.

Conrad s'approche et me glisse à l'oreille :

— J'aimerais te parler après la conférence de presse.

Je devine le sujet : il veut me parler de la fondation. Lors de ma visite au Centre, il y a de ça dix jours, je m'étais promis de lui parler ; je ne l'ai pas fait, mais Noémie, elle, m'en a parlé à plusieurs reprises.

Carole nous invite à nous retirer dans une pièce adjacente. Conrad, Jon et Pierre-André seront à la table avec moi, et je serai le porte-parole principal. Même si la stratégie veut que je sois l'image du Cercle, la première prestation doit laisser la perception que le Cercle n'est pas l'affaire d'une seule personne. Je ferai les remarques d'ouverture, et les trois autres ajouteront quelques mots. Les autres ne tardent pas à se joindre à moi dans la petite salle.

Délicatement, quelqu'un ouvre la porte du petit bureau où nous attendons. J'aperçois d'abord les cheveux puis le visage souriant de Noémie.

— Je peux ?

Conrad répond :

— Bien sûr, entre, tu feras baisser notre nervosité.

— Noémie, j'aimerais te présenter Jon Van Tran et Pierre-André Lepage, les deux administrateurs dont je t'ai parlé.

Pierre-André Lepage lui sert la main et ajoute :

— Je suis nerveux, mais ma nervosité n'est pas causée par la conférence de presse, mais plutôt par son contenu. J'ai été professeur durant quarante ans, et je crois que c'est la première fois de ma vie que je vais délibérément créer une controverse en ne présentant qu'un côté de la médaille, et c'est ça qui me rend nerveux.

Conrad ajoute :

— Pierre-André, tu dois avouer que c'est avec un certain plaisir que tu vas le faire. À soixante-dix ans, tu n'as rien à perdre, ni à protéger. Pouvoir dire ce que l'on pense sans s'inquiéter outre mesure est l'apanage des vieux.

Notre conversation est interrompue par Fred qui vient nous chercher. J'entre dans la section réservée du restaurant et je suis soulagé de voir qu'il y a une cinquantaine de personnes présentes. Fred nous avait garanti une bonne assistance, important pour les caméras, et il a livré la marchandise. Carole, debout à notre droite, un micro devant elle, attend que nous nous installions à la table. Je profite du moment pour parcourir des yeux notre auditoire.

Je suis un passionné des nouvelles télévisées et plusieurs visages me sont familiers. Ce sont des jeunes pour la plupart ; les médias n'ont pas envoyé leurs vedettes pour couvrir un tel événement. Je suis un peu désappointé, mais pas surpris : ces jeunes journalistes auront le plaisir de voir leur reportage au bulletin de nouvelles de ce soir. Je reconnais une dizaine de membres du Cercle. Chacun avait l'obligation d'amener quelques amis pour meubler la salle. Il y a donc plusieurs personnes que je ne connais pas. Je cherche Noémie des yeux et je l'aperçois, assise dans la dernière rangée à côté de mon cousin Lucien. Je ne vois ni Jean Deragon ni Paul Underhill.

Carole s'approche du micro :

— Chers amis, je vous remercie de votre présence. Il ne fait aucun doute dans mon esprit que vous ne regretterez pas de vous être déplacés. L'événement de ce matin fera partie de l'histoire de Montréal.

La remarque est probablement prétentieuse, mais quelle belle entrée en matière ! J'entends un murmure dans la salle, et plusieurs des journalistes se sont redressés sur leur chaise.

— J'ai le plaisir de vous présenter quelqu'un qui n'a pas besoin d'être présenté, monsieur Maxime Beaubien.

Je me lève, je m'approche du micro et je l'ajuste à ma hauteur. Un geste inutile qui ne fait que trahir ma nervosité.

— Nous vous avons convoqués ce matin pour vous annoncer la fondation du Cercle de la Montréalie, un organisme voué à la défense des intérêts de la grande région de Montréal.

J'avais voulu ajouter que l'organisme était apolitique, mais Fred et Carole me l'ont déconseillé.

— Nous vivons dans une grande région où habitent quatre millions de personnes, soit plus de la moitié de la population du Québec, une région qui représente cinquante pour cent de l'activité économique, cinquante pour cent des emplois du Québec, une région qui produit soixante-dix pour cent des exportations du Québec. Malgré tout cela, la grande région de Montréal passe au Québec en second plan. L'on ne parle que de régions, à un point tel que la stratégie de développement du Québec a été baptisée *le Québec des régions*. Pourquoi ? Parce que les politiciens qui siègent à Québec, à plus de deux cents kilomètres de Montréal, dépendent des régions et vivent en région. Ces régions se sont organisées pour exercer leur pouvoir. Pendant ce temps, la grande région de Montréal est divisée, et le clivage entre les populations anglophones, allophones et francophones l'empêche d'exercer son pouvoir politique légitime : les libéraux sont forts dans le West Island, les péquistes dans l'Est, l'ADQ, nulle part, et Québec Solidaire est une erreur de parcours. Je n'élaborerai pas sur les guerres de clocher que se livrent Montréal, les banlieues de l'île et toutes celles qui se barricadent de l'autre bord des ponts. L'objectif du Cercle de la Montréalie est de mobiliser la grande région montréalaise pour qu'elle puisse se développer, se défendre et reprendre sa juste place au Québec. Hier, les régions craignaient Montréal sans raison et, aujourd'hui, nous allons leur donner des raisons de nous craindre. Le pouvoir engendre le respect, et notre objectif est de nous assurer que la grande région montréalaise puisse exercer son pouvoir légitime et soit respectée pour ce qu'elle est. Nous reconnaissons que les régions connaissent des difficultés, mais ces dernières doivent réaliser que la solution à leurs problèmes passe par la prospérité de la grande région de Montréal. J'ai le plaisir maintenant de vous présenter quelques-unes des personnes qui ont accepté de lutter à mes côtés. Tout d'abord, Jean-Pierre Lepage, un professeur émérite, spécialiste des questions de fiscalité.

Nous avions convenu que je serais le seul à rester au micro et que les trois autres feraient de brèves remarques de la table. Jean-Pierre se penche vers le micro :

— Je suis né à Montréal, je vis à Montréal, j'ai travaillé à Montréal, ma famille, trois enfants et cinq petits-enfants, vit à Montréal et j'ai l'intention de mourir à Montréal. Vous avez compris que j'ai Montréal dans la peau. Pour moi, Montréal, c'est Mont-Royal, où j'habite, c'est l'arrondissement Ville-Marie où j'ai enseigné, c'est Laval et Saint-Lambert, où habitent mes enfants. Montréal, pour moi, c'est ça. Montréal, malgré sa masse économique, malgré son poids démographique, malgré son importance pour la vie de l'ensemble des Québécois, Montréal est soumis à une dépendance, j'irais même jusqu'à dire à une tutelle d'un gouvernement centralisateur qui loge à Québec. Les récents maires Doré, Bourque, Tremblay, Castonguay, ont été forcés de gérer dans la confusion et dans un désordre indescriptible créé par les fusions, les défusions et de nouvelles règles du jeu improvisées par nos soi-disant amis de Québec. Il est temps de leur faire comprendre notre réalité, et c'est la raison pour laquelle j'ai accepté l'invitation de mon bien connu ancien élève.

— Merci, professeur Lepage. La deuxième personne que j'aimerais vous présenter est Jon Van Tran, un spécialiste en organisation institutionnelle.

— Lorsque Maxime Beaubien m'a demandé de m'impliquer, je n'ai pas hésité un instant. Souvent le hasard fait bien les choses. Je venais de lire un article de Richard Florida, un professeur à la Rotman School of Management de l'Université de Toronto, publié dans le *Harvard Business Review*. Son article expliquait que quarante mégarégions mènent le monde. Montréal fait partie de l'une d'elles, soit la mégarégion formée de Montréal, Ottawa, Toronto, London et Buffalo. Sur le plan économique, les frontières nationales n'existent plus, ce sont les mégarégions qui ont pris la place. C'est cet article qui m'a motivé à me joindre au Cercle de la Montréalie. La grande région de Montréal doit se mobiliser et s'organiser pour être une concurrente valable à l'intérieur de sa mégarégion. Maintenant, je vous pose la question : Montréal a-t-elle les outils pour prendre sa place dans une telle mégarégion ? Je vous rappelle en guise de réponse que Québec a modifié en 2008 la loi 22 pour « permettre à Montréal d'assumer son rôle de métropole du Québec ». Or il y a plus de cent ans que les Montréalais savent que Montréal est « la Métropole du Québec ». Les amis de Québec sont encore loin de la nouvelle réalité des mégarégions du monde. Le Cercle de la Montréalie se donne comme objectif de défendre les intérêts de la grande région de Montréal, de la sortir de son immobilisme et de l'aider à prendre sa place sur l'échiquier des mégarégions du monde. J'aimerais remercier Maxime pour l'occasion qu'il me donne de travailler à ce merveilleux défi.

C'est maintenant au tour de Conrad de prendre la parole. Il nous a promis de ne pas s'éloigner du texte prévu.

— Je vous présente maintenant Conrad Héroux, un homme qui a voué sa vie aux jeunes sans-abri de Montréal en créant le Centre Montpossible.

Conrad commence sa présentation avec un :

— Mes bien chers amis.

Trop près du « Mes bien chers frères » à mon goût. Un relent de sa vie antérieure. Mais je réalise que peu de personnes l'ont entendu : il a oublié d'ouvrir son micro. Carole l'a remarqué et l'ouvre pour lui. Il la remercie à voix basse et continue comme si de rien n'était.

— La grande région de Montréal compte quatre-vingt-dix pour cent des populations anglophones et allophones de la province de Québec. Montréal est devenue, au cours des dernières décennies, une ville multiethnique, la seule au Québec. Cette situation est une réalité planétaire pour les grandes agglomérations urbaines dont fait partie Montréal, et c'est une tendance irréversible quoi qu'en pensent les quelques tartempions d'Hérouxville. Je m'inquiète lorsque j'entends le ministre des Affaires municipales, qui est originaire de Chicoutimi, déclarer qu'il ne se sent pas chez lui lorsqu'il vient à Montréal. La région de Montréal est une agglomération métropolitaine cosmopolite qui doit être gouvernée comme telle, et qui fait partie de la réalité du Québec, n'en déplaise aux assimilateurs. Nous devons intégrer les populations allophones à notre communauté sans leur enlever leur ethnicité. Avec notre population de plus de quatre millions de personnes, nous vivons des problèmes socioculturels uniques qui exigent des solutions uniques. Mais les décisions sont prises à Québec, par des régionaux…

Je souris discrètement à l'intonation méprisante que prend Conrad lorsqu'il dit le mot *régionaux*.

— … et, dès que Montréal demande des mesures particulières, les autres villes centres du Québec demandent des pouvoirs similaires. Les problèmes de transport, les problèmes d'itinérance, les problèmes de délinquance, les problèmes de pollution prennent à Montréal des proportions qui ne se voient pas ailleurs au Québec. Il y a ville centre et ville centre. Comment comparer une agglomération de quatre millions de personnes, la seule ville-région du Québec, avec Drummondville ou Rivière-du-Loup ?

Conrad devrait avoir terminé, mais il fait une pause, boit une gorgée d'eau, et ajoute :

— La pire erreur historique fut de faire de la ville de Québec la capitale de la province, alors que la majorité de la population du Québec vit à Montréal. Comment voulez-vous que des personnes qui ne vivent pas à Montréal et qui s'y sentent étrangères, puissent comprendre ce qui s'y passe ? Nous devons nous organiser pour qu'elles comprennent, qu'elles aiment ça ou pas.

Conrad ferme son micro, indiquant par son geste qu'il a terminé.

— Merci, Conrad.

Carole s'approche du micro :

— Ouf ! J'ai l'impression que les réactions ne se feront pas attendre.

La remarque est reçue avec quelques rires discrets.

— Le temps passe, mais nous avons le temps pour quelques questions. Monsieur Beaubien sera disponible pour des interviews immédiatement après la conférence de presse. Je vous demanderais de vous identifier et de poser la question directement à l'un de ces messieurs.

Les caméras de télévision sont toujours là. Je remarque que l'opérateur de LCN a placé la caméra sur son épaule et prend des images de l'auditoire. Celui de RDI discute avec sa journaliste. Cette dernière fait signe à Carole qu'ils vont s'installer à l'extérieur et qu'ils demandent une entrevue. Un premier journaliste se lève : un jeune homme, les cheveux en broussaille, portant d'épaisses lunettes.

— Jean-René de Cotret, *Le Devoir*. Vous semblez insinuer que tous les problèmes de Montréal sont la faute de Québec. Ne croyez-vous pas que Montréal, avec sa mauvaise gestion et sa corruption, est responsable de ses propres malheurs ?

— Toute organisation avec un budget de plus de quatre milliards cinq cents millions par année et des milliers d'employés connaîtra des dérapages. C'est inévitable. Le Cercle de la Montréalie est tourné vers l'avenir et veut s'attaquer aux problèmes structuraux de la région.

Carole m'a bien averti de garder mes réponses courtes, surtout si la question est délicate, et celle-ci est délicate. Je me suis retenu pour ne pas élaborer sur le sujet et dire que, depuis plusieurs années, Montréal était devenu le souffre-douleur des médias.

J'aperçois la main levée de Rodrigue Hurtubise, chroniqueur de *La Presse*. Il a plus de trente ans de métier, il est influent dans le milieu et l'un de ceux dont Carole souhaitait la présence dans l'espoir qu'il écrive une chronique sur le Cercle. Je lui fais un signe de la tête. Il se lève sans se présenter. Tout le monde sait qui il est et il le sait.

— Vous semblez être seulement une vingtaine de personnes. Comment allez-vous réussir à faire contrepoids aux régions qui sont bien organisées et qui détiennent la balance du pouvoir à Québec ?

— Avec vingt personnes bien organisées, avec des moyens, des ressources et de l'imagination, on peut influencer et mobiliser l'opinion populaire.

Nous avions anticipé une question sur nos moyens et ressources financières, mais elle n'est jamais venue. Durant nos présentations, le personnel du restaurant a monté une table avec un buffet. Je ne sais si c'est parce que les journalistes avaient suffisamment de matériel pour leurs articles ou s'ils avaient faim, mais la période de questions s'est vite terminée.

Après avoir donné quelques interviews, j'ai trouvé Conrad qui m'attendait dans le corridor.

— Allons au bar Chez Antoine dans le lobby de l'hôtel Delta. Ils servent le lunch.

Le lunch avec Conrad a été désagréable, je n'avais vraiment pas besoin de cela. Notre conversation peut se résumer en quelques phrases : Conrad a pris connaissance des clauses restrictives de la fondation. Il y a erreur, soutient-il. Eusèbe lui avait toujours dit qu'il l'aiderait avec le financement des lofts. Il veut, je dirais plutôt exige, ma coopération pour faire modifier ces clauses.

Lorsque j'ai soulevé les problèmes de liquidité de Montpossible, il m'a répondu que ce problème était temporaire et que Noémie travaillait sur plein de projets de financement. Il n'a rien compris ou il ne veut rien comprendre.

Je n'ai pas poursuivi la discussion, mais il est grand temps que je forme un conseil d'administration pour la Fondation d'Eusèbe.

Chapitre 16

# Première page

Il est cinq heures du matin. Je me lève et regarde par la fenêtre. Il fait encore noir et j'ai peine à distinguer l'édifice de l'autre côté de la rue à travers les flocons qui passent à la verticale. Il ne fait vraiment pas beau.

Après la préparation d'un café, j'ouvre mon ordinateur pour prendre connaissance des titres des journaux.

Hier soir, la couverture télévisée a été exceptionnelle et les clips présentés ont été ceux que nous avions anticipés. La couverture des autres médias devrait être tout aussi bonne ; les semaines qui suivent la période des fêtes sont généralement tranquilles sur le plan des nouvelles. Et de toute façon, la controverse fait toujours les manchettes.

*Le Journal de Montréal* a retenu comme titre en grosses lettres « ERREUR HISTORIQUE » et, en plus petit, « Montréal aurait dû être la capitale ». Pour sa part, *La Presse* titre « Mobilisation en Montréalie », et finalement, *Le Devoir* annonce la « Fondation du Cercle de la Montréalie ». Les trois journaux reproduisent, à peu de mots près, les communiqués qui avaient été publiés. Seul *Le Devoir* donne un sommaire des biographies des membres du Conseil.

J'ai à peine terminé ma lecture que Carole m'appelle pour m'aviser que toutes les entrevues radiophoniques prévues pour ce matin avaient été annulées, tempête oblige. J'ouvre la radio pour entendre un bulletin de circulation qui nous annonce qu'il y a eu un carambolage sur le pont Champlain et que le pont Jacques-Cartier a été fermé en raison de plaques de glace qui tombent de la structure.

Quelques minutes plus tard Carole me rappelle :

— Re-bonjour, Maxime. C'est malheureux pour les entrevues, mais on n'y peut rien. L'éditeur de la page Forum de *La Presse* vient de m'informer que le ministre du Développement durable et responsable de la région de Montréal, Mario Langevin, prépare un texte pour réfuter certaines de tes assertions. Il me le fait parvenir dès qu'il le reçoit. Il aimerait publier ta réaction le même jour qu'il publiera sa lettre. Je t'enverrai le texte du ministre avec un projet de réponse ; tu modifieras à ta guise. Maxime, cette lettre est une excellente nouvelle : ils nous prennent au sérieux.

— Quand veulent-ils la publier ?

— Dans l'édition de samedi. Je t'appelle dès que je reçois le document. Tu m'excuses, mais je suis débordée. Avec la fermeture des ponts, l'heure de pointe est un vrai bordel et ma cliente, la STM, a besoin de mes services.

Un coup d'œil à l'extérieur me permet de voir que la tempête est déjà terminée. Après deux heures de travail sur une chronique, je décide de marcher pour me rendre aux nouveaux bureaux du Cercle sur le boulevard René-Lévesque. Nous avons pris possession du local lundi. Fred s'est occupé de tout.

Avec sa température, Montréal peut être une véritable « bitch » tout comme elle peut se transformer, en l'espace de quelques minutes, en grande dame, digne et compliquée. En sortant ce midi, c'est la grande dame qui me reçoit : le soleil est radieux et la température agréable, juste au-dessus du point de congélation. Je décide de marcher pour me rendre au boulevard René-Lévesque.

Le bureau du Cercle est situé au 800, boulevard René-Lévesque, un endroit avec accès au réseau souterrain, ce réseau qui rend la vie plus facile tant l'hiver que l'été. Fred m'a dit que le bureau était situé au quatorzième étage. Dans l'ascenseur, je réalise que c'est vraiment au treizième. Je ressens un sentiment d'appréhension. Étrange comment les superstitions font partie de notre subconscient et laissent toujours un petit doute, même chez les personnes intelligentes, éduquées et bien informées, une catégorie dont je crois faire partie

La réception est encombrée de boîtes de carton. Un bureau de secrétaire a été placé face à l'entrée. J'entends des voix et me dirige vers l'arrière. Les murs sont recouverts de panneaux de bois foncé qui s'harmonisent avec un épais tapis aux couleurs brunâtres. Le décor dégage le luxe et, à l'origine, a dû coûter une petite fortune.

Dans le corridor, à ma droite, je passe devant une salle de réunion ; elle est vide. Je trouve Fred à l'arrière. Il est à genoux, un tournevis à la main ; il est accompagné d'un homme, également à genoux, un panneau de mélamine en mains. Tous les deux sont concentrés sur une feuille d'instructions. Ils ne m'ont pas entendu entrer :

— Bonjour, messieurs, je vois que nous sommes en pleine construction !

Tous les deux sursautent. Fred se retourne.

— Bonjour, Maxime. Comme tu vois, nous sommes à monter des bureaux. Notre secrétaire, Francine, qui d'ailleurs n'est pas encore entrée, a passé la commande pour les meubles en oubliant de s'assurer qu'ils seraient montés. Ils ont donc été livrés ce matin, en pièces détachées, dans de belles grosses boîtes.

— Avez-vous d'autres outils ? Je vais vous aider.

En disant ces mots, je tends la main à l'homme qui est demeuré à genoux durant notre échange. Il se lève et me serre la main :

— Philip — pas de *e*, un seul *p* — Simons, fanatique de l'Internet et des réseaux sociaux, professeur à l'Université Concordia et… assembleur occasionnel de mobilier de bureau.

L'accent anglophone est prononcé. L'homme est grand, un peu plus grand que moi, des cheveux couleur blond sale et une peau fortement marquée par de sévères éruptions d'acné. Il est vêtu d'un coton ouaté aux couleurs des Alouettes, d'un jeans délavé et d'espadrilles qui, de toute évidence, n'ont pas été ménagées au cours de leur longue vie.

Fred s'excuse :

— J'aurais dû vous présenter. Mais je suis encore en maudit. Il me semble que nous avons d'autres choses à faire que d'assembler des bureaux.

Sur ce, nous sommes interrompus par l'arrivée d'une femme dans la cinquantaine. Elle n'a pas la chance de placer un mot avant que Fred l'interpelle :

— Et voici la raison de ma mauvaise humeur. Je vous présente Francine, notre adjointe administrative, qui devait être ici à neuf heures et qui nous a commandé ces magnifiques meubles en pièces détachées.

La réponse de Francine ne laisse aucun doute que ces deux-là se connaissent et qu'ils ont déjà travaillé ensemble :

— Les nerfs, les nerfs ! J'ai épargné cent dollars par bureau en les achetant et je suis parfaitement capable de les assembler.

Elle s'approche de moi et me tend la main.

— Je me présente. Francine Fournier, adjointe administrative d'occasion et femme à tout faire pour organisateur énervé. Messieurs, pourquoi n'allez-vous pas prendre le lunch. À votre retour il y aura un peu d'ordre dans ce bureau. Et prenez votre temps.

Effectivement, à notre retour, la réception avait été libérée de ses boîtes et le bureau sur lequel Fred et Philip travaillaient avait été assemblé. Francine s'affairait à déballer un ordinateur.

— Les ordinateurs ont été livrés et je les ai fait placer dans chaque bureau. Puisqu'il ne semble pas y avoir de restrictions budgétaires dans cette organisation, j'ai demandé aux personnes de l'entretien de l'édifice de venir assembler les meubles après leur travail. Nous serons opérationnels demain matin à la condition que Vidéotron vienne nous brancher cet après-midi.

Fred, un sourire aux lèvres, répond :

— Merci, Frank, je n'en attendais pas moins.

Fred se tourne vers moi :

— Viens, allons dans la salle de conférence, j'ai quelques sujets que j'aimerais discuter avec toi. Philip, tu nous excuses quelques minutes. Au cours de la semaine dernière, Carole a effectué, à partir des C.V. que tu lui as envoyés, ce que l'on appelle dans le métier un *vulnerability check* sur les membres du conseil d'administration du Cercle avec beaucoup de discrétion évidemment. Ce n'est pas une enquête exhaustive, mais suffisante pour découvrir s'il y a des squelettes dans les placards. Tu as passé haut la main, mais nous avons découvert deux problèmes potentiels : Jean est poursuivi par l'Agence de revenu du Canada pour évasion fiscale. J'étais vaguement au courant et Jean m'a toujours dit qu'il n'y avait rien là ; selon lui, une simple question d'interprétation de la loi. Dans le cas de Paul Underhill, j'ai été surpris d'apprendre que son crédit est pourri ; il doit de l'argent partout, ses cartes de crédit sont au maximum et plusieurs de ses comptes ont été placés en collection. Carole, qui le connaît depuis des années, ne comprend pas ce qui lui arrive.

Je suis dérangé à l'idée que nous avons fouillé dans la vie personnelle de mon monde, et je ne sais vraiment pas comment réagir.

— Jean et Paul ne sont pas sur le conseil du Cercle.

— Ils font partie de ton entourage et nous avons pensé que tu devrais savoir.

— Est-ce tout ?

— Non, mais le prochain sujet est plus délicat.

Comme si on peut faire pire.

— Tes dernières chroniques.

— Qu'est-ce qu'elles ont mes chroniques ?

— Carole et moi en avons discuté et nous croyons que tu devrais faire attention à tes sujets. N'oublie pas que tu es l'image du Cercle et le public ne fait pas de distinction entre tes opinions personnelles et les positions du Cercle.

— Tu peux être plus spécifique ?

— Je pense à ta chronique sur l'abolition du droit de grève dans la fonction publique et à celle sur la pertinence d'une loi spéciale pour forcer l'embauche d'allophones et d'anglophones dans la fonction publique. Tu es loin du concept de la ville-région.

— Je n'avais pas réalisé, mais tu as peut-être raison.

— Maxime, tu es devenu, au cours des derniers jours une personnalité politique. Ta vie ne sera plus jamais la même et toutes tes opinions seront discutées, analysées, interprétées et critiquées.

# Chapitre 17

# Internet

Hier soir, Noémie est venue me retrouver à l'appartement pour un souper rapide — nous devions aller au théâtre — qui m'a pourtant semblé très long. Elle était pensive, distraite, et son seul sujet de conversation tournait autour de l'attitude de Conrad. Une autre longue liste de récriminations allant de la résistance de Conrad à lui laisser de la place, à son inhabilité à l'intégrer au sein de l'équipe de bénévoles, sans oublier l'espace de travail qu'il lui a assigné, toujours dans le corridor, et ses critiques constantes au sujet de Martin et de Sophie ; Conrad trouve qu'ils prennent trop de place.

Comme si ses difficultés avec Conrad n'avaient pas suffisamment joué sur ses émotions, la soirée s'est terminée avec une rencontre avec Catheryne, une rencontre que j'ai provoquée. En demandant à Noémie de m'accompagner à l'avant-première de *Zone* de Marcel Dubé au théâtre Multimonde hier soir, je cherchais à passer un message tant à l'une qu'à l'autre.

Le sujet de Catheryne est un sujet tabou entre Noémie et moi, et les quelques fois qu'elle m'en a parlé, j'ai senti qu'elle trouve difficile à accepter qu'une relation de plusieurs années avec une femme comme Catheryne soit demeurée sans suite et puisse se terminer aussi facilement. Je sais que Catheryne n'est jamais loin dans ses pensées. J'espérais, hier, mettre les pendules à l'heure.

Après la représentation, nous nous sommes rendus à la réception dans le foyer du théâtre. J'ai été le premier à apercevoir Catheryne en grande conversation avec la directrice artistique. Je suis certain qu'elle nous a vus entrer, mais elle nous a ignorés. J'ai pris les devants et nous nous sommes approchés. Elles se sont serré la main ; Noémie avec un léger sourire, Catheryne avec un air de totale indifférence. La rencontre n'a duré que l'espace d'un instant.

Nous avons quitté la réception vers onze heures à la demande de Noémie qui s'est dite épuisée ; elle m'a demandé de la reconduire chez elle. J'ai d'abord pensé insister pour qu'elle couche à l'appartement, mais avec son humeur de la soirée, j'en suis arrivé à la conclusion que ce n'était pas une bonne idée. Arrivée à Hamstead, elle s'est excusée pour la courte soirée et nous nous sommes quittés avec un court baiser. Avant de sortir de la voiture, elle m'a lancé :

— Cette Catheryne aurait-elle encore des sentiments pour toi ?

Sur ce, elle a refermé la portière et elle est entrée chez elle.

Ce matin, la sonnerie du téléphone m'a réveillé. J'espérais Noémie et j'ai reconnu la voix de Catheryne.

— Bonjour, Maxime. As-tu aimé la pièce hier soir ?

J'hésite un instant ; elle ne m'appelle pas ce matin pour discuter de théâtre. Je réponds avec une platitude que j'ai lue dans une critique ce matin :

— « *Zone* prouve le grand talent de Marcel Dubé. La pièce demeure captivante et d'actualité, même après plus de 50 ans... »

Catheryne me connaît assez pour reconnaître mon ironie et elle m'interrompt pour terminer à ma place :

— ... « et elle donne la chance à de jeunes acteurs de se faire valoir. » J'ai lu la même critique.

Puis, dans le même souffle, elle demande :

— Maxime, aurais-tu quelques minutes pour prendre un verre avec moi ?

Je ne suis pas surpris de la demande ; je l'attendais, cette invitation, depuis un bout de temps. Catheryne veut savoir. Je dois passer la journée avec Fred et Philip au bureau du Cercle et je soupe avec Noémie à l'appartement ce soir. Je suis donc libre en fin d'après-midi. Je lui donne rendez-vous au bar Les Voyageurs du Reine-Élizabeth.

J'ai à peine raccroché que la sonnerie se fait entendre de nouveau. Cette fois, c'est Noémie :

— Bonjour, Maxime, as-tu bien dormi ?

Elle ne me donne pas la chance de répondre et continue sur un ton légèrement piteux.

— Je veux m'excuser pour hier soir, mais j'étais épuisée. Puis la fatigue a fait éclater une petite crise de jalousie. Désolée ; je n'étais vraiment pas dans mon plat. De toute façon, on n'en parle plus, j'ai bien dormi, j'ai hâte de te voir et je couche à l'appartement ce soir.

Je n'ai pas le temps de réagir qu'elle demande :

— Qu'est-ce que tu veux manger ?

Je peux enfin placer un mot :

— Pour commencer, tu n'étais pas dans ton « assiette » hier et non pas dans ton « plat ».

Ma remarque est reçue avec un *whatever* sans équivoque. Je retrouve la Noémie que j'aime :

— Je passe la journée au bureau du Cercle et je serai à l'appartement vers cinq heures.

Elle me lance un bref :

— *Love you*, je te vois à l'appartement et je m'occupe du souper.

Elle possède maintenant une clé.

* * *

J'arrive le premier au bureau du Cercle et me frappe à une porte verrouillée. Je suis quinze minutes en avant de mon temps. Je décide de descendre à la gare Centrale pour prendre un café.

Un exemplaire du journal *La Presse*, que je n'ai pas eu le temps de lire ce matin, a été laissé sur la table. En tournant la première page, je remarque que le lecteur précédent a annoté plusieurs photos et articles. Une photo de Stephen Harper porte la mention « extrémiste religieux », une autre d'Obama, « mon héros ». Je feuillette rapidement : dans la section Arts et Spectacles, une flèche pointe la poitrine de Pamela Anderson avec la mention « des faux ». Quelle sorte d'individu peut bien prendre le temps d'inscrire ses commentaires dans un journal, puis le laisser sur la table d'un restaurant ? Dans la section Opinion, les commentaires sont plus élaborés. Le commentateur anonyme a des opinions sur tout. Il se permet même de modifier et de créer des titres. La chronique de Rodrigue Hurtubise a pour titre : « SI AU MOINS C'ÉTAIT VRAI » ; le quidam a ajouté : « Politicien ratoureux comme les autres. »

Le titre attire mon attention et, dès les premières lignes, je réalise que c'est moi, le « politicien ratoureux ». Le sujet de la chronique d'Hurtubise porte sur la création du Cercle de la Montréalie. Les premiers paragraphes décrivent correctement nos objectifs, mais les derniers paragraphes gâtent la sauce. Effectivement. D'abord, l'avant-dernier paragraphe informe le lecteur sur la réputation de deux de mes proches : Fred Barette et Carole Boutet. Ils seraient « [...] tous les deux, de bons libéraux, et bien connus pour leurs activités d'organisateurs politiques ». Et le dernier paragraphe se termine par une question : « Le Cercle de la Montréalie ne serait-il rien de plus qu'un autre de ces comités de citoyens qui apparaissent, une année avant une élection municipale, pour mousser la candidature potentielle d'une personne qui veut se créer une notoriété et tester les eaux, dans ce cas-ci, le bien connu

Maxime Beaubien ? Ce serait dommage ; le Cercle est une excellente idée et Montréal a besoin d'aide. »

Je ferme le journal, le laisse sur la table, et m'empresse d'en acheter une copie fraîche, sans annotation, pour faire lire l'article à Fred. En retournant aux bureaux du Cercle, je pense déjà à des répliques pour cette chronique.

Je monte à l'étage et, en entrant dans le bureau, j'entends des voix à l'arrière et je crois reconnaître, à ma grande surprise, la voix de Carole. Elle ne devait pas être là ce matin.

Fred et Philip sont en conférence téléphonique avec Carole. En m'approchant, j'entends la voix de cette dernière :

— Je ne crois pas que nous devions réagir à la chronique. Vaut mieux ignorer et laisser Hurtubise passer à autre chose. Ce n'est pas la première fois qu'il fait ce type de spéculations, et si Maxime, un jour, décidait de se présenter à la mairie, croyez-moi, il prendrait le crédit de l'avoir prévu. C'est comme ça qu'il a bâti sa réputation.

Fred me fait signe de m'asseoir :

— Carole ?

Nous entendons un « oui » à résonance métallique qui vient de la tortue de plastique située au centre de la table. Je déteste ces téléconférences où il est impossible de voir la réaction physique de ses interlocuteurs. Fred se penche vers le bidule en plastique, un geste d'ailleurs tout à fait inutile, et ajoute :

— Maxime vient d'arriver.

Puis il se tourne vers moi :

— Maxime, nous discutons de la chronique d'Hurtubise.

Je m'adresse à la tortue :

— Oui, je l'ai lue. J'ai aussi entendu tes dernières paroles et je suis d'accord. Mais j'ai l'impression qu'Hurtubise va nous garder à l'œil.

Carole me répond :

— Ne t'inquiète pas d'Hurtubise. C'est un vieux routier et il cherche une réaction. On ne lui donnera pas ce plaisir.

Fred intervient :

— Bon, nous sommes tous d'accord. Nous ne réagissons pas à la chronique.

Carole ajoute :

— Maxime, si des journalistes te demandent de réagir à la chronique, tu réponds : « Je me préoccupe de la grande région de Montréal et pas seulement de la Ville de Montréal. J'ai l'intention de consacrer tout mon temps au Cercle et l'idée d'une candidature à un poste politique est loin de mes considérations. »

Fred se penche vers le récepteur :

— Carole ? Nous avons prévu cet après-midi une session de travail pour préparer, avec Philip, le site internet du Cercle et pour élaborer une stratégie pour utiliser les réseaux sociaux.

La voix de Carole nous revient :

— Excellent. J'aimerais voir le site avant qu'il soit mis en ligne.

— Nous te l'envoyons dès qu'il est prêt.

C'est au tour de Philip d'intervenir :

— Un site internet, un blogue et les réseaux sociaux, Facebook et Twitter, seront nos outils de prédilection pour rejoindre directement la population sans le filtre des médias. Réalisez-vous l'importance que ces outils ont prise au cours des dernières années ?

Il ne nous donne pas la chance de répondre et poursuit sa présentation :

— Le premier à avoir utilisé l'Internet est Howard Dean en 2004 aux États-Unis, et sa façon de l'utiliser était primitive. Regardez ce qu'en ont fait les organisations de McCain et d'Obama en 2009.

Fred l'interrompt :

— L'Internet a changé notre façon de faire des campagnes électorales. Un changement pour le mieux, d'ailleurs, qui nous permet de nous adresser directement aux électeurs. À cause des médias, les débats d'idées sont disparus. Comment faire un débat de fond sur un projet de société lorsque les reportages sont limités à des clips de quelques secondes ? Avec notre site internet, nous éliminons les médias comme intermédiaires et nous pouvons faire passer notre message directement à la population avec nos propres clips, nos textes, notre page Facebook et nos SMS.

Carole intervient :

— Cent quarante mots ne font pas un débat de fond. Attention les gars, les médias traditionnels demeurent la source d'information pour une grande partie de la population.

Je vois à son expression que Philip se meurt d'envie d'intervenir. Je l'arrête d'un signe de la main :

— Je reviens aux médias ; il n'y a pas que les clips des bulletins de nouvelles. Il y a les émissions d'information.

Carole lance :

— Dans ces émissions d'affaires publiques, les journalistes souffrent du syndrome du vedettariat et prennent trop de place.

— Maxime, tu es littéralement payé pour savoir cela. C'est ton émission qui a fait de toi une vedette.

— *Whoa*, il y a vedette et vedette.

Philip continue :

— Les émissions d'information sont peu écoutées et ne servent qu'à provoquer des déclarations impromptues qui ont le potentiel de faire l'objet d'un clip dans le bulletin de nouvelles de la soirée, et de faire de l'intervieweur un héros pour avoir réussi à faire trébucher l'interviewé. L'Internet nous redonne un contrôle sur le contenu et les blogues nous permettent une interactivité directe avec la population sans devoir utiliser les médias comme intermédiaires.

Fred ajoute :

— Si personne ne visite notre site et si personne ne devient notre ami sur Facebook ou nous suit sur Twitter, nous n'irons pas loin.

Philip réplique :

— L'Internet rejoint la population qui utilise l'Internet, mais elle rejoint aussi les médias qui ne manquent pas de rapporter les informations qui circulent sur le Web. Avez-vous remarqué que les émissions d'information se servent maintenant d'écrans pour présenter les commentaires qui apparaissent sur Twitter sur un sujet donné ?

Fred continue :

— Les grands partis politiques, tant aux États-Unis qu'au Canada, ont d'abord utilisé l'Internet de façon statique pour distribuer de l'information : des listes des candidats, les itinéraires de leur chef et des nouvelles quotidiennes que tous savaient biaisées en leur faveur. L'électeur visite une fois, et c'est tout.

Philip ajoute :

— Notre site doit être interactif et devra être renouvelé quotidiennement de façon à encourager des visites fréquentes. Il ne faut surtout pas que notre site internet et notre compte Twitter ne servent qu'à distribuer des communiqués de presse. Nous devons y créer des polémiques et soulever des débats et, ainsi, créer une circulation régulière.

Carole nous avise qu'elle doit nous quitter et Philip lui demande :

— Où en sommes-nous avec l'engagement des recherchistes ?

— Je fais passer des entrevues cette semaine.

C'est à mon tour de demander :

— Des recherchistes ?

Fred me répond sur un ton impatient :

— Qui, penses-tu, va écrire les textes sur notre blogue, les commentaires sur Twitter et répondre aux centaines de commentaires sur notre blogue ?

# Chapitre 18

# Encore Catheryne...

Le bar Les Voyageurs de l'hôtel Reine-Élisabeth est désert en ce vendredi après-midi. De toute évidence, il n'y a pas de convention ou de congrès en ville aujourd'hui. Rien de surprenant, nous sommes en février et qui veut visiter Montréal en février ? Congressistes et touristes sont dans le sud. Ça prend une bonne raison pour venir à Montréal en hiver.

Je choisis une table près du long corridor qui tient lieu de hall d'entrée à l'hôtel. J'ai l'impression, pendant une seconde, que le bar est fermé, mais je suis rassuré par la présence d'un serveur s'affairant à essuyer des verres derrière le bar. Ses gestes sont machinaux : il prend le verre par le pied, le soulève à la lumière du plafond et le frotte d'un linge à vaisselle. Tous les verres passent, un à un, aux soins du linge à vaisselle. Je me dis qu'il doit être le temps de changer le lave-vaisselle dans les cuisines.

Pourtant le bar et le restaurant viennent d'être rénovés. Une rénovation malheureuse, une rénovation sans âme : des couleurs et des motifs coordonnés pour faire, je suppose, tendance. Ce décor a remplacé un aménagement d'époque qui donnait le look d'un club privé : des boiseries d'un brun foncé, des fauteuils de cuir, des tapis et des rideaux de velours couleur pourpre. Un décor masculin fait pour les cigares et le cognac. Le décor d'aujourd'hui doit plaire à tous ; un décor fait pour le vin blanc et les tisanes à la camomille.

Mes réflexions sur les aléas de la décoration intérieure moderne sont interrompues par le serveur qui place un sous-verre aux armoiries du Beaver Club sur la table devant moi. Au moins, ils ont gardé les armoiries. Petite concession à l'histoire vénérable du lieu.

— Monsieur ?

— Nous serons deux ; je vais attendre.

— Très bien.

Le garçon retourne derrière son bar et se met à astiquer le comptoir. Il a dû recevoir des instructions qui l'obligent à paraître en tout temps occupé. De temps en temps, il lève les yeux vers une télévision qui diffuse un tournoi de golf. Il a tellement l'air de s'embêter que j'ai presque envie de le rejoindre pour lui tenir compagnie. Ce n'est peut-être pas une mauvaise idée, car Catheryne m'a plusieurs fois fait attendre longtemps.

Ce ne sera pas le cas aujourd'hui. Je l'aperçois qui franchit la porte d'entrée : toujours aussi belle, vêtue avec élégance et affichant une démarche qui ferait tourner des têtes s'il y avait des têtes à faire tourner dans ce hall vide de l'hôtel.

J'avoue que Catheryne me manque à l'occasion : j'aimais être vu avec elle en public, j'aimais sentir les regards d'envie, le plaisir d'une relation libre sans considérations autres que notre plaisir mutuel. Mes attentes pour ma relation, encore jeune, avec Noémie sont élevées et tous les petits gestes et événements de notre vie quotidienne viennent compliquer les choses.

Catheryne me voit à distance et me fait un geste discret de la main. Lorsqu'elle arrive à la table, je me lève et elle me surprend avec un baiser sur la bouche qui n'a rien à voir avec une accolade entre amis. Elle ne me donne pas la chance de me rasseoir, elle me prend par la main et me dirige vers une autre table :

— Viens, je veux une table plus intime.

Encore une fois, un indéfinissable pressentiment m'envahit : un certain diable me prévient de me tenir sur mes gardes !

Elle a déjà établi un scénario, j'en suis sûr. Je me laisse diriger vers une table le long du mur, sans lui faire remarquer que nous sommes les seuls dans le bar. Elle m'inquiète vraiment : un baiser sensuel, une table intime. Le garçon se présente à notre table. Il regarde d'abord le décolleté de Catheryne puis lève les yeux vers son visage et s'exclame :

— Madame Leclair ?

Il recule de quelques pas et demande :

— Qu'est-ce que je peux vous servir ?

Catheryne lui répond :

— Un kir royal, s'il vous plaît.

Le garçon se tourne vers moi :

— Un martini, vodka, zeste de citron, sans glace, s'il vous plaît.

Le garçon nous quitte. Elle amorce la conversation :

— Toute une tempête de neige que nous avons eue.

Je suis agacé : nous ne sommes pas ici pour discuter de la température.

— La première de l'année, et certainement pas la dernière.

Elle reprend, mais sur un sujet plus intime :

— Je t'ai vu aux nouvelles la semaine dernière. Quelque chose à propos de la fondation d'une organisation pour défendre Montréal ? Je n'ai pas bien compris.

— Comme je te l'ai dit, dans son testament, mon oncle Eusèbe m'a laissé une importante somme d'argent pour faire quelque chose pour Montréal. J'ai décidé de fonder le Cercle de la Montréalie pour défendre les intérêts de la région montréalaise. C'est ce bout-là qui constitue la nouvelle.

— Bonne chance !

— Ça me donne un beau défi. Tu sais, j'avance dans la quarantaine et j'ai besoin de changement.

— J'ai compris cela avant les fêtes.

— Catheryne, ma rencontre avec Noémie est le fruit du hasard, une rencontre fortuite. Je ne cherchais pas. C'est arrivé comme cela.

— C'est sérieux ?

— Je crois que oui, même si nous ne nous connaissons que depuis deux mois.

La réaction de Catheryne à cette dernière phrase est palpable ; les traits de son visage, qui m'avaient paru tendus, semblent se détendre et un large sourire apparaît sur son visage. Elle me lance :

— Goodman, c'est juif, non ?

Je lui dis que son père est un juif de Montréal et que sa mère est une juive marocaine.

— J'espère que tu te rends compte qu'un mariage entre une juive et un gentil est un paquet de troubles.

— Nous sommes loin de discuter de mariage.

Catheryne soulève son verre et m'invite à un toast :

— Je te reconnais bien. Maxime. À notre amitié et à nos projets.

Si le terme amitié me va, le reste de sa phrase n'est pas sans me préoccuper. Si je suis ici cet après-midi, c'est donc que je dois faire partie de l'un de ses projets. Je n'ai pas à attendre longtemps. Catheryne continue :

— Maxime, l'arrivée de Noémie dans notre vie…

Pourquoi ce « notre » ?

— … m'a forcée à faire le point. Je suis arrivée à deux grandes conclusions.

Histoire de me laisser languir, elle fait une pause. Puis, elle boit un peu de champagne avant de poursuivre.

— J'aimerais établir une relation à long terme avec un homme et avoir un enfant. Je sais que j'ai un caractère indépendant…

Elle place la main sur la mienne et m'offre un radieux sourire.

— Un caractère de chien dont tu as déjà fait l'expérience. Ma vie d'artiste a toujours été pour moi une priorité, mais je suis prête désormais à faire certains compromis.

Je ne vois absolument pas où elle va en venir.

Elle enlève sa main de sur la mienne et fait une pause pour me donner la chance, je suppose, de comprendre sa déclaration. Elle trempe à nouveau ses lèvres dans le kir royal et continue :

— En passant, j'ai trouvé Noémie très jolie, l'autre soir au théâtre. Son sourire avait l'air un peu forcé, mais c'est normal, elle rencontrait celle qui est ta régulière depuis cinq ans. Je comprends ton attirance pour elle : elle est du type fille-à-marier.

Je suis certain que Noémie aimerait savoir qu'elle est du type fille-à-marier. Catheryne dépose maintenant son verre, avance la tête et le décolleté profond vers moi, et elle continue. De toute évidence, le chat va maintenant sortir sac. Je ne sais pourquoi, mais je suis subitement stressé au maximum.

— J'approche de la quarantaine et, comme je disais, je désire un enfant. Je veux être mère. Tu sais l'appel de la maternité, l'horloge biologique, le besoin d'enfanter, le désir de vivre l'expérience, l'instinct maternel… J'éprouve maintenant tous ces symptômes.

Le coup de théâtre. C'est du Catheryne tout craché, toujours aussi imprévisible. Tout d'un coup, je suis terrorisé par ce qui, j'en suis certain, s'en vient. Elle me prend la main :

— Maxime, j'aimerais que tu sois le père de mon enfant. Depuis que j'y pense, tu as toujours été le candidat de choix. J'ai pris ma décision. Il est temps d'agir tout de suite avant que ta relation avec Noémie n'aille plus loin.

Avant même que j'aie pensé à réagir, tellement je suis interloqué, elle place la main sur mes lèvres :

— Ne réponds pas tout de suite, laisse-moi continuer.

Heureusement qu'elle me donne du temps, car je ne sais vraiment pas comment réagir. Une explosion de chaleur m'envahit ; il me semble que mon front s'inonde de gouttes de sueur. Elle reprend, tout en replaçant sa main sur la mienne :

— Écoute-moi, Maxime, je t'ai choisi pour être le père de mon enfant parce que je te connais bien et que je t'aime bien. Tu es un bel homme, intelligent, et j'aimerais que mon fils, ou ma fille, te ressemble. Ce n'est pas comme si nous étions des étrangers. Tu fournis le nécessaire et je m'occupe du reste. Je t'assure, tu n'auras aucune responsabilité financière envers l'enfant. Je te signerai un engagement à cet effet, mais je t'avertis tout de suite qu'il saura, mais seulement lui, qui est son père.

Pour moi, et pour l'enfant, il est essentiel qu'il ne se pose pas de questions sur ses origines. Lui seul le saura, et seulement quand il aura l'âge de bien comprendre. Le seul problème surviendra plus tard, s'il désire te rencontrer. Il faut que tu envisages cette possibilité, mais ce sera ta décision et je la respecterai.

À penser à cette première rencontre, j'en ai déjà la chair de poule.

Je sais que je devrais tuer dans l'œuf cet incroyable projet. Mais je n'en ai tout juste pas la force morale. Le même petit diable de tout à l'heure me suggère plutôt de la dissuader, sans me rendre compte que je ne fais que m'enliser.

— Catheryne, as-tu pensé à la réaction de ta famille ? Tes parents, Italiens et bons catholiques, n'accepteront jamais que leur fille soit une mère de famille monoparentale, encore moins s'ils ne savent pas qui est le père !

Et vlan !

Catheryne me regarde avec un petit sourire du coin des lèvres :

— Maxime. Laisse-moi gérer mon *coming out* monoparental. Ma mère est au courant et mon père sera placé devant un fait accompli. Comme d'habitude, il rechignera et puis il finira par accepter. Un mois plus tard, il sera enthousiasmé à l'idée d'une descendance. De toute façon, mon frère, sans le vouloir, m'a préparé le terrain : il vient de divorcer et son ex a obtenu la garde de leurs deux enfants. L'imbécile la battait. Le résultat, mes parents n'ont pas vu leurs petits-enfants depuis deux mois. Tu sais comment ma mère aime les enfants ! Cette séparation lui a brisé le cœur. Dans mon cas, c'est ma mère qui gardera l'enfant pendant que je poursuivrai ma carrière. Elle en trépigne de joie.

L'égoïsme de Catheryne ne peut être plus évident : elle veut un enfant et refile le fardeau de l'élever à sa mère qui est peut-être en forme, mais qui a toujours bien soixante-quatre ans. J'ai de la difficulté à imaginer la conversation que Catheryne a pu avoir avec sa mère sur le sujet.

Catheryne cesse de parler. Mon cerveau carbure à deux cents à l'heure, mais aucune riposte géniale ne me vient à l'esprit. Elle attend une réponse. J'aime bien Catheryne et je ne veux pas la désappointer, mais je ne veux pas me faire pousser sous un véritable carcan. Un carcan qui pourrait durer toute une vie. Mais lui faire un enfant par insémination artificielle, est-ce tromper Noémie ? Pas vraiment, me répond le petit diable. Bien non, c'est fait dans une éprouvette, ça ne compte pas. Je choisis d'acheter du temps :

— Catheryne, c'est une décision trop importante pour que je puisse te donner une réponse aujourd'hui. Donne-moi quelques jours et je te fais part de ma décision.

Elle revient à la charge.

— Tu te rends compte Maxime que ce scénario est un compromis. La solution idéale serait un mariage. Il me semble que nous pourrions être heureux ensemble.

Je reste bouche bée.

# Chapitre 19

# Réactions

La première rencontre du conseil d'administration du Cercle a lieu ce soir. J'aurais aimé tenir cette réunion aux bureaux du Cercle sur René-Lévesque, mais les locaux ne sont pas encore prêts.

J'ai eu l'idée d'utiliser les peintures d'Eusèbe pour décorer les bureaux. Florence m'avait demandé de prendre une décision : je déménage dans sa copropriété ou on la met en vente. Hier, j'y suis retourné, pas avec l'œil d'un visiteur occasionnel, mais avec celui d'un résidant potentiel. Noémie a insisté pour m'accompagner.

La visite du logement n'a pas été facile. En entrant, j'ai tout de suite ressenti un inconfort chez Noémie. Il ne faut pas être un génie pour constater que l'intérieur est trop petit pour servir de résidence principale à un couple, encore moins si ce couple veut fonder une famille. La visite a donc été de courte durée. Nous avons soupé ensemble dans un petit restaurant italien ; pas un mot, d'elle ou de moi, sur la copropriété, ce qui en dit long. D'ailleurs, Noémie n'avait pas grand-chose à dire, elle était d'une humeur massacrante. Après le repas, elle m'a demandé de la reconduire chez elle. J'avoue que ce fut un soulagement.

De retour à mon appartement, le clignotant du téléphone brillait dans le noir. Catheryne me demandait de lui rendre son appel le soir même, si possible. Retour du nuage noir dans mon esprit. La séance au Beaver Club *flashe* dans ma tête. J'ai encore peine à croire qu'elle m'a demandé en mariage vendredi et ni le reste. On se croirait dans un mauvais film psychologique français. Dans ces films, le scénario prend tout de même un certain temps, souvent la pleine durée du film, à se développer. Cet appel de Catheryne, trois jours après notre rencontre, me semble prématuré. Par discipline, je l'ai tout de même rappelée et elle m'a surpris en me disant, d'une voix un peu trop doucereuse à mon goût, que notre rencontre de vendredi avait été très agréable et lui avait rappelé de beaux souvenirs de vie de couple. Pas moi, même si le petit diable a bien aimé sa sensualité. Elle a terminé la conversation en me demandant si j'étais libre pour souper avec elle après la réunion du conseil d'administration du théâtre Multimonde vendredi. Sur-le-champ, je n'ai pu trouver une excuse valable pour refuser.

* * *

Pierre-André Lepage m'a offert de tenir la réunion du conseil du Cercle à sa résidence d'Outremont, une magnifique résidence victorienne du début du siècle dernier, construite en brique rouge, entourée d'une galerie peinte en blanc. Des paniers garnis de branches de sapin et de rubans rouges pendent entre chacune des colonnes. L'extérieur de la maison ne porte aucune cicatrice, preuve que les propriétaires successifs ont préservé l'architecture d'origine.

La porte d'entrée, en chêne massif, est garnie d'un marteau en forme de fleur de lys. Pierre-André ouvre la porte avant même que je n'aie pu annoncer mon arrivée.

— Qu'est-ce qui te fait sourire comme ça ?

— Ton marteau de porte : je pensais qu'un fédéraliste comme toi aurait eu un marteau en forme de tête de lion plutôt qu'une fleur de lys, symbole des méchants séparatistes.

— Non seulement j'ai une fleur de lys sur ma porte, mais j'ai aussi un drapeau du Québec et un du Canada que je fais flotter durant les deux semaines des fêtes nationales. Je suis Québécois, la fleur de lys m'appartient, et je réalise très bien que tu me tires la pipe. Viens, entre, il ne manque que Conrad et Noémie.

Sur ces mots, ils arrivent.

L'épouse de Pierre-André, Murielle, reçoit Noémie et, selon cette convention que seules les femmes semblent comprendre, lui offre une visite de la résidence, une offre que Noémie accepte sans hésitation.

Conrad en profite pour me glisser à l'oreille :

— J'ai passé la journée en discussion avec elle. Laisse-moi te dire que ta blonde a du caractère ; nous ne sommes pas arrivés au traité de paix, mais au moins à une trêve. Je t'expliquerai.

Pierre-André nous dirige vers un escalier qui mène au sous-sol. L'intérieur de la maison est aussi impeccable que l'extérieur : des boiseries originales partout, de magnifiques planchers de bois franc d'un brun foncé, et un mobilier d'époque qui cadre bien avec le riche décor.

Une fois en bas, nous nous retrouvons dans un décor plus contemporain : une grande pièce dominée, à une extrémité, par un écran de télévision de cent trente-sept centimètres et, à l'autre, par une table de billard. La pièce est meublée de fauteuils de cuir. Des dizaines d'aquarelles sont accrochées aux murs. Toutes reproduisent des orchidées. Je ne suis pas un expert, mais le travail me semble un peu amateur. Je m'approche. Elles sont toutes signées *Murielle*

Philip et Frank sont là et s'affairent à installer un projecteur sur la table de billard. Fred me fait un signe de la main. Je m'approche de lui et il me montre l'ordre du jour.

— Tu m'avais demandé d'inviter Jean Deragon et Paul Underhill à titre d'observateurs, mais ils ne peuvent ou ne veulent pas venir ; tous les deux se sont déclarés occupés.

Je m'approche pour saluer Pierre, Florence et Jon. J'ai à peine terminé que Noémie et Murielle nous rejoignent.

— Murielle, je ne savais pas que vous étiez une artiste.

— Artiste est un bien grand mot. Je m'amuse. Merci pour le compliment. Pierre-André insiste pour accrocher le résultat de mes efforts sur les murs.

Noémie s'approche de moi et me glisse à l'oreille :

— Ma maison de rêve.

Je viens de me faire passer tout un message. On oublie la copropriété. Philip me fait signe qu'il est prêt. Je demande à tout le monde de prendre place pendant que Fred distribue l'ordre du jour ; il demande que les lumières soient tamisées pendant que Frank met en marche le projecteur.

Philip s'exécute et nous présente le site internet : la page d'ouverture est dynamique : les éléments de la carte stylisée du logo apparaissent graduellement du nord au sud et, une à une, des lettres se présentent pour former le mot *MONTRÉALIE*. Le logo prend alors toute la page, puis, lentement, rétrécit vers la droite pour laisser place au plan du site. Philip présente rapidement les pages usuelles d'information et arrive au dernier boulet qui clignote. Tout en dirigeant le curseur vers l'avant-dernier « item », il nous explique :

— Un site, pour être dynamique, doit être maintenu à jour et doit être interactif. C'est la seule façon d'encourager les visites régulières. Le meilleur outil interactif est le blogue : nous avons baptisé le nôtre *INFORMATIONS ET COMMENTAIRES*. Le blogue sera mis à jour quotidiennement et contiendra nos commentaires sur les événements du jour. C'est ici aussi que nous reproduirons les articles qui nous concernent, et c'est ici que nous réagirons aux éditoriaux et aux opinions de nos adversaires. L'objectif est d'encourager les journalistes, les politiciens et le grand public à venir visiter notre site pour prendre connaissance tant de nos réactions que de celles de nos adversaires. Nous voulons arriver à un point où la question du jour sera : « Qu'est-ce qu'en pense le Cercle de la Montréalie ? » Twitter nous servira d'appât : nous diffuserons des messages et inviterons le lecteur à visiter notre site pour en savoir plus.

Les lecteurs pourront réagir avec des commentaires de leur cru et nous avons l'intention de répondre à chacun.

Jon interrompt :

— Allez-vous faire une sélection des commentaires ? Ceux qui écrivent des commentaires sur les blogues ne sont pas toujours des cent watts !

— Oui, nous ferons une sélection. Cette section du site sera disponible aussitôt que nous aurons engagé nos recherchistes et nos rédacteurs.

Le projecteur s'éteint et Fred ouvre les lumières. Philip demande :

— Y a-t-il des questions ?

— Quand le site sera-t-il prêt ?

— Le site est prêt et la portion statique sera en ligne demain. Carole a déjà tout approuvé. Nous activerons la section dynamique sous peu. Nous devons nous assurer d'abord d'avoir l'équipe de rédaction en place. Carole a rencontré des candidats toute la semaine.

Passons maintenant au deuxième point de notre ordre du jour. Francine !

Francine se lève et nous distribue un épais document.

— Vous trouverez copie de tous les articles et une liste des reportages télévisés qui ont suivi notre conférence de presse.

J'ajoute :

— Nous avons joué de malchance avec la tempête de neige : les interviews radiophoniques et télévisuels ont toutes été annulées et n'ont pas été reprises ; un événement comme le nôtre n'est plus une nouvelle après vingt-quatre heures.

Fred ajoute :

— Pour maintenir l'initiative, nous allons envoyer une série de communiqués de presse : le premier annonçant la création de notre site internet, la semaine suivante, un autre pour annoncer la tenue d'un colloque et un dernier annonçant l'activation de notre blogue et notre arrivée sur Twitter et Facebook.

Conrad Héroux remarque :

— Il me semble que c'est bizarre que les politiciens n'aient pas beaucoup réagi.

Fred lui explique :

— La réaction des politiciens a été très polie. Ils ne savent pas trop quoi penser de nous. Qui sommes-nous ? Quel est notre but réel ? Quels sont nos moyens ? Dans les premières semaines, ils seront prudents. Seul le ministre Langevin, le responsable politique de Montréal, a réagi timidement en tentant de sauver la chèvre et le chou, et ta réaction à sa lettre ouverte, Maxime, a été excellente. Soyez tous assurés que tant le cabinet du maire Castonguay que les attachés politiques des ministres à Québec ont reçu l'ordre de monter un dossier sur le Cercle et son conseil et de le garder à jour.

Fred fait une pause et j'en profite pour ajouter :

— Nous aurons des réactions la semaine prochaine lorsqu'ils apprendront que nous préparons un colloque et qu'ils ne sont pas invités.

Fred reprend la parole :

— C'est le point trois de l'ordre du jour. Nous avons l'intention d'organiser un colloque dont le sujet sera Montréal et sa région. Le colloque est un prétexte pour revenir sur la place publique et pour étoffer nos positions. Il aura lieu le samedi 25 février à l'hôtel Intercontinental.

C'est Florence qui émet la remarque à laquelle je m'attendais :

— Le 25, c'est bientôt !

— Jon a recruté trois de ses ex-collègues à l'INRS pour rédiger les textes qui serviront de base aux discussions.

Pierre-André demande :

— Qui allez-vous inviter et combien de personnes attendez-vous ?

Fred répond :

— Une liste préliminaire de noms a été préparée ; nous voulons une cinquantaine de personnes.

— Les invitations sont parties ?

— Oui.

Pierre-André n'insiste pas.

Conrad ajoute :

— Il me semble que le maire, les élus municipaux et les députés provinciaux devraient être invités. J'ai deux mots à leur dire, à ces inconscients.

Avant même que je puisse réagir, Fred intervient :

— La présence des politiciens et des journalistes au colloque n'est ni désirable ni souhaitable. Maxime et le Cercle doivent prendre toute la place et nous voulons contrôler le message. Les participants au colloque ne sont rien de plus que des faire-valoir.

Fred met fin à la discussion et demande à Philip de présenter le dernier point à l'ordre du jour :

— Le monde s'imagine qu'en lançant un site internet et un blogue, l'effet est instantané et des milliers de personnes deviennent des visiteurs. C'est tout le contraire, un site et un blogue peuvent prendre des mois avant de devenir un succès. Nous n'avons pas le luxe du temps. Notre stratégie se veut proactive : Frank travaille sur une liste d'adresses courriel à qui nous enverrons de façon régulière des messages et des textes. Nous avons deux cibles : les journalistes de Montréal et des régions pour qui nos textes pourront servir de base à des articles, et les politiciens qui, par leurs réactions, serviront à créer la nouvelle.

Philip ajoute :

— Nous comptons sur l'effet multiplicateur : une majorité de journalistes et de politiciens ont soit un blogue, soit un compte Twitter. Ils parleront de nous et leurs abonnés voudront en savoir plus en visitant notre site et en nous suivant sur Twitter.

La réunion est terminée et Noémie me fait un signe de tête discret m'indiquant qu'elle veut qu'on s'en retourne.

En arrivant dans la voiture, je remarque que ses yeux sont mouillés de larmes et mon premier réflexe est de lui prendre la main qu'elle retire avec un « ça va » à voix basse, tout en sortant un mouchoir de sa manche.

— Toujours des problèmes avec Conrad ?

— Je ne crois pas pouvoir travailler avec lui. J'ai le titre de directrice générale, mais il me traite comme un messager, une *gofer*. Il m'envoie, le matin, chercher de la nourriture avec le camion à Moisson Montréal et, l'après-midi, il me demande de mettre à jour les fiches sur les jeunes qui fréquentent Montpossible. Dès que je veux discuter des problèmes d'exploitation, il me dit que ce n'est pas le moment.

Un temps de silence que j'interprète comme une invitation à intervenir.

— Pourtant, ce soir, lorsqu'il est arrivé, il m'a dit que vous étiez arrivés à une trêve.

— S'il appelle ça une trêve… Il m'a dit qu'une partie des fonds de la fondation pourrait servir pour couvrir nos dépenses quotidiennes.

— Ton premier défi est de gagner sa confiance, mais je te prédis que tu auras toujours des difficultés avec lui. Tant et aussi longtemps qu'il sera là, il aura le réflexe de vouloir diriger. Ça, c'est la réalité à laquelle tu dois faire face.

Noémie me regarde avec un petit air découragé :

— T'as une belle façon de m'encourager.

— Conrad a soixante-douze ans et c'est d'ailleurs la principale raison pour laquelle il t'a engagée. Mais tu devras être patiente. Dans la vie, les choses ne se passent pas toujours comme on le veut.

— Maxime, s'il vous plaît, ne soit pas condescendant.

Elle m'ignore, sort son Blackberry et vérifie ses messages. De toute évidence, il y en a un. Quelques secondes se passent, puis les deux bras lui tombent. Subitement, je me rends compte qu'elle pleure à chaudes larmes.

— Qu'est-ce qui se passe?

— Ma mère m'a laissé un message. Mon père doit entrer à l'hôpital lundi pour être opéré d'urgence pour un cancer de la prostate. Je devrai partir pour la Floride demain.

Je la prends par la main, elle ne résiste pas.

— Est-ce que ton père sait depuis longtemps qu'il a un problème?

— Apparemment, ça fait déjà un mois qu'il est au courant, mais il avait défendu à ma mère de m'en parler. C'est bien lui: il ne voulait pas m'inquiéter. Lorsque je les ai visités en janvier, ils devaient le savoir, et ils ne m'ont rien dit.

— Le cancer de la prostate se traite avec succès. Tu ne devrais pas t'inquiéter.

— C'est mon père qui est atteint et j'ai le droit de m'inquiéter.

Le ton est brusque.

— Excuse-moi, je suis fatiguée et je porte mes émotions à fleur de peau. Tu me conduis à la maison? Je dois me préparer.

— Tu veux que je t'accompagne en Floride?

— Non.

# Chapitre 20

# Recherchistes

À la demande de Carole, j'ai préparé un document sur le concept des villes-régions. Il m'est difficile de comprendre que l'existence même de ces grandes agglomérations urbaines soit encore niée dans bien des milieux. Ces villes-régions représentent aujourd'hui les véritables centres d'influence, tant sociaux qu'économiques, de notre monde globalisé. Les frontières nationales, souvent établies de façon aléatoire dans le passé, ne veulent plus rien dire. La région de Montréal fait partie de ce club select ; une réalité que les fonctionnaires de Québec refusent de reconnaître, avec le résultat que la région de Montréal n'a ni les moyens financiers ni la structure administrative pour s'administrer adéquatement dans ce monde global. Mon document a pour objectif de servir de canevas pour établir la position du Cercle. Je le présente ce matin au nouveau comité de recherche du Cercle.

Avant de partir pour les nouveaux bureaux, j'ai appelé Conrad pour voir s'il était libre pour le lunch. Je veux discuter des affaires de Montpossible et des difficultés que rencontre Noémie. Je comprends que je m'aventure sur un terrain glissant : si elle apprend que je suis intervenu, elle sera contrariée. Par contre, après la minicrise qu'elle m'a faite en revenant de chez Pierre-André, je n'ai pas grand-chose à perdre ; la situation ne peut durer. Conrad a accepté de me rencontrer, tout en m'expliquant que mon invitation tombait pile, puisqu'il voulait discuter de la situation financière de Montpossible et des objectifs de la Fondation d'Eusèbe. J'aurais préféré que ce soit lui qui ait proposé le rendez-vous, mais enfin.

J'ai mon manteau sur le dos lorsque le téléphone sonne : mon afficheur identifie mon interlocuteur comme Desmoines, Dubois, notaire.

— Bonjour, Florence.

Après une hésitation d'une fraction de seconde, elle me répond :

— Bonjour, Maxime, excuse-moi, je reste encore surprise lorsque quelqu'un m'identifie avant que je n'aie pu dire un mot. Je ne m'habitue pas à ces bidules. Comment ça va ?

— Ça va, les choses vont bien au Cercle, mais Noémie a dû quitter Montréal subitement pour la Floride ; son père doit être opéré pour un cancer de la prostate.

Florence me demande, presque sur un ton de reproche :

— Pourquoi ne l'as-tu pas accompagnée ?

— Je le lui ai offert, mais elle a refusé. Elle voulait être seule avec ses parents.

Une réponse que Florence accepte, car elle ajoute :

— Et pas un bon moment pour rencontrer le nouveau chum de leur fille.

Elle s'arrête une fraction de seconde :

— J'aimerais avoir une rencontre avec toi et Pierre. Tu as des décisions à prendre : combien d'argent désires-tu consacrer au Cercle ? Est-ce que tu prends la copropriété ? Que faire avec la contestation d'Alma ?

— J'ai visité le logement avec Noémie, et les chances que je le prenne ont diminué de beaucoup.

— Trop petit pour une famille ?

— Tu as deviné.

— La relation va donc bien ?

— Je crois que oui.

\* \* \*

Ils sont tous là à mon arrivée au Cercle. Quelqu'un a acheté du café et des beignes. Je fais un tour de table pour serrer la main de chacun avant de me servir un café, mais pas de beignes, car j'ai dû relâcher un cran sur ma ceinture.

Je m'installe au bout de la table. Carole s'est installée à l'autre extrémité. Elle attend que tout le monde soit installé pour débuter. Sur un ton formel, mais avec un sourire taquin, elle commence :

— Messieurs, mesdames, je suis heureuse de vous souhaiter la bienvenue à cette première réunion du comité de recherche et de rédaction du Cercle de la Montréalie. Mais avant de débuter, donnez-moi un moment pour aller chercher notre adjointe administrative.

Carole se lève, se dirige vers la porte de la salle de conférence et lance d'une voix contrariée :

— Madame Fournier, la réunion a débuté, votre présence serait appréciée.

Frank se présente et distribue un ordre du jour sans dire un mot. Je profite du moment pour étudier de plus près ces nouveaux collaborateurs : trois hommes, deux d'un certain âge avec des barbes bien entretenues, la marque de commerce des intellos, et un plus jeune, mal rasé et les cheveux en broussaille, la marque d'un anticonformiste ; deux femmes, une, bien mise que je devine dans la quarantaine, et une autre, toute jeune, dont le visage est dominé par d'épaisses lunettes noires et des cheveux qui n'ont pas vu une coiffeuse depuis longtemps. Je crois reconnaître l'un des hommes, pour l'avoir déjà croisé, mais je ne reconnais personne d'autre. Frank s'installe à ma droite, place sur la table plusieurs dossiers, et ajoute :

— Je vous ai distribué l'ordre du jour qui m'a été donné il y a à peine dix minutes.

Elle accentue les quatre derniers mots. Puis elle ajoute :

— À la demande expresse de madame Boutet, le reste de la documentation ne vous sera distribué que durant la réunion.

Carole l'interrompt avant qu'elle n'aille plus loin :

— Je préfère distribuer l'information au cours de la réunion ; de cette façon, j'ai toute votre attention plutôt que de vous voir essayer d'en prendre connaissance au lieu de m'écouter.

Francine fait mine de l'interrompre :

— Si les informations étaient distribuées quelques jours…

Je l'arrête en plaçant ma main sur son bras et, d'un signe de tête, indique à Carole de continuer :

— Nous allons vous distribuer le curriculum vitæ de chacun d'entre vous pour que vous puissiez mieux vous connaître les uns les autres.

Carole m'avait fait parvenir les C.V., mais il n'y avait pas de photos. Il y a deux professeurs, une étudiante de sciences politiques et deux journalistes à la pige. Je tente de deviner qui est qui avant qu'ils ne se présentent. La première à se présenter est la jolie femme distinguée. Je suis certain qu'il s'agit de Karla Anaskova. Je me trompais royalement.

— Mon nom est Sylvie Delagrave, je suis professeur en sciences politiques au collège militaire de Saint-Jean.

La jeune à lunettes est donc Karla Anaskova, l'étudiante en sciences politiques de Concordia. C'est à son tour de se présenter :

— Mes parents sont d'origine russe et j'étudie en sciences politiques pour tenter de comprendre ce qui est arrivé au beau projet qu'était l'Union soviétique.

Ça promet, que je me dis.

C'est maintenant aux trois hommes de se présenter. Le plus jeune est le premier à le faire. Il est trop jeune pour être professeur, il doit donc être l'un des deux journalistes. Il a les cheveux noirs, un teint de peau foncé, et il arbore une barbe de trois jours. Tourangeau ou Papadopoulos ? Échaudé, je n'ose prédire. Il se présente :

— Mon nom est André Tourangeau et je suis journaliste à la pige. J'écris surtout pour manger, mais mon sujet favori demeure le milieu politique et ses carences.

Le suivant est dans la cinquantaine : sa barbe bien taillée et ses cheveux gris lui donnent une image d'expérience : je devine qu'il est professeur et c'est lui que je crois avoir déjà croisé :

— Mon nom est Tony Adornato et je suis professeur de sciences politiques à Concordia.

J'avais raison.

— Fred m'a recruté et j'ai suggéré Karla, une fille intelligente qui a le talent *to think outside the box.*

Karla ne réagit pas à sa remarque. Le dernier se présente :

— Mon nom est Paul Papadopoulos, j'écris le jour sur le monde politique, et je travaille le soir dans la restauration, un compromis entre ce que je veux faire dans la vie et mes obligations familiales.

Carole me donne ensuite la parole :

— Vos services ont été retenus pour effectuer de la recherche et rédiger des textes qui défendront les positions du Cercle ; le Cercle se veut une combinaison de *think tank* et de groupe de pression dont l'objectif est de défendre les intérêts de la grande région de Montréal. Contrairement à plusieurs groupes de pression, nos efforts ne se limiteront pas à la contestation et à la critique. Notre objectif vise à conscientiser l'ensemble du Québec à l'idée que Montréal est une ville-région, qu'elle est la vache à lait du Québec et que toutes les autres régions dépendent d'elle. J'ai préparé un document sur les villes-régions en général et sur certaines en particulier ; le document pourra vous servir de document de base.

André Tourangeau, le jeune journaliste, demande :

— Et si je ne suis pas d'accord avec les positions du Cercle ?

Je veux mettre les choses au clair dès le début, et à bon entendeur, salut !

— Vous êtes ici à titre de recherchiste, et pas à titre de journaliste. Il va de soi que vous devez être d'accord avec la philosophie de base du Cercle, car, finalement, vous êtes payés pour défendre les positions du Cercle.

Carole m'interrompt :

— Votre rôle ne se limite pas à la recherche. Vous serez responsable de la rédaction de notre blogue, de nos micromessages et vous devrez répondre aux commentaires de nos lecteurs.

Carole se tourne vers Frank.

— Francine, pourrais-tu aller chercher Philip ?

— Philip enseigne les communications à Concordia et il est responsable de notre site internet.

Philip entre, salue son confrère Tony Adornato, et débute sa présentation :

— L'Internet et les réseaux sociaux seront nos outils de prédilection pour diffuser nos idées. Pour ce faire, il faut nous créer un auditoire. Francine, Frank pour les intimes, a déjà préparé une liste d'adresses courriel de plus de mille noms : des journalistes, des politiciens et des sites de nouvelles. Nous devons maintenant nous créer un auditoire parmi le public et, pour ce faire, nous devons prendre l'initiative et intervenir chaque fois qu'il est question de Montréal et des régions. Pour vous faciliter la tâche, nous utiliserons Alertes Google, Google Reader et Technorati. Vous connaissez ?

Seuls les deux plus jeunes, Karla et André, indiquent que oui.

— Alertes nous avertit lorsqu'il y a des articles sur des sujets particuliers, Reader fait la même chose pour les sites d'information et Technorati suit plus de cent trente millions de blogues. Dès que le sujet de Montréal apparaîtra, nous serons avertis, et votre rôle sera de réagir.

À la suite de cette entrée en matière, la discussion s'est poursuivie durant une bonne heure. Le principal sujet de discussion, et je peux les comprendre, est le degré d'indépendance de pensée qu'ils auront dans la rédaction de leurs textes. J'ai tenté de les rassurer en promettant que leurs opinions étaient importantes pour nous, mais aussi en leur expliquant que le Cercle était une organisation privée avec des objectifs bien précis. Le seul à réagir est André Tourangeau, le jeune journaliste-pigiste, qui m'a lancé : « Votre appel est important pour nous, et blablabla… mais je comprends. » J'ai l'habitude des étudiants baveux et j'ai fait signe à Carole de laisser tomber ; elle semblait prête à le faire sortir par la fenêtre.

Carole a clos le débat avec une déclaration qui ne laissait aucune équivoque :

— Vos services sont retenus à titre d'experts-conseils, de recherchistes et de rédacteurs, que vous soyez d'accord ou non avec nos positions. D'ailleurs, dès notre première rencontre, vous étiez au courant de nos orientations.

Et du même souffle, pour bien établir que ces personnes étaient des employés, elle ajoute :

— Vos contrats d'emploi sont dans les chemises que Francine va vous distribuer et vous verrez que le contenu est conforme aux discussions que nous avons eues avec chacun d'entre vous. Ils comprennent aussi une entente de confidentialité. Je vous demanderais d'en prendre connaissance et de signer à l'endroit indiqué.

C'est le moment que j'ai choisi pour tirer ma révérence et me rendre à mon lunch avec Conrad.

À mon arrivée chez Montpossible, le Dédé me reçoit avec un chaleureux :

— Bonjour, monsieur Maxime, monsieur Conrad vous attend dans son bureau.

J'y vais.

— Bonjour, Maxime, je suis tellement heureux de pouvoir te parler !

Cet accueil me met en porte-à-faux ; c'est moi qui ai suggéré la rencontre, c'est moi qui veux lui parler, et voilà qu'il prend les devants. Je suis certain qu'il a deviné les raisons de ma visite. Il m'invite à m'asseoir et, en chemin vers sa chaise, il ramasse, sur une table de coin, une boîte à pizza.

— Je me suis permis de commander une pizza pour le lunch, une vraie pizza, pâte épaisse, beaucoup de condiments, extra tomates, couverte d'une épaisse couche de fromage. Les croûtes se mangent avec du beurre, et tu rinces le tout avec un Coke. J'espère que tu n'as pas d'objections ?

Conrad continue :

— Tu sais, au moins une fois par semaine, les mercredis, je mangeais la même pizza avec Eusèbe, ici même à ce bureau.

Il sort une paire de ciseaux d'un tiroir et il découpe les pointes.

— Tu ne peux savoir comment il me manque. Nous étions très proches tous les deux, nous nous parlions tous les jours, nous étions presque un couple. Nous étions complices dans tous les aspects de la vie, sauf pour certaines choses. Pour cela, il avait Florence, le chanceux.

Il prend une bouchée de pizza et continue :

— Eusèbe était notre ange financier. Sans lui, Montpossible n'aurait jamais existé ou, s'il avait existé, il aurait existé selon les exigences d'encadrement et les règlements imposés par les tartes de bureaucrates de Québec qui ne connaissent rien de la situation des jeunes d'une grande ville comme Montréal. La dernière chose dont ces jeunes ont besoin, c'est de l'encadrement ; ce qu'il leur faut, c'est de la compréhension. Eusèbe m'a permis de gérer Montpossible comme bon je l'entendais, sans devoir faire de compromis, et j'ai des dizaines de succès qui prouvent que j'avais raison.

Le chat est sorti du sac : le point de vue de Conrad à mon sujet se résume à « finance l'opération et mêle-toi de tes affaires ! » C'est comme cela qu'il interprète la volonté d'Eusèbe.

Conrad fait une pose pour prendre un morceau de pizza ; je fais de même. J'avale une première bouchée qui me rappelle mes années insouciantes d'étudiant, alors que les considérations caloriques étaient loin de mon esprit et que la pizza se mangeait avec une caisse de douze en guise de lubrifiant.

J'ai entendu le discours de Conrad plusieurs fois. Il a créé Montpossible pour en faire un lieu de rassemblement et d'aide, où rien n'est imposé aux jeunes, sinon quelques règlements absolument requis pour assurer un minimum de bon ordre. Noémie m'a raconté la semaine dernière que plusieurs, par exemple, déclarent l'adresse de Montpossible comme lieu de résidence pour recevoir leur chèque d'assistance sociale ; personne ne vérifie les renseignements fournis par les jeunes. Chaque mois, le facteur livre à Montpossible une centaine de chèques. Noémie est convaincue que cette pratique est illégale et qu'un jour, Conrad pourrait se faire « ramasser ». Après quelques bouchées de pizza, Conrad enchaîne :

— Eusèbe me donnait dix mille dollars par mois et ce montant, en plus de ce que je reçois de Centraide et, en cas de besoin, mon chèque de retraite de l'Université de Montréal, me permettait d'arriver. Mais Eusèbe n'est plus, et je n'arrive plus. J'ai engagé Noémie pour m'aider et je ne pense pas pouvoir la payer le mois prochain. La Fondation d'Eusèbe n'a pas encore été créée et je n'ai plus d'argent.

— C'est un peu de ma faute, j'ai été très occupé avec le Cercle. Mais comme tu le sais, le règlement de la succession est retardé : ma tante Alma conteste les volontés d'Eusèbe et elle veut invalider le testament pour cause d'incapacité mentale.

— Oui, je sais, elle a communiqué avec moi. J'ai refusé de l'aider. Jean et Paul ont fait de même. Je ne crois pas qu'elle pourra aller plus loin.

Je suis surpris : ma tante prend vraiment cette contestation au sérieux. Mais peut-être qu'en se rendant compte que tous les autres vont s'opposer à sa requête et témoigner en conséquence, elle se rangera du côté de la raison.

Conrad continue :

— Florence m'a mentionné les restrictions testamentaires imposées sur l'utilisation des fonds de la fondation. Maxime, je veux utiliser l'argent d'Eusèbe pour acheter un édifice où je pourrai y installer Montpossible et créer des lofts résidentiels pour les jeunes, de petits lofts qu'ils pourront appeler *leur chez-soi*. Pour un jeune, ce loft deviendra la première brique sur laquelle il pourra commencer à bâtir sa vie.

— Conrad, je comprends que tu rêves à ces lofts depuis des années, mais ta priorité ne devrait-elle pas être la survie de Montpossible ?

— On y arrivait avec le dix mille dollars qu'Eusèbe me donnait. Mais plus maintenant : je n'ai plus la contribution d'Eusèbe et j'ai un salaire de plus.

— Une raison de plus pour protéger les fonds de la fondation.

Conrad ignore ma remarque et il continue :

— J'ai approché Jean et Paul pour qu'ils m'aident avec mon projet de lofts, mais ils ont refusé tous les deux. Jean n'est pas d'accord avec mon approche. Sa réponse a toujours été la même : « Les petits pouilleux devraient retourner chez leurs parents. » Paul, lui, ne m'a pas fourni d'explications. Il ne me reste que toi.

Je ne m'attendais pas à une telle demande. Je réponds sans trop réfléchir :

— Pas de problème, je remplace Eusèbe et je t'enverrai dix mille dollars par mois.

Conrad se lève pour me serrer la main, il a des larmes aux yeux. Il me remercie et me sert dans ses bras. Puis, il se rassoit :

— Parlant de Noémie, elle a de la difficulté à prendre sa place au Centre. Les jeunes ne l'acceptent pas, elle veut trop leur en imposer. Puis, elle voudrait se conformer aux normes gouvernementales pour pouvoir recevoir des subventions. Il est absolument essentiel que nous conservions notre autonomie et notre indépendance. Nous avons, face aux jeunes, une image de rebelles, l'image d'une organisation non conformiste qui ne fait pas partie du SYSTÈME, et je crois dur comme fer que c'est l'une des raisons pour laquelle nous avons du succès.

Il veut continuer sur sa lancée, mais je l'interromps.

— Noémie a peut-être de la difficulté à prendre sa place, mais est-ce que tu lui as fait de la place ?

— Elle t'a parlé ?

— Oui.

Conrad ne répond pas et change plutôt de sujet :

— Nous vivons aussi l'amorce d'une crise au Centre. As-tu déjà rencontré le jeune Martin Desrosiers que Noémie a recruté comme accompagnateur ?

— Oui, à deux reprises. J'ai même mangé avec lui au Centre il y a deux semaines. Quel est le problème ?

Quelqu'un passe dans le corridor face au bureau. Avant de répondre, Conrad se lève, ferme la porte, et, d'une voix basse, explique :

— Desrosiers est une graine de révolutionnaire et, ici, il est tombé dans une talle de jeunes désabusés qui ont choisi de vivre en marginalité. Ces jeunes sont vulnérables et réceptifs à un discours contestataire. Je me suis rendu compte qu'il effectue du recrutement pour former des cellules d'agitation contre la mondialisation, contre le capitalisme, contre l'impérialisme américain, contre le fédéralisme. En fait, contre tout. Or ce que je tente de faire avec mes jeunes, c'est de leur montrer le côté positif de la vie et de bâtir sur ce qu'ils perçoivent, aussi peu que cela puisse être, comme le positif dans leur vie. Or, l'attitude de négation de Desrosiers va à l'encontre de ce que je tente de construire.

— Débarrasse-toi de lui.

— C'est mon intention. Il ne faut pas que cette situation continue : il est maintenant plus populaire que Noémie et il assume le rôle de leadership que j'aurais aimé la voir assumer. Une situation difficile que je dois désamorcer.

— Tu devrais en parler avec Noémie et, si tu as besoin d'aide, n'hésite pas à me le demander.

Chapitre 21

# Distractions

Conrad m'a demandé ce matin de l'accompagner pour aller voir deux édifices qu'il a identifiés comme endroits possibles pour y déménager le Centre. Je n'ai pas encore osé lui dire qu'il était hors de question d'investir dans des lofts pour ses protégés. Je profiterai de l'occasion pour faire cette mise au point. Pas facile d'être riche

J'aurais préféré que Noémie assiste à cette visite, mais Conrad a insisté en expliquant qu'une visite plus complète, avec elle, serait planifiée. Le premier édifice est situé sur la rue Coupal, face au stationnement de la prison Parthenais. J'imagine la réaction des jeunes lorsqu'ils verront Montpossible déménagé face à une prison qu'ils ont probablement fréquentée une nuit ou deux.

L'édifice, une ancienne usine, est abandonné depuis cinq ans ; de l'extérieur la structure me semble bonne, pour ce que j'en sais, mais je devine que le reste doit être complètement refait. Pour un édifice de trente mille pieds carrés sur deux étages, la rénovation coûtera au moins trois millions de dollars à cent dollars le pied carré. Lorsque j'ai mentionné cette estimation à Conrad, il a réagi avec un haussement des épaules, une grimace et la suggestion d'aller voir l'autre emplacement.

Nous sommes remontés dans sa Honda 1998, qui ne semble pas avoir été nettoyée depuis son achat, pour naviguer à travers les rues du quartier Hochelaga-Maisonneuve. Un quartier qui mérite sa réputation. J'ai récemment lu des statistiques éloquentes sur sa population : plus haut taux de suicide, plus grand nombre de mères adolescentes, plus forte proportion de familles monoparentales, le tiers de sa population vit de l'aide sociale. J'avais ces statistiques en tête lorsque j'ai eu le malheur de lui passer la remarque :

— Il y a beaucoup de dépanneurs dans le quartier ; ils doivent vivre grâce à la vente de bière et de billets de Loto-Québec.

— Monsieur la vedette, résidant sur Docteur-Penfield et président de l'exclusif Cercle de la Montréalie, il faut voir plus loin que les préjugés : tu devrais d'ailleurs faire une émission sur le sujet. Il y a beaucoup de dépanneurs parce que la population du quartier ne peut pas faire son épicerie chez Loblaws ou chez IGA parce qu'elle n'a pas de voiture. Savais-tu que, dans un dépanneur de banlieue, les aliments ne représentent que trois pour cent du chiffre d'affaires ? Ici, c'est vingt-cinq pour cent : beau-coup de pain, de beurre de *peanuts* et de macaroni au fromage. Des achats faits au jour le jour, accompagnés, tu as raison, d'un billet de loterie, le seul espoir qu'ils ont de se sortir de leur vie de désespoir. Inutile de tenter de leur faire comprendre que cette solution a une probabilité de les sortir du trou de un sur quatorze millions. Avec un billet, au moins ils ont espoir pendant quelques jours.

Conrad vient de me ramasser comme j'ai rarement été ramassé. Nous sommes demeurés silencieux un moment et nous avons continué notre chemin vers l'est en direction du quartier Maisonneuve. Puis, il s'est arrêté devant l'église Sainte-Rusticule. Nous n'avons pu la visiter parce que tout était sous clé, mais Conrad m'a expliqué que l'évêché lui avait offert l'église et le presbytère pour un loyer d'un dollar par année à la condition qu'on entretienne les deux bâtisses et qu'on s'engage à les acheter dans un avenir pas trop éloigné. L'emplacement offre des possi-bilités intéressantes, surtout avec le grand presbytère qui pourrait être aménagé, à court terme, en bureaux et salles de réunion.

Après la visite, j'ai demandé à Conrad de me conduire au centre-ville. Hier, Jean Deragon m'a appelé pour savoir si j'étais libre pour le lunch. Nous avons convenu de nous rencontrer au restaurant Julien sur Union. À mon arrivée, Jean est déjà là, assis à une table près de la fenêtre. Son regard est fixé sur l'une des jolies serveuses. Il me reçoit d'une poi-gnée de main et ajoute :

— Plus besoin d'aller sur Saint-Laurent pour être servi par de jolies demoiselles.

L'une des demoiselles s'approche et me demande si je veux quelque chose à boire. Une bouteille de Pellegrino est déjà sur la table ; elle me sert. Je suis curieux de connaître la raison du lunch et je n'ai pas à attendre.

— Fred me tient informé de ce qui se passe au Cercle et il me dit que tout va bien. Cependant, il m'a inquiété lorsqu'il m'a donné la liste des membres de l'équipe de recherchistes que Carole a engagés. L'idée d'en-gager des journalistes ne me plaît pas, mais pas du tout. C'est une race de monde à laquelle on ne peut faire confiance. J'ai fait mes propres véri-fications et l'on me confirme que le journaliste Tourangeau est un souverainiste enragé ; tous ses articles sont biaisés et tu dois te débarrasser de lui au plus sacrant. Tant qu'à faire, débarrasse-toi aussi de l'autre journaliste, Papadopoulos. La dernière chose que tu veux, c'est des journalistes à l'intérieur du Cercle.

— Carole…

— Carole leur fait confiance. Moi pas.

— Fred…

— Fred est d'accord avec moi. Il va t'en parler.

Je ne sais plus quoi dire et, à bien y penser, il a peut-être raison. Deux journalistes à la pige, à la recherche de notoriété, pourraient devenir un problème.

— Je vais en discuter avec Fred et Carole.

Je suis surpris de savoir dans quelle mesure Jean est au courant de ce qui se passe au Cercle. Il a même abordé le sujet de mes chroniques et de mes émissions, ainsi que les possibilités que les sujets puissent nuire aux objectifs du Cercle et à ma nouvelle image.

Il est quatorze heures lorsque je quitte le restaurant ; j'ai une heure à perdre avant de me rendre à la réunion du conseil d'administration du théâtre Multimonde. La température est clémente et je décide de faire une marche. Une jeune femme avec une poussette me croise, hésite et me lance :

— Monsieur Beaubien !

Une de mes anciennes étudiantes, sans doute, dont le nom m'échappe.

\* \* \*

Le conseil d'administration du théâtre Multimonde se rencontre une fois par mois durant la saison théâtrale dans l'une des salles du Gésu sur la rue Bleury. J'ai été nommé à ce conseil sur la recommandation de Catheryne, à titre de représentant du public, un poste honorifique qui donne bonne conscience et belle figure aux dirigeants du théâtre, surtout lorsque vient le temps de demander des subventions à Québec.

Au cours des derniers jours, j'ai pris la décision de donner ma démission. La raison officielle : j'ai accepté la présidence d'une fondation et cette nouvelle responsabilité jointe à la présidence du Cercle de la Montréalie ne me laissent pas suffisamment de temps à consacrer à la troupe. Traduction libre : parce que j'ai mis fin à ma relation avec Catheryne. Mon scénario est élaboré ; j'ai une explication plausible ; je suis prêt pour la réunion. Celle-ci s'est déroulée rondement et ma démission a été acceptée avec les remerciements d'usage.

Après la rencontre, il est à peine dix-sept heures trente, trop tôt pour aller souper. Catheryne me propose d'aller voir une exposition de sculptures contemporaines présentée dans l'une des salles d'exposition du Gésu.

La visite n'est pas un succès : il n'y a qu'une quinzaine d'œuvres et aucune ne me plaît. Je possède quelques pièces que j'ai achetées au cours des années parce qu'elles plaisaient à mon sens esthétique, mais je suis loin d'être un connaisseur. D'ailleurs, j'aurais de la difficulté à expliquer pourquoi ces œuvres particulières dont j'ai fait l'acquisition m'ont plu. Après à peine trente minutes, nous avons terminé notre visite. Je sens que Catheryne est nerveuse et qu'elle a la tête ailleurs. Il est encore trop tôt pour aller souper et je lui propose :

— As-tu déjà visité l'église du Gésu à l'étage supérieur ?

En entrant dans l'église, je m'arrête un bref instant, frappé par la majesté des lieux. Catheryne trempe le bout des doigts dans le bénitier et fait un signe de croix. Je fais de même, de vieux réflexes du passé. Je ne pratique plus, Catheryne non plus, mais l'Église a déjà fait partie de nos vies et il en demeure quelques vestiges dans notre vie.

Je prends Catheryne par le bras et, à voix basse par respect pour les deux personnes que je vois agenouillées à l'avant, je l'invite à me suivre :

— Viens, je veux te montrer une statue qui fait partie de mes souvenirs de jeunesse.

Elle me suit sans dire un mot et je m'arrête devant un autel bordé de nombreuses plaques de marbre en reconnaissance à Notre-Dame de Liesse. Je lui explique :

— C'est la chapelle Notre-Dame-de-Liesse et sa célèbre statue. Eusèbe, il était encore jésuite, m'avait amené ici pour me montrer cette statue. J'avais une douzaine d'années, je dévorais les livres sur les chevaliers de la Table ronde et j'étais un adepte du jeu de donjons et dragons. Cette statue de la Vierge avec l'Enfant-Jésus sur les genoux, a été placée ici en 1877 par les Jésuites et contient les cendres d'une autre statue de la Vierge qui a été brûlée pendant la Révolution française. La légende veut que la statue originale ait été donnée par la Sainte Vierge elle-même à trois croisés en 1134.

Un moment de silence pour donner à Catheryne le temps de digérer ce que je viens de lui dire.

— Cette statue a été longtemps considérée comme l'un des biens les plus précieux de l'Église du Canada et cette petite chapelle était un lieu de pèlerinage pour des milliers de fidèles. Lors de la visite, Eusèbe m'avait discrètement indiqué une dame qui vouait une telle dévotion à Notre-Dame de Liesse qu'elle venait tous les jours à l'ouverture vers six heures trente et passait la journée à réciter son chapelet devant la statue.

Catheryne, toujours à voix base, réagit :

— Un peu folle, non ?

— Tu sais, la foi.

Catheryne se dirige vers un présentoir de lampions et me demande :

— As-tu une pièce de deux dollars ? Je veux faire brûler un lampion pour ma mère.

Je lui donne une pièce qu'elle dépose dans le présentoir et je la vois chercher les allumettes pour allumer son lampion.

Je lui place une main sur l'épaule et, de l'autre, lui indique que les lampions sont électriques et qu'ils s'activent en pressant un bouton rouge placé sur le couvercle.

Catheryne, à voix base, me glisse à l'oreille :

— Est-ce que c'est aussi efficace qu'un vrai lampion ?

— Cela me surprendrait.

— Viens, partons. Les vieilles églises, avec toutes leurs statues de saints, me donnent la chair de poule.

— Si tu n'aimes pas les statues, il y a pire. Viens, suis-moi.

Nous traversons l'allée centrale de la nef et je la vois faire une génuflexion. Je me surprends à chercher la lampe du sanctuaire pour voir si elle est allumée. IL est là. Je fais aussi une génuflexion. On ne sait jamais.

Je la dirige devant un autel dominé par trois statues de martyrs canadiens. Devant l'autel, un reliquaire. Nous nous approchons. Catheryne me regarde, grimace et demande :

— Des vrais ?

— Je suppose.

Le reliquaire contient des ossements de Jean de Brébeuf, Gabriel Lalemant et Charles Garnier, des martyrs tués par les « méchants » Amérindiens.

Catheryne s'éloigne et me lance :

— Allons souper.

— OK. Où veux-tu aller ?

— Allons au Wing Fa.

Nous décidons de marcher ; le restaurant est situé sur l'avenue du Parc, au nord de Sherbrooke, une marche de quelques minutes. Il fait froid, mais cela s'endure.

Philippe, le propriétaire, nous reçoit avec un chaleureux :

— Bonsoir, monsieur Beaubien. Bonsoir, madame Leclair.

Il prend nos manteaux pendant que son épouse nous dirige vers notre table habituelle ; la première à gauche derrière le vestiaire, une table en partie protégée du regard des autres clients.

Philippe nous remet les menus. Aucune remarque sur le fait qu'il y a au moins deux mois que nous ne soyons venus. Philippe est discret. Il nous demande :

— Un kir royal et un saké chaud ?

Philippe connaît bien ses clients.

— S'il vous plaît.

— Je vais raconter ton histoire de Notre-Dame-de-Liesse à ma mère. Elle voue une dévotion à Marie et je suis certaine qu'elle voudra venir réciter un chapelet dans la chapelle.

— Comment vont tes parents ?

— Mon père est comme d'habitude : tu sais, avec son restaurant, il n'est pas souvent à la maison. Mais je m'inquiète pour sa santé, il ne fait pas attention à lui et a pris pas mal de poids depuis quelque temps. Ma mère se tient occupée avec son club de l'âge d'or.

Notre repas est servi : nous partageons un plat de nouilles Singapour et une assiette de bœuf dans une sauce aux fèves noires. Notre discussion est circonspecte ; j'évite tous les sujets liés de près ou de loin à son nouvel instinct maternel, et elle évite de parler de ma nouvelle relation amoureuse. Malgré tout, un repas agréable.

Ce n'est qu'au moment du dessert, des pommes panées servies avec un sirop de maïs, que Catheryne se décide. Après un moment de silence, un petit sourire taquin apparaît sur ses lèvres, et je comprends que le moment est venu :

— Maxime, j'espère que tu réalises que ma demande de la semaine dernière est bien réfléchie ; j'ai compris par ton silence que l'idée du mariage est rejetée, mais tu ne peux refuser ma deuxième demande : je veux être mère et je veux connaître le donneur. C'est simple et facile à comprendre. Je ne veux pas jouer à la roulette russe et me faire inséminer par du sperme dont je ne connais pas l'origine génétique. Tu n'as qu'à faire une donation.

Je décide de mettre rapidement un terme à la discussion et sur un ton ferme, je lui dis :

— Catheryne, je te reviens, j'ai encore besoin de réfléchir.

— Maxime, nous avons passé une belle soirée. Viens-tu prendre un café à la maison ?

Le petit diable me poussant, j'accepte l'invitation ; je me sens seul ce soir.

Il fait froid et nous prenons un taxi. Rendu chez elle, je me suis installé sur le divan et j'ai allumé la télévision pour écouter les nouvelles. Catheryne me sert un café. À l'arôme, je sens qu'elle y a ajouté quelques gouttes de Sambuca. Puis elle s'installe près de moi. C'est le début d'un rituel familier. Après une dizaine de minutes, elle se lève et disparaît dans sa chambre. Je ne peux croire… Elle revient vêtue que d'un peignoir. Elle me prend par la main en me disant tout bas :

— Viens, pour nous rappeler, une dernière fois, les bons moments du passé.

Je ne résiste pas. J'aurais dû. Maudit petit diable !

# Chapitre 22

# Colloque

Je devais consacrer ma semaine à la préparation du colloque qui a lieu aujourd'hui à l'hôtel Intercontinental ; je l'ai plutôt passée à gérer des crises et à m'inquiéter de l'état d'esprit de mon entourage. Depuis son retour de Floride, Noémie me semble préoccupée. Durant la semaine, j'ai pu écarter, sinon régler, certains problèmes : Conrad a amélioré la situation au Centre en laissant son bureau à Noémie. C'est lui qui travaille maintenant dans le corridor. Puis un appel de sa mère a confirmé l'amélioration de l'état de santé de son père. J'en suis arrivé à la conclusion que la source de sa préoccupation est notre relation. Catheryne aurait-elle quelque chose à voir avec cela ? J'en doute, mais elle en est bien capable. D'autant que mon escapade avec elle me trouble passablement.

J'ai aussi convoqué, lundi dernier, une rencontre avec Carole et Fred pour leur faire part des commentaires de Jean au sujet de nos deux journalistes recherchistes. Carole s'est bien défendue, mais n'a pas gagné : Tourangeau et Papadopoulos ont été congédiés, avant même d'avoir débuté. Seul Papadopoulos avait signé son contrat d'emploi. Ce dernier prévoyait un mois de salaire qui lui a été versé à même un nouveau transfert de fonds que j'ai effectué dans le compte du Cercle. Les fonds de la succession sont gelés à la suite d'une requête déposée par les avocats d'Alma. Depuis un mois, je dois donc financer personnellement les activités du Cercle à même mes maigres économies et je ne pourrai tenir le coup bien longtemps. Beau dilemme : m'entendre avec Alma est impensable, et l'alternative, mettre un terme aux activités du Cercle, encore plus ! Je vais devoir faire augmenter ma marge de crédit à la banque.

Le troisième pigiste, Tourangeau, n'avait pas signé son contrat, encore inquiet du peu de latitude qui lui était laissée dans la rédaction. Fred n'a donc pas hésité une minute et l'a informé que notre offre d'emploi était retirée. Il n'a pas reçu une cenne et il a quitté la pièce en furie.

Comme tous avaient déjà signé leur entente de confidentialité, j'espère qu'ils vont se la fermer.

Et puis, mercredi, la cerise est apparue sur le proverbial gâteau : le réalisateur de mon émission à Télé-Québec m'a convoqué pour une longue discussion sur les sujets d'émissions que j'avais proposés. Il s'avère que ces messieurs de Télé-Québec trouvent que mes sujets prennent une tendance « vers des considérations sociales » qui risquent de créer confusion avec une autre émission d'affaires publiques. Ils s'interrogent sur deux sujets en particulier : la ligue de hockey majeure et les dépanneurs du quartier Hochelaga-Maisonneuve.

* * *

Pour le colloque, nous avons choisi l'hôtel Intercontinental pour sa proximité du Quartier international, un choix qui concorde avec le thème de la journée : *La région de Montréal, une communauté distincte.*

L'objectif déclaré du colloque est de réunir des personnes du milieu pour discuter des problèmes et des particularités qui font de la région de Montréal une société distincte. Mais le véritable but est de faire parler de nous dans les médias et d'établir la crédibilité du Cercle et de sa position : « La grande région de Montréal est une ville-région du monde. Elle fait partie d'une mégarégion et elle ne possède ni les pouvoirs ni les structures pour s'administrer comme telle. » Cette position du Cercle devient la prémisse autour de laquelle nous voulons former un front commun et revendiquer de nouveaux pouvoirs et des structures plus efficaces pour Montréal, des pouvoirs et des structures qui tiennent compte de la réalité d'aujourd'hui.

Pour s'assurer que les discussions ne dérapent pas, les dés sont pipés d'avance : nous avons retenu les services de trois chercheurs de l'Institut national de recherche scientifique pour rédiger les textes qui serviront de base aux discussions dans les ateliers ; ces mêmes personnes seront les modérateurs, et les secrétaires d'atelier seront nos trois recherchistes. Ces derniers se sont montrés enthousiastes à l'idée de participer à un colloque. Le cachet qu'ils recevront a dû contribuer à leur bonne volonté.

Ce scénario a été élaboré par Fred et Carole. J'ai peine à croire que les participants seront dupes au point de ne pas réaliser qu'ils sont manipulés et qu'ils jouent un rôle de faire-valoir. Je me rends donc au colloque avec une certaine appréhension. Noémie m'accompagne ; elle a insisté pour être présente et elle nous a offert son aide.

La table pour recevoir les participants a été placée à l'entrée du corridor menant aux salles de réunion. Claire Beauséjour est déjà là et s'affaire à placer les cartons d'identification en ordre alphabétique. Il y a une cinquantaine de cartons arborant le logo du Cercle. Chacun des cartons est identifié d'une lanière de couleur sur laquelle a été imprimé le rôle de chacun, soit le rouge pour les modérateurs, le jaune pour les secrétaires d'atelier, le vert pour les membres du conseil d'administration du Cercle et le blanc pour les participants. Il y a une trentaine de cartons de couleur blanche. Le colloque est strictement privé et n'a fait l'objet d'aucune publicité. Les participants sont là sur invitation, une invitation qui a insisté sur la nature prestigieuse et exclusive du colloque.

La sélection des participants a fait l'objet de discussions interminables. Le choix s'est arrêté sur quelques journalistes spécialisés dans les affaires municipales, sur des professeurs d'université et sur quelques dirigeants d'entreprises et d'associations de gens d'affaires, majoritairement de Montréal, avec quelques personnes de Laval et de Longueuil. Une brochette de personnes influentes qui devrait donner une crédibilité aux conclusions du colloque. Aucun politicien, représentant de groupes revendicateurs, journaliste à sensation ou fonctionnaire n'a été invité.

Noémie s'approche de la table :

— Je peux faire quelque chose ?

Claire, d'un signe de la main, lui indique trois boîtes :

— Pourrais-tu ouvrir les boîtes et t'assurer que les porte-documents sont en ordre alphabétique. Nous avons fait graver le nom de chacun des participants sur la couverture. Pourrais-tu aussi prendre la responsabilité de les leur remettre lors de l'enregistrement ? Oh ! C'est vrai, excuse-moi, comment va ton père ?

— Son opération s'est bien déroulée. Il est de retour à la maison en Floride et, signe que tout va bien, son caractère autoritaire, qu'il avait perdu depuis quelques semaines, a refait surface.

Noémie ajoute, accompagné d'un hochement des épaules :

— Mes parents ne me disent pas toujours tout. Nous sommes au stade difficile où les rôles s'inversent. Durant mes années de jeune adulte, je ne leur parlais pas de mes problèmes et, eux, ils s'inquiétaient pour moi. Aujourd'hui, ils ne me parlent pas de leurs problèmes, et c'est à mon tour de m'inquiéter pour eux.

Je prends mon carton d'identification, il est le seul avec une lanière or ; Noémie me présente mon porte-documents, un cartable recouvert de cuir avec les effigies du Cercle en relief sur la couverture. Ces porte-documents nous ont coûté (m'ont coûté) une petite fortune, mais ils reflètent l'image de marque que veut se donner le Cercle. Je vérifie si toutes les informations sont là : d'abord un ordre du jour, suivi du texte de mon allocution de bienvenue, ma photo est bien en évidence, puis suivent les trois textes qui correspondent à chaque atelier. Les textes sont accompagnés d'une présentation du modérateur avec sa photo, un sommaire de son curriculum vitæ et une liste de ses publications. Une liste de participants est en annexe.

— Beau travail, Claire, et en peu de temps !

— Merci, mais tu devrais te rendre à la salle Les Huîtres, Carole et Fred sont déjà là. Tes invités devraient commencer à arriver pour le petit-déjeuner.

Carole me reçoit :

— Bonjour, Maxime. Nous parlons de la stratégie post-colloque. Dès demain, nous distribuerons une série de communiqués avec le sommaire des conclusions du colloque et tes commentaires. Les textes et les procès-verbaux des ateliers seront disponibles sur notre site. Tu as compris que tes commentaires visent à inspirer des titres aux articles de journaux qui, nous l'espérons, suivront.

Fred intervient :

— Tout cela devrait t'assurer une bonne couverture de presse pour la semaine à venir.

— Je suis sceptique. Carole, penses-tu vraiment que les journaux vont publier mes commentaires ?

— Comme toujours, tes commentaires en soi et les sommaires des études ne sont pas des nouvelles, mais c'est la réaction de nos adversaires qui feront la nouvelle.

Je suis frappé par l'utilisation du terme *adversaire*. J'ai l'habitude, avec mes émissions, de recevoir des gens qui ne sont pas d'accord avec moi, mais je ne les ai jamais considérés comme des adversaires. Faudra m'y faire.

Carole continue :

— Il ne fait aucun doute que les textes susciteront des réactions de Québec et des régions, sans oublier les deux grandes banlieues de Laval et de Longueuil. Nous enverrons aussi tes réactions à ces critiques par courriel à la longue liste de personnes influentes que Francine a préparée. Tout le Québec connaîtra les positions du Cercle et tes réactions à ce qu'on dit à ton sujet.

Carole prend une gorgée de café, et Fred continue :

— Toute cette stratégie vise à te mettre en évidence. Demain, tu deviens un « héros » aux yeux de la population de Montréal.

Carole ajoute :

— Je préfère le terme anglais *shit disturber*. Souvent, un brasseur de merde est un personnage négatif qui se plaint, mais qui ne présente pas de solutions ; dans ton cas, nous voulons que tu sois perçu comme un brasseur de merde positif qui veut faire sortir Montréal de son carcan en présentant des solutions. Le monde va aimer ça, et tu ne pourras pas être ignoré.

Fred renchérit :

— Le peuple aime quelqu'un qui n'a pas peur de brasser la cage et de dire ce qu'il pense.

— J'espère que tu ne me compares pas à Régis Labeaume !

Nous sommes interrompus par Noémie :

— Vos invités commencent à arriver.

Carole se lève :

— Noémie, tu peux les faire entrer.

Le petit-déjeuner est prévu pour huit heures trente, soit une heure et demie avant le début du colloque. Le but officiel du petit-déjeuner : réviser le déroulement du colloque. Un exercice qui n'est pas nécessaire. Carole et Fred ont tout planifié à la seconde près. Le but réel : s'assurer que toutes les personnes reliées à l'organisation du colloque soient présentes pour le début de l'événement à dix heures.

Le petit-déjeuner se déroule comme prévu avec une révision de l'ordre du jour pour la forme. Il est neuf heures quarante-cinq et Fred ainsi que Carole nous invitent à nous diriger vers la salle La Cave où nous attendent les participants. Carole passe près de la table de réception, je la vois ralentir puis sourire à Claire. Je comprends sa réaction ; il ne reste que trois cartons sur la table ; presque tout le monde est là.

La salle est bondée. Elle peut contenir soixante personnes et elle a été choisie pour cette raison. Une salle plus grande aurait laissé l'impression que nous attendions plus de monde. Carole se dirige vers le podium :

— Mesdames et messieurs, je vous remercie de votre présence et de votre participation à ce premier colloque du Cercle de la Montréalie, un colloque qui fera partie de l'histoire de la grande région de Montréal et du Québec.

Carole arrête un instant. Elle n'avait pas encore capté l'entière attention de son auditoire ; plusieurs invités sont encore occupés à se servir un dernier café et à se saluer. Mais avec sa dernière phrase et, surtout, sa pause, elle a provoqué un silence immédiat dans la salle, tout comme elle l'avait fait lors de la conférence de presse de janvier dernier. Elle a maintenant l'attention de tous ceux qui veulent savoir comment ils passeront à l'histoire.

— D'abord, quelques détails sur le déroulement de la journée : nous avons choisi trois thèmes de discussions : « Montréal, une ville-région », « Le poids politique disproportionné des régions », « La région de Montréal est une communauté distincte ». Vous trouverez dans votre porte-documents le nom de l'atelier auquel vous participerez et celui de la salle où vous devez vous diriger. Chaque atelier débutera par une présentation de la situation pour chacun des thèmes. Vous reviendrez dans cette salle pour la pause du midi ; le numéro de votre table est dans le porte-documents. Cette pause du midi se terminera par une présentation du professeur Gérard Frappier de la Sorbonne sur la ville-région de Lyon qui étend son influence économique sur un territoire qui traverse les frontières de trois pays. La pause sera suivie d'une plénière, alors que les secrétaires d'atelier nous présenteront les constatations, les conclusions et certaines pistes de solutions mises de l'avant dans chaque atelier. Tel que promis, vous serez libérés vers quinze heures. Maintenant, je passe la parole au président du Cercle de la Montréalie, monsieur Maxime Beaubien.

— Chers amis, merci pour votre présence et bienvenue. Le Cercle de la Montréalie commandite et organise cette journée en collaboration avec d'éminents professeurs de nos universités montréalaises et avec votre participation. Votre présence est importante parce que vous êtes tous des personnes influentes dans votre milieu et, à ce titre, vous êtes des précurseurs de changements. Madame Boutet vous parle d'un moment historique et je n'ai aucun doute que ce colloque deviendra la bougie d'allumage d'un processus de réflexion qui aboutira sur des changements majeurs pour la grande région de Montréal.

Cette affirmation pour le moins ambitieuse est reçue avec des murmures autour de la salle et je crains pour un instant d'être allé un peu loin dans mes affirmations.

— La région de Montréal a fait l'objet de plusieurs débats au cours des dernières années : le principal, dans les années quatre-vingt-dix, sur la réorganisation administrative de la région, a dérapé sur de grandes discussions sur le partage de l'assiette fiscale avec le résultat que les véritables enjeux ont été ignorés. Cet exercice a accouché d'un projet bâclé de fusions, lui-même suivi d'un exercice improvisé de défusions, motivé par des raisons strictement électoralistes. Je ne m'étendrai pas sur le sujet, vous connaissez tous les résultats désastreux de cet échec, et nous en subissons aujourd'hui les conséquences. Un des derniers débats, le Sommet de Montréal, s'est limité à dresser une liste de demandes de subventions aux deux paliers de gouvernement. Des débats qui ne volent pas haut et qui manquent de perspectives. Aujourd'hui, nous élèverons le débat au-dessus des petites guerres de pouvoir et des considérations électorales pour discuter des véritables enjeux pour la région de Montréal, des enjeux qui ont un impact sur l'ensemble de la province. Avec vous, nous allons amorcer ce débat qui aurait dû avoir lieu il y a longtemps, mais qui n'a jamais eu lieu, les politiciens ayant peur de devoir faire face aux inévitables conclusions. Cet important débat a un sujet : le statut de la grande région de Montréal dans la province de Québec, une région qui fait face à la mondialisation, qui veut compétitionner, qui veut progresser et qui veut prendre sa place sur l'échiquier mondial, mais qui n'en a pas les moyens. Mesdames, messieurs, je vous remercie de votre participation aujourd'hui, mais, plus encore, pour le travail que vous ferez et qui servira d'assises au grand débat que nous déclenchons.

Carole reprend la parole :

— Merci, monsieur Beaubien. Maintenant, des questions sur le déroulement de la journée ? Vous avez le nom de vos salles respectives ? Chers participants, bon colloque.

# Chapitre 23

# Une église transformée

Jean Deragon, notre chauffeur en ce beau matin d'hiver, tourne sur Pie-IX. Nous avons déjà visité l'usine désaffectée identifiée comme un site potentiel pour y déménager Montpossible. Jean, en moins de deux, a mis une croix sur le site :

— Pas utilisable à moins de dépenses énormes. Et le terrain est probablement contaminé.

Nous nous dirigeons maintenant en direction de l'église Sainte-Rusticule. Au coin de Sherbrooke et de Pie-IX, Conrad Héroux redevient le professeur d'histoire qu'il a déjà été :

— À droite, le château Dufresne, la résidence construite par l'industriel Oscar Dufresne. Ses manufactures de chaussures étaient situées dans le quartier Hochelaga, au sud, et il rêvait de faire de la petite municipalité de Maisonneuve, dont il était échevin, le Westmount de l'est. Pour ce faire, la municipalité avait acheté de grands terrains pour en faire un parc autour duquel de luxueuses résidences auraient pu être construites. Dufresne a été l'un des premiers, et malheureusement l'un des seuls, à se construire. Comme par hasard, plusieurs des terrains achetés par la municipalité lui appartenaient et de mauvaises langues ont répandu des rumeurs, probablement très près de la vérité, qu'il avait construit son château avec les profits qu'il avait réalisés sur la vente des terrains à sa municipalité. Plus ça change, plus c'est pareil. Qu'à cela ne tienne, Oscar et ses acolytes nous ont tout de même laissé en héritage le magnifique parc de Maisonneuve.

Après ce petit cours d'histoire, personne ne dit mot. Noémie, assise à mes côtés, sur la banquette arrière de la Cadillac STS de Jean, brise le silence :

— Mon père a déjà conduit des Cadillac avant de changer pour des Mercedes.

Jean réagit :

— J'ai rêvé, pendant les premiers trente ans de ma vie d'en posséder une et, maintenant, je m'en offre une nouvelle aux deux ans. Je me rappelle le jour où cette obsession pour la Cadillac a débuté : j'avais dix ans, c'était un dimanche matin, et, ce jour-là, nous nous étions rendus à la messe en taxi, mon père nous expliquant que la voiture était en réparation au garage.

Conrad interrompt l'histoire :

— Excuse-moi, Jean, tu dois tourner ici à droite. Nous sommes arrivés.

Jean arrête la voiture devant l'église, se tourne vers nous et continue :

— Malgré mon jeune âge, je n'avais pas cru cette explication. Je le voyais dans son visage, et ce jour-là, contrairement à son habitude, il nous avait fait asseoir à l'arrière de l'église. Un peu avant la fin de la messe, juste après l'*Ite missa est*\*, il est sorti. J'ai voulu le suivre, mais ma mère m'en a empêché. Lorsque nous sommes sortis, il était là, assis dans une magnifique Cadillac décapotable, couleur marron, stationnée devant l'église. Il est sorti de la voiture pour rejoindre ma mère. Je le vois encore, debout, une main possessive sur le pare-brise et un bras autour de la taille de ma mère, savourant le moment devant les regards envieux des paroissiens rassemblés sur le perron de l'église. Monsieur le curé lui-même s'est présenté et a béni notre nouvelle voiture. Puis, pendant une bonne heure, nous avons fait le tour du centre-ville de Drummondville. J'étais aussi fier que lui et, dans ma tête de dix ans, j'avais maintenant un objectif concret dans ma vie : je voulais devenir propriétaire d'une Cadillac.

Conrad regarde sa montre et nous annonce que nous avons une demi-heure d'avance pour notre rendez-vous avec le marguillier qui doit nous faire visiter l'église. Il nous suggère d'aller prendre un café au Dunkin que nous voyons au coin de la rue.

Nous ne prenons tous qu'un café, sauf Jean Deragon qui ajoute un beigne au chocolat. Noémie fait la remarque :

— Monsieur Deragon, vous êtes cruel ; les beignes au chocolat sont mes favoris !

Jean ne s'excuse pas, au contraire, il répond :

— Ma chère Noémie, à ton âge je faisais aussi attention, mais lorsque j'ai atteint soixante-dix ans, j'ai foutu par la fenêtre beaucoup des empêchements que je m'imposais. À mon âge, une diète et des exercices ne font qu'ajouter des jours de plus au mouroir dans lequel je vais inévitablement aboutir. La seule mauvaise habitude que je n'ai pas reprise est la

---

\*    Note de l'éditeur : *Allez, la messe est finie.* Formule rituelle qui signifiait la fin de la messe dans l'ancienne liturgie.

cigarette. J'aimerais bien, mais l'idée de devenir un paria de la société m'en empêche.

Conrad s'adresse à moi :

— Maxime, tu me sembles bien pensif ce matin.

Je n'ai pas l'intention de leur faire savoir ce qui me trotte dans la tête : je pense à Catheryne qui m'a avisé hier que j'avais un rendez-vous, lundi, à une clinique de fertilité. Lors de notre conversation, plutôt de notre dernière « rencontre », je n'ai finalement pas eu le courage de refuser. Il est vrai que la chair est faible. Elle m'a dit qu'elle m'avait enregistré comme son conjoint pour faciliter les choses. Elle a terminé la conversation avec un : « à moins que… » auquel j'ai répondu :

— Je me rends à la clinique.

Je réagis à la remarque de Conrad avec une autre chose qui me préoccupe :

— Je pense à la Fondation d'Eusèbe. Avez-vous pensé à d'autres personnes qui pourraient nous donner un coup de main financièrement ?

La semaine dernière, nous avons incorporé la fondation et j'ai formé un conseil d'administration intérimaire formé de Jean, Paul et Florence. Jean et Paul ont accepté de m'aider, mais ils me demandent de les remplacer aussitôt que possible. Jean n'est pas chaud à l'idée d'aider ces jeunes « incompris » et Paul m'a demandé d'être prudent : « Dans l'état actuel des choses, Montpossible est un potentiel baril de poudre. » Il ne m'a pas fourni d'explication et s'est contenté de me dire que c'était une impression qu'il avait. À titre de président du Centre, Conrad est sur le conseil, et Noémie y siège à titre d'observatrice.

Jean répond :

— J'ai parlé à Paul et je lui ai donné la liste des invités présents au souper d'adieu d'Eusèbe. Si tu te souviens, Eusèbe leur avaient demandé de soutenir la fondation et d'en devenir membres.

— Avons-nous reçu des dons depuis ?

— Quelques milliers de dollars. Conrad, as-tu parlé à Florence pour savoir s'il y a des développements dans la contestation du testament par Alma ?

— J'ai soupé avec elle hier soir ; elle a retenu les services d'un cabinet d'avocats pour répondre à la mise en demeure et essayer d'arriver à une entente, à tout le moins, afin qu'on puisse te verser une partie du montant qui te revient.

Jean Deragon, sur un ton un peu moqueur, ajoute :

— Monsieur Héroux a soupé avec Florence hier soir ?

Conrad répond sur un ton agacé :

— Ça fait trente ans que je la connais.

Jean sent qu'il est peut-être sur un terrain glissant et change de sujet :

— Maxime, tu as fait les manchettes tous les jours cette semaine. Le colloque a eu tout un succès !

— Carole m'a appelé tard hier après-midi pour me donner les poids médias : deux et sept dixième pour moi et un et un dixième pour le Cercle. C'est inespéré !

Noémie demande :

— Tu m'expliques ?

— Le poids médias est un chiffre qui permet de mesurer la place qu'un individu, une nouvelle ou une organisation occupe dans les médias. À titre d'exemple, l'échange d'un joueur important du Canadien atteint un poids entre un et deux. Un événement comme la Coupe Grey pourrait atteindre un trois durant la semaine précédant l'événement.

— Si j'ai bien compris, deux et sept dixième est excellent ! ajoute Noémie.

— Oui, la diffusion des résultats du colloque et la publication des textes du colloque, nous ont valu une sortie du RDCR, le Regroupement des communautés régionales, qui a promis de réagir et de contrer tous les efforts du Cercle de la Montréalie qui ne visent qu'à favoriser Montréal au détriment de la population du Québec. Avec un commentaire comme celui-là, ce groupe confirme que la région montréalaise est une communauté distincte. Nous avons aussi eu droit aux commentaires des politiciens provinciaux qui se disent conscients de la situation de Montréal et des réactions ambivalentes des roitelets de Longueuil et de Laval. Le maire de Longueuil maintient qu'il est la ville-région de la Montérégie ! Pauvre lui, il a de la difficulté à faire la différence entre une ville-région et une ville-centre, et Longueuil n'est ni l'une ni l'autre. Il est même allé jusqu'à déclarer que Longueuil est la troisième ville d'établissement des nouveaux arrivants après Montréal et Laval. Les statistiques lui donnent raison, mais ce sont des statistiques qui ne veulent rien dire, car les immigrés, eux, ne font pas la différence entre Montréal, Longueuil ou Laval. Le maire de Laval a déclaré que la Communauté métropolitaine de Montréal répondait parfaitement aux besoins de la région. Il adore avoir la tête dans le sable. Ça fait son affaire.

Noémie m'interrompt :

— Maxime, faut y aller mollo lorsque tu parles des maires de Laval et de Longueuil. Il va falloir un jour que tu les convainques de joindre ton front commun.

Conrad ajoute, avec un petit sourire :

— En plus, tu devrais être un peu plus moderne et les appeler les petits imams.

Jean réagit avec un bref :

— Les efforts du Cercle sont voués à l'échec. Tu devrais te présenter à la mairie.

Noémie regarde sa montre et ajoute :

— Messieurs, nous devrions y aller, il est presque onze heures.

Dès que nous nous présentons au pied des escaliers du presbytère, la porte s'ouvre pour laisser apparaître une dame d'un âge certain. Nous étions attendus. Il ne fait aucun doute qu'elle est une religieuse : ample et longue jupe bleu foncé, blouse blanche, une croix disproportionnée au cou, cheveux poivre et sel noués à l'arrière et un petit air de sainte-nitouche. Elle nous fait entrer dans le vestibule et nous invite à nous asseoir, en nous annonçant :

— Monsieur le marguillier Chicoine sera ici dans quelques minutes.

Elle ne nous donne aucune explication supplémentaire et disparaît derrière une porte marquée *Bureau*. Une autre porte arbore une plaque avec la mention *Privé*.

La pièce est dominée par une statue de sainte, juchée sur une tablette dans le coin de la pièce. De toute évidence, la statue est trop haute pour être dépoussiérée. Sur les épaules de la sanctifiée, l'accumulation de poussière a fait passer le bleu pâle d'origine, encore apparent aux pieds, à un bleu plus foncé.

Au bas de la statue, un vase contient une sansevière. La première fois que j'ai vu cette plante, j'avais à peine huit ans, et nous étions allés visiter ma tante Alma au couvent. J'avais été impressionné par les longs corridors au plancher verni, bordés de ces plantes qui se tenaient droites comme des soldats. Mon père avait noté mon œil intéressé et m'avait expliqué que ces plantes étaient connues sous le nom de *langue de belle-mère*. À l'époque, je n'avais pas compris la pertinence du nom, mais je m'étais toujours souvenu de ce nom. Sœur Alma l'avait corrigé en m'informant que c'était des sansevières. J'ai, depuis, toujours associé cette plante à un édifice religieux.

Je pointe la statue et demande à Conrad :

— Sainte Rusticule ?

Conrad me répond d'un hochement de tête, alors que Noémie reprend la question :

— Sainte qui ?

Conrad, avec un petit sourire, répète :

— Sainte Rusticule.

— *You must be kidding.*

— Nous sommes dans la paroisse Sainte-Rusticule. Je la connais bien parce que j'ai célébré la messe ici dans la dernière année de mon autre vie. Le nom de la paroisse a été choisi par le premier curé, un prêtre ouvrier originaire de la ville D'Arles en France. Sainte Rusticule a vécu à Arles au sixième siècle, et elle était l'abbesse d'un monastère. Cette sainte est aussi connue sous le nom de sainte Marcia. Tous les dix ans ou à peu près, il y a une pétition des paroissiens pour changer le nom de la paroisse en Sainte-Marcia, mais sans succès. L'archidiocèse de Montréal, pour des raisons qui m'échappent, refuse de changer ce nom qui frise le ridicule, c'est le cas de le dire.

Nous sommes interrompus par le marguillier Chicoine : un grand mince à l'air taciturne, habillé en ce lundi matin de son habit du dimanche. L'habit gris est fripé et usé, tout comme le col de sa chemise blanche. Sa cravate noire complète le portrait du parfait croque-mort. Le monsieur s'est habillé pour cette importante mission que lui a confiée la fabrique.

Il se présente d'un ton formel :

— Messieurs, mademoiselle, mon nom est monsieur Rolland Chicoine, je suis marguillier de la paroisse Sainte-Rusticule, et je dois vous faire visiter le presbytère et l'église à la demande de l'archidiocèse. Veuillez me suivre s'il vous plaît.

Il ne nous donne pas la chance de nous présenter, et son attitude nous laisse comprendre qu'il n'est pas réjoui outre mesure de cette mission qu'on lui a confiée. Il m'est déjà antipathique : je déteste les gens qui s'affublent du titre de « monsieur ». « C'est à moi de décider si vous êtes un monsieur ou pas.

Il ouvre la porte du bureau, et nous entrons dans une pièce d'une propreté impeccable où tout est en ordre. Aucune trace de la religieuse qui nous a reçus. Monsieur Chicoine nous donne les instructions de mise :

— Veuillez ne toucher à rien, s'il vous plaît, sœur Marie-Reine ne serait pas heureuse de trouver des traces de doigt sur son mobilier.

Noémie me regarde et roule les yeux vers le plafond.

La mise en garde est adressée à Jean Deragon qui tente, sans succès, d'ouvrir et de fermer le calorifère de fonte qui se trouve dans la pièce sous la fenêtre. Je serais surpris de le voir réussir, car, à l'œil, il est possible de deviner une multitude de couches de peinture superposées au cours des années.

Monsieur Chicoine nous explique :

— Parce que nous n'avons pas de curé, c'est elle qui s'occupe de la gestion de la paroisse. Et vous excuserez son absence, mais elle n'accepte pas la décision de fermer l'église et elle ne veut rien entendre du processus. Elle a d'ailleurs refusé de participer aux différentes étapes d'analyse, de consultation et d'information.

Il s'arrête un instant et ajoute :

— Et elle n'est pas la seule.

Il n'élabore pas, mais nous avons tous compris. Il nous ouvre une autre porte et nous dirige dans la section privée du presbytère.

Cette section contient une cuisine, une salle à manger, un grand salon et une bibliothèque. Au deuxième, nous retrouvons six chambres et trois salles de bain. Ces dernières n'ont jamais été rénovées. J'ai de la difficulté à imaginer les jeunes du Centre Montpossible dans un tel endroit. Tout sent le renfermé et l'odeur de naphtaline est omniprésente. Monsieur Chicoine nous informe que cette partie n'a pas été occupée depuis plusieurs années. Nous avions deviné.

Un corridor nous dirige vers l'église. La visite est plus encourageante que celle du presbytère ; il est facile d'imaginer le chœur transformé en scène et la nef en une salle multifonctionnelle. La salle paroissiale du sous-sol pourrait être subdivisée ; dans la section arrière, nous retrouvons une cuisine complète et moderne. Je remarque :

— La cuisine a été rénovée.

Chicoine m'explique :

— Les Chevaliers de Colomb du conseil Sainte-Marcia utilisent la salle.

Nous nous retrouvons à la base du clocher :

— Vous voulez monter ?

Nous refusons.

— Vous voulez voir autre chose ?

Jean demande à voir la fournaise et le panneau électrique. Il n'est pas dans la pièce plus de deux minutes qu'il pose la question qui ne laisse aucun doute sur la conclusion à laquelle il est déjà arrivé :

— Avez-vous déjà obtenu une estimation pour remplacer la fournaise et l'électricité ?

Monsieur Chicoine hésite un instant, avale sa salive, et nous répond :

— Je ne me souviens vraiment pas, il faudrait consulter le dossier.

Avant que Jean ne réagisse, Noémie demande :

— Quand pouvons-nous avoir ce dossier et pouvez-vous me dire quand l'église sera disponible ?

Monsieur Chicoine répond :

— Ces informations sont confidentielles et ne seront remises qu'à des acheteurs ou locataires autorisés. Je vous donnerai un formulaire de demande en sortant.

Jean demande, sans cacher sa frustration :

— Nous devons faire une demande pour recevoir des informations ?

Monsieur le marguillier Chicoine répond sur un ton important :

— Ce sont les instructions que j'ai reçues de l'assemblée de fabrique et des services administratifs de la corporation épiscopale. De toute façon, c'est le vicaire épiscopal et l'évêque qui prennent les décisions, et pas nous. Messieurs, mademoiselle la visite est terminée. Si vous voulez des informations supplémentaires, demandez-les par écrit.

De retour dans la voiture de Jean, nous exprimons tous notre surprise face à l'attitude de monsieur le marguillier Chicoine. Conrad nous explique :

— Je ne suis pas surpris. En fait, je pense que la visite s'est bien passée. J'anticipais une réception encore plus déplaisante. Vous aurez deviné que la décision de fermer l'église n'a pas été mise de l'avant par les paroissiens, mais imposée par l'archidiocèse qui a forcé la fabrique à mettre en marche la fermeture au culte de l'église. En principe, la décision de fermer une église doit venir des paroissiens. Dans ce cas-ci, la fabrique a eu besoin d'un petit coup de pied au derrière. La paroisse n'est simplement plus viable.

Conrad pousse un long soupir et ajoute :

— Nous faisons face à un panier de crabes et nous sommes loin d'un bail ou d'un contrat de vente.

Jean n'aide pas les choses en ajoutant :

— C'est peut-être une bonne chose. Le chauffage, l'électricité et la toiture doivent être refaits, et cela, sans compter les modifications nécessaires pour rendre les lieux utilisables par le Centre. En outre, impossible d'obtenir une hypothèque sur une église transformée en centre pour jeunes délinquants. Faudrait que la fondation finance l'achat au complet…

# Chapitre 24

# Financement

Après la visite de l'église, j'avais présumé que Noémie et moi allions passer la fin de semaine ensemble, mais elle m'a surpris en m'annonçant qu'elle devait représenter sa famille à la Bar Mitsva d'un cousin en soirée. Elle ne m'en avait pas parlé. Cette annonce, sans avertissement, a eu pour moi l'effet d'une gifle. Je ne comprends pas pourquoi elle ne m'a pas demandé de l'accompagner et, encore moins, pourquoi elle ne m'en a pas parlé plus tôt. Pire encore, elle m'a aussi annoncé qu'elle désirait passer la journée seule dimanche pour se reposer. Je n'ai pas insisté.

Je me suis donc retrouvé en solitaire dimanche, et j'ai décidé de prendre un *vingt-quatre heures loin du monde* : téléphone débranché, pas de journaux, pas de télévision, une période de jogging au lever, un polar, un film, une bouteille de vin, des pâtés, du fromage, une baguette française et un sac de bonbons à la réglisse, le tout entrecoupé de quelques petits sommes au besoin.

Malgré mes bonnes intentions, je n'ai pas réussi à faire le vide. L'attitude parfois distante de Noémie depuis son retour de Floride me dérange : j'espère que Conrad et Montpossible en sont la cause. Je m'inquiète aussi de la stratégie que nous avons élaborée avec le Cercle : nous sommes bien reçus à Montréal, mais le concept de ville-région est loin d'être accepté dans les banlieues. Comme si ce n'était pas suffisant, la perspective de ma visite d'aujourd'hui à la clinique de fertilité m'a troublé toute la fin de semaine, sans parler des rappels de ma dernière « soirée » avec Catheryne, qui ne cesse de me chicoter.

\* \* \*

La concentration a été difficile cet avant-midi : mon rendez-vous à la clinique est à quatorze heures : « Nous devons avoir du sperme frais ;

la production doit donc se faire sur place. » Je ressens une nervosité similaire à celle qui m'envahit lorsque je dois me présenter pour mon examen médical annuel durant lequel je dois fournir, sur place, un échantillon d'urine. Ces matins-là, je me retiens jusqu'à l'heure du rendez-vous de façon à pouvoir performer. Et cette fois-ci, la performance a ce petit quelque chose de différent. Et si…

Je me suis donc présenté à la clinique avec une nervosité alimentée de surcroît par une certaine gêne face au processus du « don » lui-même. Je ne me croyais pas aussi prude. Catheryne a fait les arrangements avec la clinique, utilisant son nom de naissance, Genoueffa Delacorte. La docteure Jocelyne Camerlain, une consœur de collège de Catheryne, ne m'a pas posé de questions et m'a assuré de sa discrétion. Comment Catheryne expliquera à son public les circonstances entourant sa grossesse ? Je me le demande bien.

*  *  *

C'est après cette expérience inhabituelle que je me présente chez Florence ; elle m'a convoqué à son bureau pour discuter de la succession. Elle a suggéré que Pierre soit présent parce ce qu'il est mon conseiller financier et, aussi, le trésorier du Cercle. Je ne sais pas de quoi nous allons parler, car j'ai compris que tout était gelé à cause de la contestation d'Alma.

Comme d'habitude, Pierre est à l'heure et je le retrouve dans la salle de conférence les yeux rivés sur les photos de Florence. Il me reçoit avec le commentaire :

— J'avais entendu parler de ces fameuses photos, mais c'est la première fois que j'ai la chance de les voir.

Il s'assure du regard que nous sommes seuls et ajoute :

— C'était une belle femme, et elle l'est toujours. En fait, quel âge a-t-elle ?

— Je crois qu'elle est dans le début de la soixantaine…

J'ai à peine terminé ma phrase que j'entends derrière moi :

— … et toutes ses dents.

Florence entre dans la pièce et place un dossier devant nous. C'est vrai qu'elle est une belle femme ; une belle femme qui ne renie pas son âge : elle continue de porter des tailleurs bien ajustés pour laisser deviner un corps moins svelte que sur les photos de la salle, mais toujours bien proportionné. Elle fait partie de ces femmes dont la sexualité se dégage tant de leur corps que de leur démarche.

Florence s'installe au bout de la table et passe la remarque :

— Maxime, tu étais déjà une vedette avec ton émission et tu es sur le point de devenir un héros, l'ardent défenseur de Montréal. Depuis trois semaines, il me semble que tu fais les manchettes une journée sur deux.

— La population aime la controverse, et c'est ce que nous leur avons donné, avec moi en tête d'affiche. Je suis aussi une nouveauté ; il n'y a pas eu beaucoup de monde pour prendre la défense de Montréal au cours des dernières années.

Pierre ajoute :

— Il était temps que quelqu'un le fasse. La publication des études universitaires a contribué à élever le débat au-dessus des guerres de clochers usuelles.

— Oui et non. La population n'a pas lu les études universitaires, mais elle a lu les titres générés par les réactions des régions et les gens se sont rendu compte qu'il y a d'importants enjeux pour Montréal dans ce débat. Les protestations même que nous avons soulevées démontrent que la grande région de Montréal est en état de siège et doit se défendre. Par contre, je ne suis pas certain que les populations des banlieues achèteront notre thèse, et si elles n'achètent pas, leurs politiciens n'achèteront pas.

Florence intervient :

— Ces études nous ont coûté trente mille dollars ?

— C'est le prix à payer pour bâtir notre crédibilité.

Pierre lance :

— Monsieur est devenu un pragmatique. Mais tu ne m'as pas dit que l'idée de départ était de former un front commun de la grande région de Montréal ?

— Comme je te le disais, nous n'avons pas encore réussi à convaincre les populations de Laval et de Longueuil. Tu parlais de guerre de clochers ; la réaction des politiciens de Laval et de Longueuil, qui ne sont en fait que des villes-dortoirs, a démontré qu'ils demeurent accrochés à leurs clochers respectifs. Je suis convaincu qu'ils sont conscients qu'ils font partie d'une ville-région, mais ils se rendent compte aussi que le jour où ils l'admettront, ils risquent de perdre une certaine autonomie, une autonomie qui est illusoire, mais qui les sert bien. Ils ne souhaitent certainement pas se faire ramener à de gros arrondissements.

Plusieurs de ces politiciens ont même été élus en promettant à leurs concitoyens de les défendre contre la méchante ville de Montréal qui n'en veut qu'à leurs taxes.

Pierre fronce des sourcils et demande :

— Bonne chance ! Pouvons-nous maintenant regarder les chiffres ? Je dois quitter à six heures pour un souper avec un client.

Florence nous demande d'ouvrir le dossier qu'elle a placé devant nous. Elle nous explique :

— Après les legs particuliers et les impôts, il restera dans la succession un peu plus de six millions de dollars, mais il y a toujours la contestation d'Alma qui nous pend au-dessus de la tête. Les procédures pourraient durer des mois.

— Je ne peux me permettre des mois d'immobilisme. Je finance le Cercle avec mes propres fonds, et Montpossible est en train de crever pour manque d'argent.

Pierre demande :

— Florence, tu as de l'expérience, qu'est-ce que tu proposes ?

— Très souvent ces contestations se règlent, soit à l'amiable, soit en médiation.

— Tu nous proposes ?

— Alma a fait le tour de tout le monde, comme tu le sais, Maxime, et n'a trouvé aucun allié. Je suis aussi convaincue que ses avocats l'ont avisée que ce processus de contestation serait long, coûteux, avec de faibles probabilités de succès.

Pierre ajoute :

— Tu crois qu'elle est prête à négocier ?

— Oui, et je vous propose de mandater nos avocats de lui offrir un montant de deux cent mille dollars plus ses frais d'avocats.

— Ça m'écœure.

Pierre réagit :

— Maxime, elle pourrait te niaiser pendant des mois.

Je me rends compte qu'il est bien inutile, comme le disent les Anglais, de se couper le nez pour déplaire à son visage ; j'avalerai donc la couleuvre Alma.

— OK, parle à ses avocats.

— Maxime, as-tu décidé combien tu as l'intention de consacrer *au bénéfice de Montréal et de sa région* ?

— Vite comme cela, moitié, moitié.

Je regarde Pierre pour voir sa réaction.

— Plus ou moins trois millions assureraient ton indépendance financière, et tu gardes le reste en fiducie pour l'instant.

Puis il se tourne vers Florence :

— N'oublions pas que le montant est à l'entière discrétion de Maxime. La décision de cet après-midi n'est pas finale, et tu auras toujours le loisir de changer d'idée.

— J'ai aussi pris la décision de garder, pour l'instant, la copropriété du Vieux-Montréal. Je prendrai une décision définitive dès que j'aurai une meilleure idée de la direction que prendra ma relation avec Noémie.

Florence réagit :

— Le ton de ta remarque me laisse croire qu'il y a des nuages à l'horizon.

— Pas à l'horizon, au-dessus de ma tête.

Pierre note quelque chose, tout en ajoutant :

— Ne la laisse pas s'échapper ; c'est une femme exceptionnelle, c'est une Lynda.

Florence demande :

— Et ça veut dire ?

— C'est entre Maxime et moi. Revenons au Cercle : tu devrais organiser une activité de souscription. Le Cercle est, de toute évidence, controversé et projette l'image d'une organisation avec des moyens financiers importants ; ce n'est qu'une question de temps avant qu'un journaliste ne cherche à connaître ses sources de financement et quelle « influence obscure » le finance.

Florence ajoute :

— Tout le monde veut savoir.

— Vous avez tous les deux raison et Fred a déjà anticipé la question. Nous allons organiser un dîner-bénéfice avec, vous l'aurez deviné, moi comme conférencier. Une autre occasion de faire parler de nous.

Pierre demande :

— Excellent. Avez-vous fixé une date ?

— Oui, le 20 mars.

Pierre sort son Blackberry, inscrit la date, et demande :

— Comment va le recrutement de membres ?

— Si tu te souviens, l'on ne peut devenir membre du Cercle que sur invitation et nous avons limité le nombre de membres à cinquante. C'est plus facile à gérer. Nous en avons maintenant une vingtaine et nous ne sommes pas pressés d'en recruter d'autres. Le plus important demeure notre impact sur la population : le Cercle a plus de cinq mille abonnés sur son compte Twitter et deux mille cinq cents amis sur Facebook, cela en moins de deux mois et j'ai, à peu de chose près, les mêmes nombres.

Pierre jette un coup d'œil à sa montre et se tourne vers Florence :

— Tu nous informes du résultat de ta démarche avec les avocats d'Alma ?

— Dès que j'ai des nouvelles, je vous avise.

Pierre la remercie et se lève. Florence l'accompagne après m'avoir demandé de rester un instant.

À son retour, elle se dirige vers l'une des grandes photos qui décorent le mur du fond de la salle de conférence. La photo a été prise de dos avec la fameuse queue de lapin bien en évidence. Son visage est tourné vers le photographe et elle affiche un large sourire. Elle place la main sur le côté droit du cadre et le tire vers elle. Le cadre est fixé sur des pentures et il s'ouvre pour dévoiler une armoire qui contient quelques bouteilles et des verres. Florence me demande :

— Un chivaz à la mémoire d'Eusèbe ?

— Comment puis-je refuser ? Avec un glaçon, s'il vous plaît.

Lorsque je suis seul avec Florence, je ressens l'obligation de la vouvoyer. Il y a des gens comme ça qui imposent par leur simple prestance le vouvoiement, et Florence est l'une d'elles. Elle s'excuse et disparaît dans la pièce arrière. Au bout de quelques minutes, à ma grande surprise, je vois le fond de l'armoire à boissons s'ouvrir et j'aperçois le visage de Florence :

— Tu veux prendre l'assiette.

Elle me tend une assiette sur laquelle elle a déposé un morceau de foie gras et un petit contenant de compote d'oignons. Elle réapparaît avec des glaçons et s'installe près de moi tout en m'expliquant :

— J'ai découvert cette compote d'oignons récemment et elle va à merveille avec les pâtés. Tu verras, elle est parfumée au vinaigre balsamique.

Elle lève son verre vers moi.

— À ta santé, Maxime.

— Merci, et à la vôtre, Florence.

J'ai le sentiment que cette mise en scène n'est pas improvisée et que Florence a quelque chose à me dire. Je n'ai pas à attendre longtemps.

— Tu sais, Maxime, Eusèbe me manque beaucoup. Lui et moi avons eu une belle relation au cours des années, une relation peut-être pas tout à fait orthodoxe, mais une relation qui a fait l'envie de beaucoup de couples mariés. Nous étions tous les deux dans la quarantaine lorsque nous nous sommes rencontrés, donc pas question de former une famille et, rendus à cet âge, nous étions tous les deux confortables et jaloux du petit espace vital que nous nous étions créé chacun de notre côté. Nous nous sommes donc contentés d'une relation de couple qui a réuni, comment dirais-je, les avantages du célibat avec les plaisirs du couple. Une situation idéale.

Florence s'arrête pour se servir de pâté. Ses dernières phrases ressemblent à une introduction. J'attends qu'elle continue, mais elle me surprend en bifurquant :

— Et toi, comment va ta relation avec Noémie ?

La question me déconcerte parce que je n'ai pas en tête tellement ma relation avec Noémie, mais plutôt celle avec Catheryne, une relation qui ressemble à celle que Florence vient de décrire, une relation qui s'est compliquée, et pas à peu près, avec l'arrivée de Noémie. L'espace d'un instant, j'ai failli me confier à Florence, mais je n'ose pas. Je l'aurais fait avec Eusèbe, mais ma relation avec Florence n'est pas la même. Je réponds donc :

— Ma relation avec Noémie ? Honnêtement, je ne sais pas. Comme vous le savez, c'est une relation qui a très bien commencé. Je suis convaincu d'avoir rencontré la femme de ma vie, mais je ne crois pas que ce soit réciproque. Au cours de la dernière semaine, il me semble qu'elle est devenue de plus en plus distante. J'ai d'abord pensé que c'était le stress relié à son nouvel emploi chez Montpossible et sa relation avec Conrad, mais je ne crois pas que ce soit la seule raison. Puis j'ai pensé que c'était peut-être la maladie de son père, mais il va mieux. Je ne comprends vraiment pas.

Florence se lève pour me servir un autre verre tout en me demandant :

— As-tu déjà eu une discussion franche avec elle ?

— Non, je n'ai pas trouvé la bonne occasion pour en parler.

Dans les faits, j'ai pensé lui parler, mais j'ai peur qu'une telle discussion débouche sur ce que je ne veux pas entendre.

— Tu devrais. Il n'y a rien de plus important dans un couple que la communication, et c'est peut-être ce manque de ta part qui la rend distante. Lui as-tu déjà dit que tu l'aimais, qu'elle était la femme de ta vie et cela, en dehors des moments où vous êtes à l'horizontal ? C'est peut-être cela qu'elle attend et, comme toi, elle n'ose pas faire les premiers pas.

Florence se lève pour rafraîchir son verre, s'assoit près de moi et place une main sur mon genou.

— Maxime, je voulais te voir ce soir pour t'annoncer que tu me verras de plus en plus avec Conrad. Lui et moi sommes des amis depuis toujours, en fait depuis que j'ai rencontré Eusèbe. J'ai toujours aimé sa compagnie. Maintenant qu'Eusèbe est parti, Conrad et moi avons décidé de terminer notre vie ensemble.

Chapitre 25

# Spéculation

Nous avions planifié une réunion de travail pour faire le point sur l'organisation du dîner-bénéfice, mais la réunion devait prendre une tout autre allure, résultat de la chronique de Rodrigue Hurtubise de *La Presse* parue dans l'édition d'hier. Hurtubise commençait son topo sur un ton positif avec des félicitations sur le bien-fondé des objectifs du Cercle, sur l'efficacité de notre utilisation de l'Internet et des réseaux sociaux et sur la clarté de nos positions ; jusque-là, le papier était des plus favorables.

Mais, après la fleur, venait le pot : dans les derniers paragraphes, il revenait sur les élections à la mairie de novembre prochain et il affirmait avoir appris d'une « source généralement bien informée » que les hautes instances du parti du maire Castonguay me considéraient comme la personne la mieux placée pour devenir leur candidat aux prochaines élections. En guise de confirmation additionnelle, il revenait sur les membres de mon entourage, notamment sur Fred Barette, qu'il qualifiait de mercenaire de la politique, et sur Carole Boutet, une manipulatrice d'information, deux organisateurs libéraux bien connus et proches du parti Équipe Castonguay.

La chronique se terminait avec un conseil :

« De toute évidence, Maxime Beaubien a l'intention de se porter candidat à la mairie aux prochaines élections. Je lui conseille cependant de faire preuve de plus de transparence, une qualité qu'il exige des politiciens dans ses chroniques et ses émissions. »

Je juge la chronique dévastatrice pour notre stratégie, parce qu'elle met en doute mes intentions.

Samedi, Fred m'a appelé pour me rassurer et m'aviser que Carole, notre spécialiste en *damage control*, se joindrait à nous dimanche matin. Puis, il a ajouté qu'un dénommé Charles Létourneau désirait me rencontrer et qu'il lui avait donné rendez-vous pour dimanche. Qui est ce

Charles Létourneau ? Fred m'a répondu avec un énigmatique : « Tu verras. » Une recherche rapide sur Internet a identifié deux Charles Létourneau : l'un est spécialiste en affaires étrangères, l'autre président-directeur général de Promotion touristique de Montréal. Je ne suis pas plus avancé.

À mon arrivée au Cercle, Fred et Carole sont déjà là. Je suis surpris de leur attitude décontractée : ils semblent tous les deux détendus et d'excellente humeur alors que j'ai l'estomac serré, inquiet des conséquences possibles de la chronique. Fred se lève :

— Bonjour, monsieur le candidat, et bienvenu à la première journée de votre campagne.

Carole ajoute :

— Ne serait-ce pas la deuxième journée puisqu'elle a été annoncée hier ?

Je ne sais pas si ce badinage a pour objectif de me décontracter, mais il ne réussit qu'à faire augmenter mon niveau d'anxiété et ma colère, une colère de vingt-quatre heures, d'abord dirigée vers Hurtubise et maintenant dirigée vers ces deux irresponsables qui ne semblent pas prendre la situation au sérieux. Je trouve leur attitude déplacée. Carole en remet :

— Maxime, ne fais pas cette tête-là ; la chronique est inespérée et confirme que nous sommes sur la bonne voie. Ta crédibilité est telle que tu es maintenant considéré comme un candidat possible à la mairie. La chronique est presque un endossement de ta candidature. As-tu remarqué qu'il ne mentionne même pas le nom de Felicia McCormick ?

— Je n'ai aucune intention de me présenter. Et les commentaires sur vous deux ?

— C'est la vérité.

J'ai peut-être fait une erreur en retenant les services de Fred et Carole ; ils sont identifiés de trop près au monde de la politique. Je devrai être prudent dans l'avenir en commençant par ce matin :

— Qui est ce Charles Létourneau que vous voulez que je rencontre ?

Fred répond :

— Charles est un ami de longue date ; il m'a appelé hier soir et a demandé à te rencontrer. J'ai accepté. Tu vas comprendre.

Notre conversation est interrompue par l'arrivée d'un homme que je devine être Charles Létourneau. Il place sur la table des cafés et une boîte de beignes.

Fred le reçoit :

— Merci, Charles ; je vois que tu gardes tes bonnes habitudes : des beignes, toujours des beignes. Dans une autre vie, tu devais être un policier !

Fred s'approche et tente, avec difficulté, de lui donner l'accolade. L'image qu'ils présentent relève du vaudeville : Fred, un homme de cent soixante-dix centimètres pesant à peine soixante kilos tentant de donner une accolade à ce géant de cent quatre-vingt-dix centimètres, affublé d'une énorme bedaine. L'homme doit faire cent trente kilos. Fred recule d'un pas et lance :

— Hé ! Le grand, va falloir t'appeler le gros si tu continues à prendre du poids !

Et le grand de répondre :

— Je vois que tu seras toujours Ti-cul Barette.

De toute évidence, ils se connaissent bien et depuis longtemps. L'échange rappelle les railleries d'adolescents, heureux de se retrouver ; ils donnent l'impression qu'ils ont oublié qu'ils n'étaient pas seuls dans la pièce, jusqu'au moment où Fred se tourne vers moi et effectue les présentations de mise :

— Je te présente mon ami de toujours, Charles Létourneau. Nous venons tous les deux de la région de Nicolet-Yamaska et avons fait nos études ensemble au séminaire de Nicolet : deux curés potentiels qui, eux, ont bien tourné.

Fred nous laisse absorber ces bribes d'informations l'espace d'un instant et continue :

— Charles adore la politique et nous avons travaillé ensemble sur plusieurs campagnes ; son dernier exploit date de quatre ans maintenant, lorsqu'il a fait élire le maire Castonguay.

Je devine avec appréhension ce qui s'en vient. Ils perdent leur temps, et je vais devoir avoir une bonne discussion avec Fred et Carole.

Fred se tourne vers lui :

— Charles, je te présente Maxime Beaubien.

— Maxime, il me fait plaisir de te rencontrer. J'ai beaucoup entendu parler de toi au cours des dernières semaines.

Fred nous invite à prendre place alors que Charles ajoute :

— D'abord, mettons les choses au clair ; je n'ai pas fait élire Clément Castonguay, je faisais partie de son organisation.

Il prend un beigne et ajoute :

— Vous m'excuserez, mais j'ai besoin de carburant pour maintenir en forme cette magnifique machine qu'est ce corps que j'habite.

Fred en profite pour ajouter :

— Charles est président-directeur général de Promotion touristique Montréal, un organisme municipal responsable de faire la promotion de Montréal comme destination touristique.

Les présentations effectuées, je remarque le regard de Fred croiser celui de Charles et ce dernier effectuer un léger signe de tête.

Fred dépose son café :

— À la suite de la publication de la chronique d'Hurtubise hier, Charles m'a appelé pour me demander s'il pouvait te rencontrer. Comme tu le sais, le maire Castonguay n'a pas l'intention de se présenter aux élections de novembre : Castonguay a soixante-neuf ans et il n'a pas du tout apprécié les quatre ans qu'il a passés à la mairie.

Carole intervient :

— Attention, il a été élu un peu par défaut. La péquiste Sylvie Larocque, qui s'est présentée contre lui, n'avait aucune crédibilité.

Charles ajoute :

— Il ne faut jamais sous-estimer l'intelligence de la population. Pensez-vous qu'elle aurait élu une syndicaliste à la tête d'une ville déjà gérée par ses syndiqués ?

Fred revient sur le but de la visite de Charles :

— Charles est ici pour savoir si tu souhaiterais te présenter. Avec la couverture médiatique que tu as reçue et l'image que tu projettes, il est normal que tu sois considéré. C'est une offre en or : le parti de Castonguay, après quatre ans au pouvoir, a des coffres bien garnis et ils peuvent te livrer l'organisation du Parti libéral du Québec.

— Voyons donc, ça fait à peine un mois que l'on a annoncé la formation du Cercle. Je ne peux, maintenant, décider que je me présente à la mairie.

Carole intervient :

— Dans le monde d'aujourd'hui, avec des accélérateurs de nouvelles comme l'Internet, Twitter et les émissions d'information en continu, un mois est une éternité. Tu es devenu un personnage public en quelques semaines, sans oublier que tu étais déjà bien connu avec ta chronique et ton émission.

Charles ajoute :

— Que tu le veuilles ou non, tu es devenu un candidat potentiel dans l'opinion publique et nous avons des sondages pour le prouver. Nous t'offrons cette candidature sur un plateau d'argent.

J'ai finalement la chance d'intervenir :

— Le Cercle est un groupe de pression dont l'objectif est de créer une mobilisation dans la grande région de Montréal pour forcer les politiciens de Québec à réorganiser Montréal en ville-région tout en lui procurant des pouvoirs qui permettront aux administrateurs de la ville de la gérer comme il se doit.

Charles réagit :

— Un groupe de pression a peu de pouvoir et travaille à l'extérieur du système.

— C'est justement ce que je veux : travailler à l'extérieur du cadre établi de façon tout à fait indépendante.

Carole me surprend :

— Maxime a un peu raison ; s'il se présente à la mairie de Montréal, l'image qu'il projette comme défenseur de la région sera transformée. Le maire de Montréal a pour rôle de défendre les intérêts de la Ville de Montréal et de ses citoyens. Dans ce rôle, il deviendra suspect aux yeux des maires des banlieues et une mobilisation de la grande région mont-réalaise deviendra impossible, ce qui, d'ailleurs, fait l'affaire de Québec qui ne veut surtout pas que la région s'organise.

Fred, toujours le pragmatique, ajoute :

— La mobilisation sera difficile : les maires de Laval et de Longueuil, en réaction à la fondation du Cercle, ont tous les deux déclaré que la région est très bien organisée.

— Deux politiciens de vision.

— Qu'à cela ne tienne, monsieur Létourneau, je n'ai pas l'intention de me présenter. Je suis flatté que votre groupe m'ait considéré comme candidat, mais je dois refuser.

Sur ce, Charles se lève, me sert la main, me remercie et quitte la pièce. Je suis certain d'avoir entendu Fred lui dire :

— Je vais lui parler. On va luncher avec Jean et Paul cette semaine.

Et lui de rétorquer :

— Je t'appelle lundi.

Fred revient et s'assoit sans dire un mot.

— Jean et Paul ?

— Oui. Jean et Paul étaient, et sont toujours, actifs dans l'organisa-tion du parti de Castonguay.

— Avons-nous une idée de l'identité de la source bien informée d'Hurtubise ?

— Quelqu'un de l'Équipe Castonguay. Ils testent la température de l'eau.

— Carole ! Je fais quoi avec la chronique d'Hurtubise ? Je veux tuer dans l'œuf cette idée que je veux devenir candidat.

— Hurtubise nous suit depuis le début. Rappelle-toi sa chronique de janvier où il nous comparait aux comités de citoyens qui apparaissent un an avant les élections. Il nous fait de la publicité, et c'est ce que nous voulons.

— Je ne comprends pas. Pourquoi Hurtubise s'intéresse-t-il au Cercle ?

Ma question est dirigée vers Carole, mais je la vois jeter un regard vers Fred :

— C'est simple, c'est à cause de moi, et un peu à cause de Carole. Il y a quelques années, Hurtubise a rédigé une série d'articles sur les organisateurs politiques professionnels. Il nous avait baptisés, comme tu le sais, les mercenaires de la politique ; il en avait ciblé trois en particulier. J'étais l'un de ceux-là. Je suis le seul encore actif. Après la série d'articles, les deux autres ont obtenu des postes en-reconnaissance-de-services-rendus et ils sont disparus de l'espace public. L'un est commissaire à l'immigration, l'autre est délégué du Québec à Boston. Dans mon cas, j'étais satisfait de garder mon indépendance, je n'ai rien demandé et j'ai commencé à enseigner tout en continuant à gagner ma vie comme organisateur d'événements. Je croyais m'être fait oublier.

Carole ajoute :

— Le public t'avait oublié, mais pas Hurtubise.

Puis elle se tourne vers moi :

— Il a suffi qu'Hurtubise voie le nom de Fred et le mien dans l'entourage du Cercle pour éveiller sa curiosité.

Fred lance :

— Si tu veux que je démissionne, je le ferai.

Carole ne me donne pas la chance de réagir :

— Minute, minute les copains : être un organisateur politique rémunéré n'est pas criminel. Les enjeux et la complexité des campagnes électorales sont tels que l'apport de spécialistes est essentiel. Les seuls qui s'offusquent sont les « placoteux » du matin à la radio et les journalistes à sensation.

Fred ajoute :

— N'oublie pas qu'ils ont de l'influence : une majorité de la population pense aujourd'hui qu'il est illégal de payer quelqu'un pour travailler dans une campagne électorale et que toute personne qui effectue une contribution à un parti politique est suspecte.

Carole s'arrête, prend une gorgée de café et ajoute :

— N'oubliez pas que, pour ces journalistes et ces animateurs de radio, leur salaire et leur cote d'écoute sont directement proportionnels au niveau de controverse qu'ils réussissent à soulever ou à imaginer, et au diable l'éthique intellectuelle. Mais ils font partie du paysage.

Fred ajoute :

— Comme l'herbe à poux.

— Merci !

— Pas toi, Maxime, tu fais partie des journalistes qui réussissent à prendre un peu de recul sur les événements et qui présentent les différents points de vue d'un débat ou d'une situation.

Carole ignore la remarque de Fred et termine en ajoutant :

— Nous n'avons pas le choix et nous devons vivre avec eux.

Tout en me servant un café, je réalise que je ne peux accepter son offre de démission ; ce serait donner raison à Hurtubise :

— Pas question que tu démissionnes.

Puis, sans attendre de réactions de sa part, je m'adresse à Carole :

— Après cette maudite chronique, nous avons reçu une dizaine de demandes d'interview.

— Il fallait s'y attendre ; les médias ont tellement hâte que la campagne électorale débute. Ta candidature potentielle était une spéculation, elle est devenue une nouvelle lorsqu'elle a été confirmée par *une source bien informée*. Cette personne ne se gênera pas pour le répéter sur toutes les tribunes.

Fred ajoute :

— C'est ce que le parti de Castonguay voulait.

— Ta position devrait être simple et claire : effectivement, depuis la fondation du Cercle de la Montréalie, tu reçois beaucoup de pression pour te présenter aux prochaines élections municipales, mais, pour le moment, cette possibilité ne fait pas partie de tes objectifs. Point final. Tu ne dis rien d'autre. Ramène toutes les autres questions sur tes positions et les objectifs du Cercle.

— Pour le moment ?

— Tu veux rester un candidat potentiel. À partir d'aujourd'hui, ils vont te suivre pas à pas. Mon cher Maxime, tu es devenu samedi un candidat potentiel à la mairie et, tant et aussi longtemps que les candidats aux prochaines élections ne seront pas connus, il y aura des spéculations sur tes intentions. Aussi bien profiter de la publicité gratuite.

Fred répond :

— Dans la situation où tu te trouves, il faut toujours garder ouvertes toutes tes options, cela dit avec un bref regard vers Carole que je ne décode pas.

— Je ne suis pas d'accord. Ces trois petits mots en disent long et laissent planer une possibilité qui n'existe pas.

Carole ajoute :

— C'est trois petits mots vont te fournir des dizaines de tribunes pour défendre les positions du Cercle en commençant par demain.

Je suis loin d'être convaincu, mais elle a un point.

— Le dîner-bénéfice du 20 mars ?

Carole, qui en a pris la responsabilité, nous fait un bilan :

— Nous aimerions avoir trois cents personnes. Jusqu'à maintenant, nous avons une centaine de billets vendus. Jean et Paul font un excellent travail et m'assurent que l'objectif sera atteint. Ils ont l'habitude de ces dîners-bénéfice et ils ont le réseau pour vendre des tables.

Fred ajoute :

— Les spéculations autour de ta candidature faciliteront la vente de billets.

— J'aimerais avoir des gens de toute la région : Longueuil, Laval et des couronnes nord et sud.

Le dîner-bénéfice n'est pas ma seule priorité ce matin ; je veux aussi discuter de notre stratégie à venir. Il est vrai que nous avons eu du succès : le Cercle est maintenant bien connu, je suis devenu un personnage public invité à commenter chaque fois qu'il est question des intérêts de Montréal et de la région, et notre site internet est fréquenté par des milliers de personnes, sans considérer celles qui nous suivent sur Twitter et Facebook. Tout ça est bien beau, mais quoi faire de plus ?

— Dites-moi, maintenant que nous avons soulevé le débat et que nous sommes devenus un interlocuteur pour la grande région de Montréal, quelle devrait être notre prochaine étape ?

Carole réagit :

— Il faut rester dans l'actualité.

— J'aimerais en faire plus.

Fred répond :

— Aux États-Unis, des groupes d'intérêts avec de l'argent peuvent influencer des politiques gouvernementales avec des contributions aux campagnes électorales. Ici, avec nos règles de financement, ce n'est pas possible. La seule chose que nous pouvons faire est ce que nous faisons présentement.

— Nous pourrions monter une campagne publicitaire dans les médias, suggère Carole.

— Une idée intéressante, mais trop dispendieuse et qui soulèverait des questions sur nos moyens financiers. Il faut trouver le moyen pour s'assurer que les positions du Cercle fassent partie de la campagne électorale cet automne.

# Chapitre 26

# Pression

Je dois rencontrer Carole à sept heures dans le lobby de Radio-Canada sur René-Lévesque où nous sommes attendus pour notre première entrevue de la journée à l'émission *Matin-Express*. Cette rencontre sera suivie de trois interventions radiophoniques. Deux autres présences sont prévues aux émissions d'information de fin d'après-midi, incluant une présence à l'émission de Jean-Luc Mongrain. J'ai voulu refuser cette dernière parce que je ne peux sentir Mongrain, mais Carole me l'a déconseillé avec un avertissement :

— Tu ne veux surtout pas te le mettre à dos.

— S'il me considère comme un politicien-en-devenir, je l'aurai à dos. Il fait partie du groupe de journalistes qui ont tous la même attitude avilissante face aux politiciens, et ce sont eux qui sont en grande partie responsables de la mauvaise réputation des hommes politiques. J'espère seulement qu'il me considérera comme président d'un groupe de pression ; à ce titre, il me traitera peut-être avec circonspection.

Carole a terminé la conversation avec un bien pragmatique :

— Tu gardes cette opinion pour toi.

Même si ma réaction à une candidature possible est définitive, je dois admettre que la chronique d'Hurtubise et la rencontre avec Létourneau m'ont fait un petit velours. La possibilité de devenir maire de Montréal n'est pas offerte à quelqu'un tous les jours. J'en ai même discuté avec Noémie hier soir, et elle m'a ramené sur terre :

— J'espère que tu n'es pas sérieux. Si tu veux te lancer dans une telle galère, c'est ta décision et je t'appuierai, mais te rends-tu au moins compte des répercussions de ce geste ? Si tu te présentes, tu traverses la clôture et tu perds ta crédibilité ainsi que tout le respect que les gens ont pour toi, sans compter les conséquences sur ta vie personnelle... et la mienne.

Je n'ai pas répondu à cette tirade; je sais qu'elle a raison. Mais tout cela n'est pas normal.

Je suis arrivé à Radio-Canada le premier. Je suis nerveux. Lorsque j'anime mon émission, je suis en contrôle et je sais ce qui s'en vient. Aujourd'hui, c'est moi qui suis sur la sellette, j'entre dans une arène que je connais bien, une arène pleine d'individus qui voudront me mettre en boîte, trouver la question piège qui fera le clip des bulletins de nouvelles de la soirée. Depuis la chronique d'Hurtubise, mon statut a changé : je suis considéré désormais comme un politicien potentiel. J'ai bien l'intention aujourd'hui de remettre les pendules à l'heure.

Une jeune demoiselle aux cheveux en broussaille, vêtue d'un jeans délavé, troué aux genoux, et d'un veston bleu marine poussiéreux, que je devine être un reliquat d'un uniforme de collège à voir le contour d'un écusson arraché, nous approche et, après avoir consulté son écritoire à pince, demande :

— Maxime Beaubien ?

Je réponds d'un hochement de tête, distrait par l'odeur désagréable que dégage la petite demoiselle. Elle nous précède, Carole et moi, dans un long couloir aux murs construits de blocs de ciment, peints en jaune, et me fait entrer dans la salle de maquillage; elle m'invite à m'asseoir sur une des chaises avec un sec :

— Je reviens dans dix minutes.

Carole me regarde, frotte son index sous son nez et, à voix basse, me glisse à l'oreille :

— Une bonne douche serait de mise.

Nous sommes interrompus par la maquilleuse qui entre dans la pièce avec un grand sourire :

— Ai-je l'honneur de maquiller le futur maire de Montréal ?

Elle se hâte d'ajouter :

— Vous n'êtes pas obligé de répondre, gardez votre réponse pour tantôt.

Elle dirige une lampe sur mon visage et me noue une serviette autour du cou :

— Vous avez l'habitude : un peu de poudre pour les reflets et un coup de peigne avec un peu de fixatif.

Aussitôt dit, aussitôt fait et, après quelques minutes d'attente, la petite à l'écritoire vient nous chercher et nous installe dans une pièce où se trouvent deux fauteuils, une table à café et un téléviseur. Deux murs vitrés nous permettent de voir l'activité qui se déroule dans le studio. Carole se sert un café et me demande :

— T'en veux un ?

— Non merci, ça va.

Je suis beaucoup trop nerveux pour prendre quoi que ce soit. La régisseuse, des écouteurs aux oreilles et une écritoire dans les mains, vient nous avertir que mon interview est prévue pour sept heures vingt-cinq, qu'il devrait durer cinq minutes et que l'on viendra me chercher dans quelques minutes. Carole se lève et lui demande :

— Où se tiendra l'interview ?

— À la table du lecteur de nouvelles.

Carole se tourne vers moi :

— Tu as l'habitude d'être derrière une table. Ce matin, tu seras assis à l'extrémité. Sur les plans éloignés, la caméra montrera tes jambes. Il est donc important que tu laisses tes pieds à plat sur le plancher et que tu ne bouges pas, ce que l'on a tendance à faire lorsqu'on est nerveux. N'oublie pas, non plus, de t'asseoir sur la queue de ton habit pour t'assurer qu'il tombe bien sur tes épaules. Puis garde tes réponses courtes ; c'est une émission de nouvelles, pas d'analyse.

Comme promis, la réalisatrice vient me chercher ; j'ai le sentiment d'être livré en pâture à une meute de chacals affamés. Je me calme ; l'émission de ce matin est une émission d'information. Les chacals, c'est pour plus tard.

L'interview est tout ce qu'il y a de professionnel et se passe bien :

— Oui, depuis la fondation du Cercle, j'ai reçu des pressions pour me présenter.

— Pour le moment, la mairie ne fait pas partie de mes objectifs.

— Oui, j'ai été approché pour me joindre à un parti.

— Je crois pouvoir défendre les intérêts de la grande région de Montréal de façon plus efficace si je garde mon indépendance.

— Montréal doit être considérée et gérée comme une ville-région.

— Le problème le plus important est le déséquilibre fiscal entre Montréal, les banlieues à l'extérieur de l'île et le gouvernement provincial.

— Les décisions sont prises à Québec.

— Montréal a des responsabilités et des besoins particuliers que personne ne veut reconnaître.

Après l'interview, nous nous sommes précipités aux bureaux d'Azur pour les interviews radiophoniques. Elles se sont déroulées un peu comme celle du matin, sauf dans le cas du *morningman* Parent qui a voulu aborder le sujet de mon entourage. J'ai refusé de faire des commentaires. Il a insisté puis, exaspéré, j'ai déclaré :

— Les personnes qui travaillent pour le Cercle sont des professionnels et n'ont rien à se reprocher.

À cette réponse, Parent a fait le commentaire :

— Attention, monsieur Beaubien, il est important de savoir avec qui vous travaillez et vous auriez dû mieux vous renseigner avant de les engager. Le vieux dicton est toujours valable : *Qui se ressemble se rassemble.*

Ce à quoi j'ai répondu :

— Je ne réagis pas à ce type de commentaires farcis de sous-entendus.

L'interview s'est terminée avec un sec « Merci » de Parent qui a raccroché la ligne et a enchaîné sur un ton agacé : « Bon, passons à autre chose ». Carole a levé le pouce vers le haut et m'a fait un clin d'œil tout en ajoutant :

— Très bien, tu lui as tenu tête sans te faire de dommages.

Carole se lève, ferme l'enregistreuse qui a été en fonction durant les interviews, et se dirige vers une crédence où elle prend un dossier :

— Regarde le dernier sondage sur la notoriété des candidats potentiels à la mairie : le maire Clément Castonguay est à soixante-quatorze pour cent et Sylvie Larocque, la chef de l'opposition, est à quarante-deux pour cent.

Carole me tend les résultats. Je remarque que Felicia McCormick, la vice-présidente du comité exécutif de la Ville, est à six pour cent. Il y a quelques autres noms qui agissent comme point de référence. Parent, qui vient de m'interviewer, est à vingt-deux pour cent. Mon nom ne figure pas sur la liste ; le sondage a été effectué la semaine dernière, avant la publication de la chronique d'Hurtubise. Carole se lève tout en commentant :

— Peux-tu croire que vingt-cinq pour cent de la population ne reconnaissent pas le nom de son maire ?

— Pas surprenant, moins de cinquante pour cent de la population votent aux élections.

Sur ce, je quitte les bureaux d'Azur et je me retrouve sur la rue Saint-Jacques. Il n'est que neuf heures trente et les interviews m'ont épuisé. Je regrette maintenant d'avoir accepté de rencontrer Noémie et Conrad au Centre. Je me suis réveillé à quatre heures du matin et je préférerais de beaucoup retourner à mon appartement pour faire une sieste, mais Noémie et Conrad m'ont demandé de venir chez Montpossible pour discuter du plan d'action que Noémie a préparé.

Je décide d'y aller à pied, histoire de reprendre mon souffle.

\* \* \*

— Bonjour, Dédé.

Le portier du Centre est à son poste habituel, mais, aujourd'hui, l'imposant Haïtien porte une chemise couleur magenta et un bandeau de la même couleur autour de la tête. Il a l'air ridicule. Puis je me rappelle que, lors de ma visite en janvier, plusieurs jeunes étaient habillés exactement, il me semble, de la même façon. Un gang de rue ? Noémie m'avait alors promis une explication qui n'est jamais venue.

Je connais les aires et je me dirige vers le bureau de la mezzanine. Le Centre est vide à cette heure matinale, sauf pour deux jeunes qui passent le balai dans la grande salle. Je ne les reconnais pas, eux non plus, mais ils me dévisagent d'un air méfiant : *Un intrus dans la maison ; un homme à cravate. Qui est-il ? Que nous veut-il ? Qui cherche-t-il ?* Je les salue de la main sans obtenir de réactions.

Dans le petit bureau, je remarque que Noémie est assise derrière le bureau et Conrad dans la chaise d'invité. Tous les deux ont l'air songeur.

— Bonjour, vous deux. Comment ça va ?

Tous les deux sursautent, je les ai pris par surprise. Noémie est la première à réagir :

— Tu as bien fait ce matin.

Elle se lève et me donne un baiser un peu trop long pour être défini comme une embrassade entre amis. À voix basse, elle ajoute :

— *Love you.*

Conrad, témoin malgré lui de cette petite scène intime, se lève pour me serrer la main et ajoute :

— Je peux quitter la pièce pour un instant, si vous voulez !

Noémie retourne à la chaise derrière le bureau en ajoutant, avec un clin d'œil vers Conrad et un haussement des sourcils vers moi :

— Merci, mais nous nous reprendrons ce soir.

Puis, elle me présente un document. Je le lis en diagonale et je comprends vite qu'il s'agit d'un avis d'éviction. La date au bas de la page indique la date fatidique du 30 mai.

— Ce n'est pas une surprise ; vous vous y attendiez, non ?

Conrad se lève, s'adosse au mur et répond :

— Oui, on s'y attendait, mais maintenant, c'est définitif et nous n'avons que quatre-vingt-dix jours pour quitter les lieux.

— Tu as raison, ce n'est pas très long. Est-il possible d'obtenir un prolongement de bail ?

Ma question s'adressait à Conrad, mais il reste silencieux et jette un regard vers Noémie.

— J'ai parlé aux propriétaires il y a à peine quelques minutes, et ils m'ont avisé que la date est définitive.

Noémie me regarde dans les yeux et ajoute :

— Ils nous avaient déjà informés de la chose en septembre dernier, il y a plus de six mois, et ils considèrent que nous avons eu un préavis amplement suffisant. Une bonne nouvelle : j'ai découvert qu'ils sont des amis de mon père, et ils nous offrent de payer le déménagement.

Je me serais attendu à ce que Conrad intervienne, mais il demeure impassible.

— Nous avons quatre-vingt-dix jours pour déménager et l'église de Sainte-Rusticule est notre seule option. Un gros problème : la fermeture du culte est un processus qui prend un an.

— Ils devaient nous envoyer un formulaire de demande d'information. L'as-tu reçu ?

— Non, je n'ai rien reçu. J'ai appelé ce matin et j'ai laissé un message dans la messagerie vocale du presbytère.

Conrad, qui se tenait toujours un peu à l'écart, accoté au mur, se rapproche :

— Il ne faut pas s'attendre à beaucoup de coopération. Plusieurs paroissiens s'opposent à la fermeture de leur église et, à voir comment il nous a reçus, le marguillier Chicoine fait partie de ceux-là. Le vicaire épiscopal est de notre bord : ils en ont assez de voir leurs églises catholiques envahies par des communautés évangéliques. À court terme, si tu es d'accord, Noémie, je vais lui demander de nous louer le sous-sol de l'église et le presbytère.

Je comprends au ton et à la tournure de l'intervention qu'il semble y avoir eu passation des pouvoirs entre Conrad et Noémie.

— Je ne crois pas que nous ayons d'autres options. Quand peux-tu lui parler ?

Conrad prend le téléphone :

— Je l'appelle tout de suite.

Il consulte son annuaire téléphonique et compose le numéro. Nous devinons qu'il est tombé sur une messagerie vocale : il explique la situation et demande un rappel à Noémie ou, en son absence, à lui-même. Puis, il s'approche de moi et place une main sur mon épaule :

— Noémie et moi avons eu une longue discussion ce matin, et cette discussion était, pour moi, l'aboutissement d'un long mois de réflexion. La mort d'Eusèbe m'a fait réaliser qu'il ne me reste plus beaucoup de temps. Avec l'arrivée de Noémie et nos récentes discussions, j'ai décidé de prendre une semi-retraite. D'un côté, je suis fatigué et, de l'autre, j'ai accepté une offre que je ne pouvais pas refuser.

J'ai envie de l'interrompre avec une question d'un seul mot :

— Florence ?

Mais je choisis de me taire ; vaut mieux lui laisser le plaisir de me l'annoncer.

Je le laisse continuer, curieux de voir comment il va aborder le sujet.

— Tu sais, Maxime, qu'Eusèbe était mon meilleur ami. Nous avons partagé et vécu ensemble les grandes étapes de notre vie : nous sommes entrés chez les Jésuites ensemble, nous avons défroqué au même moment, et il m'a accompagné tout au long de la création de Montpossible. Il était mon meilleur ami, mais il y a toujours eu une ombre entre nous. Nous étions tous les deux amoureux de la même femme : moi, secrètement, lui, ouvertement. Je n'ai d'ailleurs jamais compris pourquoi il ne l'a jamais mariée. Mais, par amitié pour lui, j'ai gardé cet amour secret. Florence et moi sommes à l'épilogue de notre vie et nous nous sommes vus un peu plus fréquemment au cours des derniers mois.

Ce n'est ni le coup de foudre de l'adolescence, ni l'amour émoustillé de la vingtaine, ni l'amour réfléchi de la trentaine, ni l'amour responsable de la quarantaine, ni l'amour mature de la cinquantaine, mais l'amour rationnel de nos soixante ans, l'amour, je devrais dire l'amitié, de deux êtres qui choisissent de finir leurs jours ensemble. Ce n'est pas une véritable histoire d'amour, du moins pas pour elle, mais plutôt une agréable façon de vaincre la solitude des derniers jours d'une vie.

J'entends consacrer tous mes efforts, aussi faibles soient-ils, à cette relation et je passe les rennes de Montpossible à Noémie. Je me retire, je prends ma retraite, je crisse mon camp.

Sur ce, il sort son mouchoir et essuie les larmes qui sont apparues sur ses joues.

Puis il ajoute :

— C'est vraiment une semi-retraite : l'hiver, nous allons passer du temps à sa copropriété en Floride et nous passerons l'été à Montréal. Je pourrai continuer à vous donner un coup de main.

# Chapitre 27

# Changer sans changer

Je me suis réveillé avec Noémie dans mon lit, une situation inhabituelle pour un jour de semaine. Hier soir, elle est arrivée pour souper, mais avec deux valises, et elle m'a annoncé sans préliminaires :

— J'en ai assez de n'avoir qu'une brosse à dents ici.

Son arrivée m'a débalancé : il me semblait que quelque chose dans notre relation clochait, un sentiment qui s'était amplifié avec l'épisode de la Bar Mitsva de samedi dernier, et voilà qu'elle déménage dans mon appartement. Hier soir, l'expression sur mon visage a trahi mon état d'âme : elle a été prise d'un fou rire, m'a pris par la main et m'a dirigé vers le fauteuil du salon.

— Mon pauvre Maxime, ne fais pas cette tête-là.

— Depuis ton retour…

— Chut, laisse-moi t'expliquer : lors de ma visite chez mes parents le mois dernier, mon père a refusé de parler de notre relation. Je le connais bien : il n'est pas très heureux à l'idée de voir sa petite *jewish princess* s'amouracher d'un *goy*.

— Un quoi ?

— Un *goy*, un gentil, une personne qui n'est pas juive. Dans la religion juive, il est important que les mariages se fassent à l'intérieur de notre communauté. Cela n'a rien à voir avec du racisme, c'est une obligation imposée par la Bible, pour protéger la descendance et la pérennité du peuple juif, et s'assurer que le couple et leurs enfants suivent les préceptes de la Torah.

— Tu ne m'avais pas dit que tes parents étaient religieux.

— Ils ne le sont pas. Le problème vient plutôt de la pression exercée par la communauté. Cette pression prend la forme de reproches aux parents et peut aller jusqu'à l'ostracisme de certains groupes. C'est juste plus simple quand les enfants marient un ou une juive.

— Et toi, dans tout cela ?

— Mon identité n'est pas seulement juive, elle est québécoise, elle est nord-américaine, elle est mondiale. Je refuse de vivre dans un ghetto, aussi confortable soit-il. En passant, ma mère pense comme moi, mais elle doit respecter l'opinion de mon père.

— Nous faisons donc face à tout un problème.

— Mes parents reviennent de Floride jeudi, un mois avant la date à laquelle ils reviennent d'habitude.

Je dénote un brin de sarcasme dans son intonation.

— Pour ce qui est de la Bar Mitsva de mon cousin, je ne t'ai pas invité à m'accompagner parce que je ne voulais pas que le reste de la famille s'en mêle. Certains sont très religieux. Voilà des années que la famille veut me présenter de bons-petits-juifs-de-bonne-famille, et que je refuse.

Elle me prend par la main.

— Avec mon déménagement, je veux placer mes parents devant un fait accompli. Après tout, j'ai trente-quatre ans.

Je sens qu'elle est plus inquiète qu'elle veut le laisser paraître.

Autant sa décision de déménager dans mon appartement m'a plu, autant cette petite conversation m'a dérangé. La dernière chose que je veux est une chicane de famille, une situation que j'ai vécue avec la famille de Catheryne au début de notre relation.

\* \* \*

À mon arrivée au Cercle, nos recherchistes sont déjà dans la salle de conférence et Philip Simons s'affaire autour de son portable. Carole n'est pas encore là.

Je salue tout le monde et j'invite Philip à débuter. Carole est un véritable *control freak* et je sais qu'elle a déjà révisé la présentation de Philip. Ce dernier demande à ce que l'on tamise l'éclairage et il débute :

— Le premier graphique vous donne la progression du nombre de visites quotidiennes sur le site. Le premier jour nous avons eu cinq cent trente visites. Une personne sur deux qui a reçu notre courriel a visité le site. Vous remarquerez que le nombre quotidien de visiteurs est rendu à plus de deux mille. Le deuxième graphique nous donne une explication : notre liste d'adresses courriel à qui nous envoyons nos communiqués compte maintenant trois mille noms. Depuis un mois, nous avons reçu plus de mille demandes d'inscription au site, et plus de cent demandes d'adhésion au Cercle ; nous avons même reçu quelques milliers de dollars en dons, même si nous n'avons fait aucune sollicitation.

Philip est interrompu par Carole qui arrive en trombe :

— Excusez mon retard, mais j'étais à la conférence de presse de Felicia McCormick. Elle vient d'annoncer son intention de présenter sa candidature à la tête du parti de Clément Castonguay.

Je réagis d'une manière détachée, même si mon cœur ne fait qu'un tour. Même si j'ai refusé de me présenter, je ressentais un certain confort à l'idée que cette alternative existait. Les choses viennent de se compliquer.

— Merci, Carole, c'est intéressant. Elle fera une excellente candidate.

— Ce n'est pas tout : durant la rencontre de presse qui a suivi, elle a déclaré qu'elle voulait mettre en place une nouvelle équipe à la tête de son parti et qu'il était temps de changer la vieille garde.

Je regarde Carole, et elle me fait un clin d'œil discret.

Sylvie Delagrave, la professeure au Collège militaire de Saint-Jean, ajoute :

— Une telle déclaration ne veut dire qu'une chose : elle n'a pas l'appui de l'*establishment* de son parti et il y a une guerre intestine qui se prépare.

Tony Adornato, le professeur de Concordia, lance :

— J'ai lu, en fin de semaine, que le parti avait quelqu'un en vue et que cette même personne a déclaré que, « pour le moment », elle n'avait pas l'intention de se présenter.

Le fameux *pour le moment* qui vient me hanter. J'avais prévu que le sujet ferait surface ce matin : les membres du comité sont des mordus de la politique, aiment la politique, mangent de la politique et suivent la politique comme si c'était un sport national. Je ne peux donc échapper à la discussion :

— Le parti du maire Castonguay m'a approché pour m'offrir la candidature de leur parti pour les prochaines élections. Ma réponse a été claire et demeure claire : je n'ai pas l'intention de me présenter pour le moment. Carole vous expliquera la raison pour laquelle je n'ai pas complètement fermé la porte.

Carole me lance un regard irrité et lance un bref :

— Aux yeux de la population et des médias, Maxime est devenu un candidat potentiel, et tant et aussi longtemps qu'il sera considéré comme tel, il sera sur la place publique. Autant d'occasions pour défendre et faire connaître nos positions.

Puis, elle revient sur la candidature :

— La candidature de Felicia McCormick est intéressante, mais ses chances de gagner sont faibles : elle demeure une anglophone et c'est un handicap au Québec, nul ne peut le nier.

Adornato fait valoir ses connaissances :

— Le dernier maire anglophone à Montréal a été Henry Archer Ebers, il y a plus de cent ans, en 1906, si je ne me trompe pas.

Carole ajoute :

— Anglophone et femme : elle a déjà deux prises contre elle.

Karla Anaskova ne peut laisser passer une telle remarque :

— Attention, nous sommes passés à un cheveu de voir une femme à la présidence des États-Unis avec Hillary Clinton et nous avons, au Québec, Pauline comme chef de l'opposition. Aujourd'hui, être femme est devenu un atout en politique ; les hommes font tellement un mauvais job. Louise Harel a failli gagner et n'a perdu que parce qu'elle ne parlait pas anglais.

Adornato lance :

— Sarah Palin ?

Mais il ne reçoit aucune réaction, sauf une grimace de Karla.

Sylvie Delagrave démontre son pragmatisme :

— Il ne faut pas oublier que les Québécois-de-souche sont devenus une minorité sur l'île et que les anglophones et les allophones représentent la moitié de la population. Il n'y a aucun doute dans mon esprit que Louise Harel savait qu'elle avait peu de chance de gagner, à moins d'une course à trois qui aurait divisé le vote. C'est ce qui est arrivé et elle a bien failli passer. Felicia McCormick a de bonnes chances de gagner une course à trois. Elle est en mesure de rallier tant les allophones que les femmes.

Adornato me regarde et lance :

— Dans une course à deux contre un candidat fort, elle n'a aucune chance.

Carole s'assoit à la table et met fin à la discussion :

— Philip !

Il fixe Carole d'un œil réprobateur et continue :

— Avant l'interruption, *I was going to say* que nous avons atteint un plateau, le plateau que nous voulions atteindre : notre liste d'abonnés est composée de la clientèle cible que nous voulions obtenir, soit les politiciens, les journalistes et les personnes reliées au monde municipal. Il faut maintenant rejoindre la population en général.

Le site de Google apparaît à l'écran.

— Depuis une semaine, nous utilisons Google pour diriger les internautes vers notre site : nous avons acheté une dizaine de mots-clés : Montréal, Laval, Longueuil, municipalités, régions… Lorsque les visiteurs utilisent ces mots dans le cadre d'une recherche, ils voient s'afficher, en haut de leur écran et dans un encart séparé, un message du Cercle.

Philip utilise le mot *Montréal*, et le premier élément qui apparaît est le nom du Cercle. Il clique sur l'encart et la page d'accueil de notre site surgit à l'écran.

— Nous avons aussi acheté de la publicité-bannière qui s'affiche régulièrement sur ces même pages-résultats de Google. Le nombre de visiteurs a doublé la semaine dernière.

Philip ferme l'écran et Carole en profite pour intervenir :

— Nous avons eu deux moments forts dans les médias depuis la création du Cercle. Le premier, lors de l'annonce de la création du Cercle. Notre présence dans les médias s'est maintenue durant plusieurs jours grâce aux réactions à la fondation du Cercle. Notre réponse à l'affirmation d'Elisabeth Burns, la ministre des Régions et députée du comté de Gaspé, à l'effet que la région de Montréal était incluse dans tous les programmes, au même titre que toutes les autres, a fait les manchettes : « Montréal n'est pas une région comme les autres. » Puis, pour relancer le débat, nous lui avons posé une série de questions : « Quel budget a été alloué à la région de Montréal, cette dernière étant définie comme l'île de Montréal, Laval et Longueuil, une région qui représente la moitié du pouvoir économique du Québec ? Quelles mesures particulières ont été mises en place pour aider la seule ville-région du Québec à concurrencer les autres grandes villes-régions du monde ? » Le lendemain, nous avons eu une autre bonne couverture avec notre réaction aux critiques de l'opposition qui maintenaient que : « Sans les régions, Montréal ne serait pas ce qu'elle est aujourd'hui. » Maxime a répondu : « Je suis d'accord et si Montréal n'était pas la vache à lait des régions, Montréal aurait, au cours des années, progressé beaucoup plus rapidement. » Nous l'avons relancé, elle aussi, avec une question : « Les taxes et les impôts perçus dans la région de Montréal représentent soixante-cinq pour cent de tous les revenus de la province. Quel pourcentage revient dans la ville-région de Montréal ? » Ni l'une ni l'autre n'a répondu. L'autre moment fort a suivi la diffusion des conclusions du colloque. Le RDCR, les régions et, même, le maire Labeaume, ont réagi, tel que prévu, et nous ont assuré une couverture médiatique appréciable. Il faut donc continuer à soulever la controverse ; c'est la clé de notre stratégie, mais cette stratégie demande une modification. Les déclarations lors de la création du Cercle et les conclusions du colloque ne s'adressaient à personne. Nous avons reçu une bonne couverture parce que nous étions une nouveauté sur l'échiquier politique. Si nous continuons à soulever la controverse, j'ai l'impression que nous allons stagner. Nous devons passer à un autre niveau, celui de la confrontation, mais une confrontation que je qualifierais de « positive », si je peux dire. Il ne faut surtout pas tomber dans le piège du négativisme comme le fait le Parti québécois avec ses sempiternelles critiques du fédéral. Il faut convaincre la population du bien-fondé de nos positions. J'ai travaillé avec Sylvie au cours des derniers jours et nous avons une stratégie à proposer. Sylvie, tu veux expliquer, s'il te plaît ?

— Dans mes cours au Collège militaire de Saint-Jean, je dois enseigner aux officiers des méthodes d'analyse qui leur permettent de comprendre les institutions particulières d'un pays où ils pourraient être déployés. La clé pour bien les comprendre réside dans l'analyse des raisons et objectifs qui ont motivé, à l'époque, la création des institutions d'un pays. Plusieurs de ces établissements et structures souffrent d'une maladie que j'ai baptisée « changer sans vraiment changer », une tare qui afflige plusieurs institutions et structures au Québec. Elle consiste à apporter continuellement des modifications et des ajustements à des structures et à des réglementations, sans jamais remettre en question les raisons originales pour lesquelles ces créatures ont été mises sur pied. Par exemple, Maxime, dans l'une de ses émissions, s'est interrogé sur la pertinence de l'existence des commissions scolaires. Il a analysé la situation telle qu'elle existe aujourd'hui. S'il avait…

Je la regarde, elle se tourne vers moi, et ajoute :

— … oui, Maxime, c'est une critique… S'il avait d'abord établi les raisons pour lesquelles les commissions scolaires avaient été créées à l'origine, il serait vite arrivé à la conclusion que les raisons qui avaient justifié la création de ces commissions scolaires n'existent plus aujourd'hui, et que tout le système doit être remis en question. Les auditeurs auraient mieux compris.

Philip ajoute :

— Avec cette approche, nous allons remettre en question les structures et les institutions qui régissent l'administration de Montréal. Le monde veut comprendre, et cette approche atteindra cet objectif.

Carole sort de son porte-documents une liasse de dossiers qu'elle place devant moi :

— La première cible est le découpage des régions administratives. Le texte explique les raisons pour lesquelles ces régions administratives ont été créées et démontre le ridicule du découpage de la grande région de Montréal en cinq régions administratives, et trois sous-régions pour la Montérégie, avec le résultat que des fonctionnaires différents à Québec sont responsables de Laval, de Montréal et de Longueuil. Comment assurer une concertation ? Les régions administratives ne servent qu'à atteindre un objectif : DIVISER POUR MIEUX CONTRÔLER. Les questions sont adressées au ministre responsable de la région de Montréal, Mario Langevin.

— Merci, excellent travail. Philip, Facebook et Twitter, est-ce que nos chiffres augmentent ?

— Les chiffres du Cercle sont stables, mais les tiens ont augmenté de façon appréciable depuis la fin de semaine. Tes amis sur Facebook sont rendus à trois mille, mais les abonnés à ton compte Twitter ont presque doublé pour atteindre huit mille.

# Chapitre 28

# Les parents

Je prends le petit-déjeuner ce matin avec Jean et Paul au restaurant Renoir de l'hôtel Sofitel sur Sherbrooke, l'endroit « in » de la classe d'affaires pour les petits-déjeuners. L'hôtel est à une dizaine de minutes de marche de mon appartement. La journée est ensoleillée et, déjà, à cette heure matinale, les trottoirs commencent à être détrempés par la neige qui fond. Les nombreux propriétaires de chiens que je croise à cette heure matinale se rendent au parc Percy-Walters ; ils ont des mines radieuses, même si un bon nettoyage de pattes sera de mise au retour à la maison.

Le parc Walter a divisé notre quartier en deux clans au cours des dernières années : les amis des chiens et les amants de la nature. Le parc a, petit à petit, été confisqué par les propriétaires de chiens, à un point tel que plusieurs résidants craignent désormais de s'y aventurer. Je me souviens du jour où quelques personnes ont demandé qu'une clôture de protection soit érigée autour de l'arbre planté en l'honneur du très honorable Pierre Elliott Trudeau. Curieux, je suis parti à la recherche de l'éminent arbre en question pour découvrir un arbuste chétif, au pied duquel une plaque informe le visiteur que l'arbre a été planté « avec le compost produit à même les fleurs envoyées par les Canadiens et les Canadiennes lors du décès de ce dernier ». De toute évidence, l'arbrisseau n'a pas apprécié le sous-produit des fleurs en question. La plaque est signée : « Ville de Montréal ». Heureusement que le ridicule ne tue pas.

Je me rends à ce petit-déjeuner ce matin par respect pour mon oncle et je devine déjà le sujet de conversation. Mais j'ai autre chose en tête ce matin et non la moindre : les parents de Noémie sont revenus de Floride hier et je dois souper avec eux ce soir. J'ai l'impression que l'annonce du déménagement de Noémie à l'appartement a précipité les choses.

À mon arrivée, Jean et Paul sont en grande discussion avec une serveuse ; je devine la session de badinage usuelle entre deux habitués de la place et la jolie serveuse qui a l'habitude de les servir.

— Voilà notre invité.

Jean se lève et me sert la main.

— Nadine, vous nous servez des jus d'orange et du café.

La demoiselle me regarde d'un regard curieux, puis un large sourire apparaît sur son visage.

— Bienvenue au restaurant Renoir, monsieur Beaubien.

— Merci.

Paul ne se lève pas et me tend la main :

— Bonjour, Maxime, ça va ?

— Oui, occupé.

— Ton émission ? Si je ne me trompe pas, tu enregistrais hier. Le sujet de dimanche ?

— Le déséquilibre fiscal entre le municipal et les deux autres paliers de gouvernement. Le municipal n'a qu'une véritable source de revenus : la taxe foncière qu'elle partage avec le scolaire. Pour faire face à ses dépenses importantes, entre autres ses dépenses d'infrastructures, elle dépend de transferts des gouvernements provinciaux et fédéraux, et ce sont ces derniers qui établissent les priorités, des décisions qui ne sont pas toujours rationnelles. L'état pitoyable des infrastructures de Montréal est un bon exemple : comment l'agrandissement de la route 175 dans le parc des Laurentides, entre Québec et Saguenay, est-il plus important que la réfection de l'échangeur Turcot à Montréal qui risque de s'écrouler si rien n'est fait ? Je retiens mon souffle chaque fois que je dois y passer.

Jean me présente le menu.

— Nous devrions commander, j'ai un autre rendez-vous.

Il fait signe à Nadine.

Puis, il ajoute :

— Carole m'a parlé il y a quelques jours et elle m'a fait part du fait que tu désirais de bonnes délégations de Longueuil et de Laval au dîner-bénéfice. Il n'est pas facile de faire traverser les ponts.

— J'espère que nous aurons d'autres personnes que des résidants de Montréal.

— Nous avons une cinquantaine de personnes de Laval et un peu plus de Longueuil. Nous avons vendu plus de quatre cents billets.

— Je vous remercie tous les deux, Carole m'a dit que vous lui aviez donné un bon coup de main.

Paul ajoute :

— L'article de Rodrigue Hurtubise et les entrevues télévisées ont beaucoup aidé.

Nadine l'interrompt.

Je jette un regard rapide sur le menu et mon attention est attirée par un choix d'œufs bénédictins. Je commande Le Montréalais ; j'aime le gravlax de saumon.

— Sauce choron ?

— Une béarnaise avec un peu de pâte de tomates. Un excellent choix, monsieur Beaubien.

Jean et Paul commandent un panier de viennoiseries.

Paul continue :

— Tu es maintenant considéré comme un candidat potentiel et les gens veulent t'entendre et te rencontrer.

— La chronique d'Hurtubise a peut-être facilité la vente de billets, mais elle a rendu ma crédibilité suspecte.

Jean réagit :

— C'est justement la raison pour laquelle nous voulions te rencontrer ce matin. Nous avons entendu parler de ta rencontre avec Charles Létourneau et nous comprenons ta réaction, mais nous sommes d'avis tous les deux que tu devrais y réfléchir.

— Felicia McCormick me semble une bonne candidate.

Paul me lance abruptement :

— C'est parce que tu ne la connais pas.

Jean renchérit :

— Je connais bien cette Felicia et elle n'a pas les capacités pour gérer la ville. Pour elle, tout le monde il est beau, tout le monde il est fin. Elle écoute tout le monde, devient ensuite confuse, avec le résultat qu'elle est incapable de prendre une décision.

— Pourtant, elle a décidé de se lancer dans la course.

— Poussée par des groupuscules d'âmes bien-pensantes qui s'opposent à tout développement, qui sont verts tout le tour et qui pensent pouvoir l'influencer.

Paul ajoute :

— Son élection serait un désastre. Maxime, nous faisons appel à ton sens civique et nous te demandons de reconsidérer ta décision pour le bien de Montréal.

Jean ajoute :

— Le parti de Castonguay, Progrès Montréal et le Parti libéral du Québec sont derrière toi.

— Écoutez, c'est flatteur, mais je continue à croire que je peux faire quelque chose pour Montréal et sa région à l'extérieur des cadres établis.

Après le petit-déjeuner, je suis revenu à la maison et j'ai travaillé sur ma chronique de la semaine prochaine : les traditionnels nids de poule qui apparaissent dans les rues tous les printemps. Contrairement aux autres chroniqueurs, je me suis attaqué à l'idée qu'ils sont normaux dans un climat comme le nôtre et qu'il faut vivre avec. Une chronique difficile à rédiger ; il est plus facile de blâmer et de ridiculiser la ville.

Il est maintenant dix-sept heures et Noémie doit passer me prendre pour le souper chez ses parents.

La température est douce et il commence à neiger : de gros flocons qui disparaissent dès leur arrivée sur l'asphalte. Il me semble que c'est un peu de bonne heure pour les giboulées de mars, mais avec le réchauffement de la planète, qui peut se surprendre ? La circulation est dense en ce vendredi mouillé, et Noémie est en retard. J'appréhende cette première rencontre avec ses parents, mais je me rassure à l'idée qu'ils n'ont pas fermé la porte et qu'ils ont accepté de me rencontrer.

Noémie arrive enfin.

— Comment a été ta journée ?

— J'ai fait visiter Montpossible à mes parents et, après, nous sommes allés voir l'église et le presbytère ; le marguillier Chicoine a été encore plus désagréable que la première fois.

— La réaction de ton père ?

Prévisible : « *You are out of your mind.* » Mon père est d'avis que les coûts de rénovations seront beaucoup trop élevés et que ce serait moins dispendieux de construire du neuf. Je lui ai expliqué les circonstances entourant le déménagement, et il a compris. Et toi, ta journée ? Deragon et Underhill ?

— Toujours la même rengaine ; ils veulent que je me présente à la mairie.

— Tu sais qu'ils ne lâcheront pas le morceau, surtout si Felicia McCormick a l'intention de les tasser.

— Ça va être intéressant de voir qui va tasser qui. Jean et Paul ont beaucoup d'expérience et en ont vu d'autres.

Je lui place une main sur le genou :

— Je te promets de te tenir au courant. Tu es la première intéressée dans cette aventure. Mais laissons la politique de côté. Dis-moi, ce soir, comment vais-je être reçu ?

Elle place sa main sur la mienne :

— Ne t'inquiète pas, tu seras bien reçu. Ma mère est tellement soulagée de me voir…

Elle s'arrête et me jette un coup d'œil.

— … peut-être enfin casée.

Cela dit avec un grand soupir.

Arrivé à la maison de la rue Lyncroft, j'ai tout à coup un sentiment de déjà-vu ; ma première rencontre avec les parents de Catheryne me vient à l'esprit ; ils étaient plus nerveux que moi et nous n'avons jamais réussi au cours de cette longue et pénible soirée à nous sentir mutuellement confortables. J'espère que ce soir ne sera pas une répétition de cette expérience désagréable.

Je suis un peu rassuré par l'excitation que je sens chez Noémie à l'idée de me présenter à ses parents. Son attitude décontractée me fait comprendre qu'elle a préparé le terrain et qu'elle sait ce qui s'en vient.

Noémie entre dans la maison avec un : « *Hello, we're here.* » Nous sommes reçus par son père, un homme de ma grandeur, aux cheveux gris, qui me reçoit avec une poignée de main indifférente :

— Bonsoir, Maxime.

Sa contenance est celle d'un homme sûr de lui. Son français est excellent, parlé avec un accent bien québécois, entremêlé de mots prononcés à la française, résultat sans doute d'un mariage avec une Marocaine.

Cette conclusion est confirmée avec l'apparition de la mère de Noémie qui sort de la cuisine et l'embrasse, tout en lui demandant :

— Présente-moi ce beau garçon.

L'accent nord-africain est agréable. J'ai toujours aimé ce son doux et mélodieux.

Noémie s'exécute sur un ton un peu formel :

— Maman, je te présente Maxime Beaubien, le brave homme qui désire vivre avec ta vieille fille.

Je dénote dans le visage de la mère un léger froncement des sourcils, mais elle ne dit rien. Je sens qu'il y a beaucoup plus dans cette remarque, lancée sur un ton sarcastique, qu'une tentative d'humour. Noémie vient de faire passer un message à ses parents. Elle se tourne vers moi :

— Maxime, je te présente Majda, que tout le monde connaît comme Maj.

— Bonjour, madame Goodman, je suis heureux de vous rencontrer.

Je m'approche et nous nous donnons l'accolade. Elle a placé ses mains sur mes avant-bras et je sens une légère pression que j'interprète comme un signe d'approbation.

— Vous m'excusez, je dois retourner à la cuisine. John, tu leur offres un verre et je suis avec vous dans cinq minutes.

Le père de Noémie me demande :

— Qu'est-ce que tu prends ?

Je vois une bouteille de Glenlivet sur le comptoir :

— Un scotch sur glace, s'il vous plaît.

Il me sert puis prépare deux verres de Saint-Raphaël pour Maj et Noémie. Puis il se penche, sort une bouteille de vodka Grey Goose et se sert. Avoir su, j'aurais préféré la même chose, mais il est trop tard.

Il s'installe dans un fauteuil placé devant le téléviseur ; il n'y a aucun doute que c'est le sien. Vient un moment de silence que je brise en demandant :

— J'ai remarqué dans le cadre de la porte d'entrée un *mezuzah*. J'en connais la signification, quelques-uns des professeurs avec qui j'enseigne en ont placé à la porte de leur bureau, mais je me suis toujours demandé pourquoi est-il placé en diagonale ?

John sourit :

— Tu dois déjà savoir, pour être avec ma fille, que nous, les Juifs, aimons un bon débat et des débats qui durent longtemps. Pour le *mezuzah*, les rabbins ne se sont jamais entendus à savoir s'il devait être placé à l'horizontale ou à la verticale : ce que tu vois est le résultat d'un compromis.

— Un compromis ? Je veux savoir.

Maj se présente au salon avec un plat de croustilles et de noix.

Noémie répond à travers un soupir :

— Maman, nous parlons de la position du *mezuzah*.

John change de sujet :

— Noémie, j'ai de bonnes nouvelles, j'ai parlé de l'église et du presbytère à mon ami Aaron Sternthal, qui est dans l'immobilier : il est d'avis, lui, que tu devrais en profiter et acheter. L'immobilier du centre-ville n'est plus abordable et toutes les chiottes, même dans le quartier Hochelaga-Maisonneuve, se vendent à fort prix pour être transformées en copropriétés. Ils pensent même que ce serait un bon achat à long terme, juste pour la valeur du terrain, et il serait même prêt à te signer une option d'achat pour te faciliter l'obtention d'un financement.

La discussion se poursuit sur Montpossible, ce qui me donne la chance de relaxer un peu et d'examiner d'un peu plus près mes beaux-parents potentiels, porteurs d'une partie du bagage génétique qui pourrait contribuer à la conception de mes enfants. Je suis encouragé : John est un bel homme de un mètre quatre-vingts, avec une stature qui est demeurée athlétique malgré son âge. Il est évident qu'il surveille son poids et que ses dix-huit trous de golf quotidiens contribuent à maintenir sa forme physique. Maj est le portrait de Noémie avec des rides et quelques kilos de plus, inévitables avec les années.

Maj nous invite à la table. Un souper agréable avec une discussion qui tient lieu d'interrogatoire sur mes parents, mon passé, mon présent, ma carrière et mes ambitions pour le Cercle, le tout entrecoupé, pour balancer l'échange, de quelques bribes d'informations sur la famille Goodman et son passé. Maj nous sert un poulet M'Hammar avec sa sauce aux piments doux et au foie de poulet, le tout accompagné d'un plat de Zaalouk, en fait une bonne vieille ratatouille française avec un peu plus de citron.

Revenu au salon, j'ai eu droit de la part de Maj au supplice des albums de photos d'enfants de Noémie, sous l'œil gêné de cette dernière et de l'indifférence de John, qui a demandé la permission d'écouter les nouvelles. La soirée s'est terminée avec l'album photo du mariage de Maj et John, sous l'œil réprobateur de Noémie qui, de toute évidence, n'apprécie pas le manque de subtilité de sa mère.

En entrant dans la voiture pour notre retour à l'appartement, Noémie a résumé la soirée dans une phrase :

— Maxime, tu as gagné le premier round.

# Chapitre 29

# Dîner-bénéfice

Un début de semaine frustrant : je suis de plus en plus considéré comme un politicien et c'est la dernière chose que je veux. L'annonce de la candidature de Felicia McCormick a soulevé l'intérêt pour l'élection de l'automne et mon nom revient dans toutes les émissions et dans tous les articles sur le sujet. Je suis devenu un candidat potentiel et j'ai bien peur que le dîner-bénéfice de ce midi ne fasse qu'alimenter les spéculations.

D'un autre côté, le texte publié sur le découpage des régions administratives n'a pas connu les résultats escomptés, sauf pour quelques lignes intercalées entre deux annonces dans les dernières pages des journaux quotidiens. La couverture s'est limitée à un bref sommaire, et à la réaction laconique du ministre Langevin : « Les régions administratives forment la base de la structure organisationnelle du gouvernement et il n'est pas question de les modifier ». Nous avons bien eu une centaine de réactions dans notre section clavardage, mais l'impact a été mineur. Carole a expliqué le manque d'intérêt avec un inquiétant :

— Nous ne sommes plus une nouvelle ; le Cercle fait maintenant partie du décor comme les syndicats, les chambres de commerce, le Conseil du patronat et les groupes environnementaux.

Une remarque qui m'a fait réfléchir.

\* \* \*

Ce matin, nous avons convenu de nous rencontrer dans les bureaux du Cercle quelques heures avant le dîner-bénéfice pour prendre connaissance des dernières nouvelles et revoir les préparations. À mon arrivée, Carole et Fred sont déjà là. Je sens une fébrilité qui s'accentue lorsque Frank, l'adjointe administrative, entre dans la pièce et nous distribue le dossier de presse de la semaine. Elle confirme ce que j'avais constaté dans les grands médias montréalais :

— Peu de réactions à notre texte sur les régions administratives dans les journaux, sauf pour quelques éditoriaux dans les feuilles de chou régionales. Vous retrouverez les textes entre les annonces de minounes et les spéciaux : poutines-deux-hotdogs-avec-un-grand-Coke-gratuit-à-trois-dollars-quatre-vingt-dix-neuf chez Ti-Mé. Ne perdez pas votre temps à lire les textes, ils se sont tous accrochés sur l'affirmation que la région de Montréal est une communauté distincte et devrait avoir un statut particulier comme région administrative. Je vous les résume : « La méchante région de Montréal se prend pour une autre et veut tirer la couverte de son bord alors qu'elle a déjà tout à elle. » Il y en a même un qui maintient que la région de Montréal, avec sa diversité ethnique, n'est pas le reflet de la société québécoise, et que des mesures devraient être prises pour « québéciser » Montréal.

Carole ajoute :

— Ça ne vole pas haut.

Fred se lève pour se servir un café tout en lançant :

— Je gage un dix que la dernière remarque vient du Saguenay. Cette gang-là vit encore à l'ère des années cinquante. Pour eux, nous devrions tous être catholiques, cultivateurs et obéir à monsieur le maire et à monsieur le curé.

Carole intervient :

— Messieurs, ne nous abaissons pas à leur niveau. Nous devons maintenir le débat à un niveau élevé. C'est la meilleure défense contre des...

Elle hésite un instant et termine :

— ... des conneries de cet acabit.

Puis elle nous annonce :

— Nous avons retenu les services de la maison de sondage Sonda-maître avec le mandat d'effectuer un sondage sur la perception des résidants de Montréal par rapport l'influence des régions sur le gouvernement à Québec ; une façon pour nous de savoir si nos efforts portent des fruits. Nous avons aussi ajouté des questions destinées à faire passer des messages tels que : savez-vous que plus de quatre milliards de nos taxes servent à financer des services dans les régions ? Le sondage se fera aussi dans les régions pour déterminer la perception des gens des régions face à Montréal. Nous connaissons déjà la réponse : « Les Montréalais sont arrogants, égoïstes et ignorants des besoins des régions. Mais il faut valider. » Nous avons aussi glissé quelques questions pour mesurer le taux de satisfaction des citoyens devant les efforts du maire Castonguay et de la chef de l'opposition, Sylvie Larocque, pour défendre Montréal devant l'offensive des régions et de la ville de Québec. Ça pourrait servir. L'on n'a pas pu s'empêcher d'ajouter une dernière question qui force le répondant à réfléchir : « Pensez-vous que Felicia McCormick possède les qualités pour bien défendre les intérêts de Montréal ? » Le sondage sera effectué la semaine prochaine.

Je ne suis pas tout à fait d'accord avec la dernière question ; elle n'a rien à voir avec le Cercle, mais je laisse passer, curieux de connaître les résultats.

— Le donneur d'ordre pour un sondage demeure-t-il confidentiel ?

— Absolument, et nous diffuserons seulement les résultats qui font notre affaire.

Carole s'arrête un bref instant et se tourne vers Frank :

— Frank, as-tu la liste des convives de ce midi ?

Frank nous distribue un dossier tout en nous expliquant :

— Nous avons atteint la capacité de la salle avec cinq cents personnes. Si vous vous rappelez nos prévisions, nous en espérions quatre cents et avions un objectif de trois cents, mais l'annonce de la candidature de madame McCormick a donné une tout autre signification au dîner. Vous trouverez dans le dossier la liste des tables vendues ; les dernières, une dizaine, se sont vendues cette semaine. La Ville de Montréal en a acheté deux, et, surprise, huit tables ont été retenues par la communauté juive de Montréal.

Fred demande :

— La communauté juive ?

Frank, avec un large sourire répond :

— Une certaine Noémie et son père sont de bons vendeurs.

Noémie ne m'avait rien dit.

Fred ajoute :

— Regardez qui sera aux tables de la ville de Montréal, les tables 24 et 25.

Sur les seize personnes, je vois que le maire Clément Castonguay sera là, accompagné de Felicia McCormick et d'une majorité des membres de l'exécutif de la ville.

— Croyez-vous qu'ils sont tous avec elle ?

La question est destinée à Fred :

— Non, seul Castonguay lui a donné officiellement son appui. Pour les autres, il est beaucoup trop tôt pour qu'ils s'affichent ; mais, en les invitant, elle a réussi un bon coup.

J'ajoute :

— Le fait qu'ils aient acheté des tables est une forme de caution pour le Cercle.

Fred lance :

— Ne te fais pas d'illusions. Tu es un adversaire potentiel et elle ne voulait pas te laisser toute la place.

Après avoir parcouru la liste alphabétique des convives, je trouve à la fin une feuille avec une liste des entreprises qui ont acheté une table. Construction Deragon a acheté dix tables.

— Jean Deragon a acheté quatre-vingts billets ?

Carole répond :

— Il les a donnés à ses clients de l'extérieur de l'Île.

Frank se lève, prend un grand carton qu'elle place sur un trépied, et nous explique :

— L'agencement des tables pour un dîner comme celui-là est toujours délicat ; la perception des convives veut que plus on est près du podium, plus on a de l'importance. Il est impossible de satisfaire tout le monde. Pour ce midi, nous avons créé six rangées de dix tables. Les tables ont été numérotées de un à soixante. Les numéros de table ne confèrent pas de statut particulier ; la table d'honneur porte le numéro trente-six.

Frank s'arrête un instant pour voir s'il y a des commentaires. Carole demande :

— Les journalistes ?

— Deux tables ont été prévues.

Fred s'adresse à Carole :

— La presse télévisée sera-t-elle là ?

— Au début, ils ne m'ont pas donné signe de vie, mais dès qu'ils ont su que Felicia McCormick et le maire Castonguay seraient là, ils m'ont informée de leur présence. L'événement est devenu politique. Nous devrions avoir des clips aux nouvelles de ce soir.

Je ne suis pas surpris d'entendre Fred ajouter :

— De vraies mouches à marde. Dès qu'ils sentent qu'il pourrait y avoir controverse, ils sont là.

Carole tempère :

— C'est leur métier, et je suis bien contente qu'ils soient là. Nous devrions remercier madame McCormick. C'est elle qui va nous assurer une bonne couverture.

Frank continue :

— Les trois tables devant le podium sont les plus prestigieuses ; je les ai donc réservées pour la table d'honneur et les membres agréés du Cercle. Personne ne peut s'objecter à ça. Ensuite, j'ai placé les deux tables de la Ville de Montréal dans la deuxième rangée avec celle de la Chambre de commerce du Montréal métropolitain. Puis j'ai privilégié ceux qui avaient acheté une table complète.

Frank reprend sa place à la table.

Je demande :

— Des représentants de Québec ?

Carole, qui a le nez dans la liste d'invités, répond :

— Deux sous-ministres et deux attachés politiques.

Fred ajoute :

— Laisse-moi deviner : des gens du ministère des Régions et des Affaires municipales ?

Carole répond avec un :

— Bingo !

Et ajoute :

— Un ministre n'aurait jamais osé se présenter de crainte de nous donner de la crédibilité et, pire encore, de se voir obligé de répondre à des questions.

Frank demande :

— J'ai estimé un profit de vingt mille dollars. J'ai fait préparer un grand chèque. J'imagine, Maxime, que tu veux en faire le dévoilement ?

Je n'ai pas la chance de répondre que Carole et Fred lancent un « non » simultané.

— Pas de présentation de chèque, pas de dévoilement de montant. Nous ne voulons pas donner une idée de nos moyens financiers et soulever l'intérêt d'un journaliste curieux qui voudrait en savoir plus sur nos sources de financement. Ils ne sont pas fous et devinent bien que nous avons des moyens financiers importants, explique Fred.

Carole ajoute :

— Nous ne sommes pas un organisme de charité et nous n'avons de comptes à rendre à personne. Maxime, tu te limites à remercier tout le monde de leur appui.

Carole, qui agira comme maître de cérémonie, demande :

— Je limiterai les introductions au maire Clément Castonguay et au président de la Chambre de commerce. Est-ce que je mentionne la présence de Felicia McCormick ?

Fred répond d'un rapide :

— Non, j'ai regardé la liste et il y a au moins une quinzaine d'autres conseillers municipaux dans la salle. Tu ne peux pas tous les présenter. Jean ne m'a pas confirmé si les maires de Laval ou de Longueuil seront présents.

Carole se tourne vers moi :

— Les journalistes et les médias ont été avisés que tu seras disponible pour répondre à leurs questions après le repas. Une copie de ton discours leur sera aussi offerte.

Fred ajoute :

— J'ai lu et relu le discours et je suis tout à fait d'accord avec le contenu, mais il manque un punch à la fin. J'ai pensé, Maxime, que tu pourrais terminer ton discours avec un… « et j'espère que le débat amorcé par le Cercle de la Montréalie fera partie des différentes courses à la mairie qui se dérouleront dans les prochains mois ».

Carole, sur un ton un peu exaspéré, ajoute :

— Tu ne penses pas que c'est un peu gros comme allusion. N'oublie pas que c'est un dîner-bénéfice pour le financement du Cercle de la Montréalie.

— Maxime ne peut éviter le sujet et la moitié de la salle, si ce n'est pas toute la salle, s'attend à ce que Maxime fasse allusion aux rumeurs à son sujet. C'est un clin d'œil qui en dit long et qui ne dit rien. De toute façon, penses-tu vraiment que le sujet sera ignoré à la conférence de presse ?

Frank nous interrompt :

— Maxime, il est presque onze heures et tu devrais être dans le lobby en train de serrer des mains. Carole, c'est toi qui connais le plus de monde et tu as l'habitude ; tu l'accompagnes.

Une envie de rire me prend à voir le visage de Carole recevoir des ordres de notre adjointe administrative. Je regarde Fred qui, lui aussi, retient un sourire. Carole accepte ses instructions avec un sec :

— Merci, Francine, j'avais déjà l'intention d'accompagner Maxime.

Il n'y a personne d'arrivé, ce qui nous donne la chance de jeter un coup d'œil à la salle. En passant devant le vestiaire, je remarque une petite affiche qui exige un montant de deux dollars pour le service.

— Carole, je ne veux pas que l'on demande un cent pour le vestiaire. Il n'y a rien de plus insultant que de se présenter à un dîner-bénéfice à cent dollars le couvert et de se faire demander un montant pour le privilège d'un vestiaire.

Carole n'hésite pas un instant et demande à voir le directeur.

Pendant ce temps, je me dirige vers la grande salle pour jeter un coup d'œil sur les préparatifs. Toutes les portes sont verrouillées. Heureusement, Carole arrive avec le directeur.

— Nous ne chargeons pas pour le vestiaire, mais ils veulent mille dollars de plus.

J'accepte et j'ajoute :

— Je ne veux pas voir de panier à pourboire sur le comptoir. Maintenant est-il possible de voir la salle ?

— Bien sûr, monsieur. Je donnerai des instructions en ce sens, mais les employés n'apprécieront pas, me répond le directeur, sur un ton sec, tout en m'ouvrant la porte.

Je l'ignore. C'est à eux de mieux payer les employés.

La salle a été dressée et des dizaines de serveurs s'affairent à placer des assiettes de pâté de campagne garnies, accompagnées de plateaux de crudités et de marinades sur les tables. Le point de vue est impressionnant : les soixante tables remplissent la salle de bal. Un brin d'anxiété me serre la poitrine, mais disparaît lorsque distrait par le directeur des banquets qui m'explique :

— J'ai compris que votre discours se fait au début du repas ; nous servirons les poitrines de poulet, sauce chasseur, dès que vous aurez terminé ; le dessert est un gâteau blanc recouvert d'une mousse à la vanille et d'un coulis de fraises. Il n'y a pas de vin, mais les convives auront la possibilité de s'en procurer à partir d'une carte qui est placée sur les tables.

— Maxime, des invités commencent à arriver.

Carole me dirige vers le lobby. Durant une bonne heure, dans un tourbillon de visages et de noms, je sers des dizaines de mains avec une Carole qui, la main sur mon bras, me dirige d'un groupe à un autre, en ne me laissant la chance que de dire quelques mots de bienvenue à chacun. Il est évident que ce n'est pas la première fois qu'elle « travaille » une salle.

Puis tout à coup, sans trop m'en rendre compte et sans avoir le temps de ressentir ma nervosité, je me retrouve devant cinq cents personnes et une demi-douzaine de caméras. Tous les yeux sont rivés sur moi ; je prends une grande respiration et je commence mon discours, bâti autour de cinq thèmes :

- La région de Montréal, seule ville-région du Québec.
- Son fractionnement administratif et géographique, combiné à un poids électoral inégal, l'empêche d'exercer son influence légitime.
- Son lien de dépendance économique des gouvernements supérieurs a créé un déséquilibre fiscal et réduit les services offerts aux citoyens au cours des années.
- Sa multiplicité ethnique, unique au Québec, exige une gestion particulière et locale.
- L'économie de l'ensemble du Québec est tributaire de l'activité économique de la région de Montréal.

Ma présentation est reçue avec une ovation debout qui dure plusieurs minutes. Alors que les applaudissements s'amenuisent et que les gens se rassoient, quelqu'un dans la salle — je crois reconnaître la voix de Charles Létourneau — lance :

— Beaubien, à la mairie !

Ces mots sont reçus avec quelques rires et des applaudissements. Le dessert et le café sont finalement servis et Carole vient me chercher pour me diriger vers la salle où m'attendent les journalistes. Ma progression vers la sortie de la salle est lente : plusieurs personnes désirent me serrer la main. Nous réussissons à sortir de la salle pour apercevoir, au beau milieu du lobby, les médias massés autour de Felicia qui donne une conférence de presse impromptue. Personne ne va me faire croire que ce n'était pas planifié. Carole n'hésite pas un instant : elle me dirige vers l'intérieur de la salle et s'approche de Fred qui est en discussion avec Frank.

— Francine, va dans le lobby, et dès que les médias ont terminé avec la McCormick, tu nous fais signe.

Puis elle se tourne vers Fred :

— Regroupe quelques personnes, je me fous qui, place-toi près de la porte avec Maxime, et engage une discussion. Il ne faut pas qu'il reste planté là tout seul.

Frank revient après quelques minutes :

— Les médias télévisés sont installés dans la salle, et les journalistes de la presse écrite sont maintenant avec le maire Castonguay.

Carole me dit :

— Viens, on commence ; les autres vont suivre.

Nous sommes à peine sortis de la salle que Catheryne se jette à mon cou et me félicite. Je ne savais pas qu'elle était là. Les photographes en profitent. Carole me prend par le bras et me dirige vers la salle où la conférence de presse doit avoir lieu. Noémie est déjà là, elle n'a rien vu.

Pas de question sur mes propos, mais des questions soulevées par les réactions des politiciens dans la salle :

— Madame McCormick est d'avis que la stratégie de confrontation du Cercle est néfaste pour Montréal.

— Montréal n'a rien à perdre et tout à gagner.

— Le maire Castonguay a déclaré que la politique est l'art du compromis.

— Pour pouvoir arriver à un compromis, il faut qu'il y ait des discussions d'égal à égal entre deux parties.

— Comment la région de Montréal pourra-t-elle devenir égale au gouvernement du Québec ?

— En s'organisant et en utilisant son poids politique.

— Ce faisant, n'y a-t-il pas un danger de polariser le Québec en deux camps, soit la région de Montréal et les autres régions ?

— C'est déjà fait.

— Monsieur Beaubien, quand annoncerez-vous votre candidature à la mairie ?

— Le Cercle de la Montréalie s'est donné comme objectif de défendre les intérêts de la GRANDE région de Montréal. Ma candidature à la mairie de Montréal irait à l'encontre de cet objectif.

Chapitre 30
# Bilan

— Dans sa chronique de samedi, Rodrigue Hurtubise a qualifié notre dîner-bénéfice d'événement électoraliste. Il a même titré sa chronique : DÉBUT DE CAMPAGNE ? Va-t-il me ficher la paix, celui-là ?

Fred réagit :

— Tu dois admettre que, dans le contexte d'une année d'élections et avec les spéculations autour de ta candidature, tu aurais pu dire n'importe quoi et il serait arrivé à la même conclusion.

Nous sommes dans les bureaux du Cercle pour un bilan du dîner-bénéfice. Tout le monde est là, incluant les membres du conseil d'administration. J'ai insisté pour qu'ils participent. Il faut qu'ils participent activement et j'aimerais avoir une opinion autre que celle de mon proche entourage. Il n'y a aucun doute que Jon Van Tran et Pierre-André Lepage peuvent m'apporter un point de vue différent des autres.

Pierre-André est un professeur émérite avec plus de quarante ans d'expérience en fiscalité gouvernementale ; il est l'auteur de plusieurs volumes sur le sujet. Jon, de son côté, a la réputation d'être un analyste brillant, mais terre à terre, capable de voir une situation sous tous ses angles. Il est bien connu et il a participé, au cours des dernières années, à plusieurs dossiers très médiatisés sur la gouvernance d'institutions publiques.

Frank nous distribue un dossier de presse.

— Avec la présence de Felicia McCormick et du maire Castonguay, les médias ont consacré plus d'espace à leurs réactions qu'au contenu de ton discours.

Carole ne laisse pas Frank continuer :

— Et quelles belles réactions insipides : le maire Castonguay a maintenu qu'il défendait les intérêts de la région de Montréal dans toutes les occasions qui se présentaient à lui et qu'il travaillait, depuis des années, à trouver des solutions avec les gouvernements supérieurs. Felicia, elle, toujours brillante, s'est engagée à former un comité pour se pencher sur le problème. Pas fort comme réaction.

— Tu fais allusion aux médias ou aux politiciens?

— Aux deux, mon cher Maxime. Tu sais comme moi que les médias en général ne sont pas forts de nos jours. Ils sont superficiels, recherchent le négatif dans toutes les situations et ne retiennent que le clip qui fera la nouvelle. Ils reviennent souvent sur le manque d'éthique des politiciens, mais ils font fi de leur propre éthique et ils manquent de rigueur intellectuelle.

Jon ajoute :

— Les uns cherchent des votes, les autres des cotes d'écoute, et dans les deux cas, au diable l'éthique et la rigueur. C'est le résultat qui compte.

Fred ouvre *Le Journal de Montréal* à la page trois sur laquelle paraît la photo de Catheryne qui m'embrasse :

— Voici un bon exemple; c'est ce qui intéresse madame Tout le Monde, alors que monsieur Tout le Monde, lui, est intéressé par les magouilles. On ne peut tout attribuer aux médias. Ils ne font que livrer la marchandise que le bon peuple exige.

Pierre-André intervient :

— Il faut donner crédit à certains journalistes qui font bien leur travail; comme *Le Devoir*, qui s'est donné le trouble d'aller chercher la réaction des maires de banlieue :

« Le maire de Longueuil, Richard Gaudet, a déclaré qu'il consacrait ses efforts au développement de l'arrondissement Longueuil et de la Montérégie, et que les problèmes de Montréal demeuraient l'affaire des élus de l'île de Montréal. Le maire de Laval s'est fait plus discret et il a offert sa coopération en rappelant que la "prospère ville de Laval" était le résultat d'une fusion réussie, grâce à un exercice de coopération entre plusieurs municipalités indépendantes qui avaient décidé de travailler ensemble. »

— De toute évidence, mon message ne passe pas.

— Il ne passe pas auprès des politiciens, mais il passe chez beaucoup de citoyens, lance Philip, tout en nous distribuant un document. Notre blogue est de plus en plus populaire et il est presque devenu un réseau social en soi, tant pour les partisans de Montréal que pour la population des régions, ses détracteurs. Nous avons reçu, en février, plus de deux mille cinq cents commentaires et, pour les deux premières semaines de mars, nous fonctionnons à un rythme de huit cents par semaine. Les internautes veulent s'exprimer et nous leur donnons le forum pour le faire. À lire les commentaires, de part et d'autre, le débat est bien amorcé. Nos recherchistes répondent à tous les commentaires et c'est en grande partie la raison pour laquelle notre blogue a du succès.

Pierre-André demande :

— Est-ce que vous surveillez les commentaires qui arrivent sur le blogue pour éliminer les niaiseries ?

— Oui, nous éliminons une cinquantaine de commentaires par semaine. Nous voulons garder le débat le plus civilisé possible.

Carole ajoute :

— Notre présence dans les médias demeure excellente, mais nous sommes encore trop identifiés à Montréal, et Montréal, ces temps-ci, n'a pas une très bonne réputation et ce n'est pas prêt de s'améliorer : le *Montreal bashing* est devenu une mode ; personne ne trouve rien de bon à dire sur la Ville.

Jon Van Tran nous interrompt :

— Si vous permettez…

J'ai hâte d'avoir son opinion, mais il est interrompu par Sylvie Delagrave :

— Nous avons concentré nos efforts jusqu'à maintenant à dénoncer la situation intenable de la ville-région de Montréal et nous avons attaqué le statu quo. Les politiciens montréalais nous ont laissés faire la « job de bras ». Il faut maintenant arriver avec des solutions et les proposer directement aux personnes concernées : le ministre responsable de Montréal, Mario Langevin, le premier ministre, Raphaël Munger, et la ministre des Régions, Élisabeth Burns.

Jon profite d'une demi-seconde de silence pour reprendre la parole :

— Madame Delagrave a tout à fait raison. Le Cercle contribue à alimenter le débat et sa stratégie a été excellente. Il faut que le Cercle continue à vendre le concept de Montréal ville-région, et l'idée va faire son chemin. En passant, il ne faut pas se surprendre de la réaction des politiciens ; le Cercle entrouvre tout un panier de crabes et ils ne veulent rien savoir de ce débat.

C'est la première fois que je vois Jon dans une dynamique de groupe à l'extérieur d'un cadre universitaire et son attitude ne me surprend pas. Jon n'a jamais craint de s'affirmer ou de démontrer une assurance frisant l'arrogance ; pas surprenant qu'il soit aujourd'hui associé dans un bureau de consultation œuvrant sur une base planétaire. Nous sommes loin de l'image du petit Asiatique fort en math, travaillant et réservé. Jon possède les deux dernières qualités, mais il est loin d'être réservé.

Jon continue :

— Revenons maintenant à la stratégie proposée par madame Delagrave : l'idée de lever d'un cran le débat en ciblant des adversaires est excellente.

Pierre-André l'interrompt :

— Je suis d'accord avec l'approche, mais il faut être prudent : nous pouvons nous attaquer au ministre Langevin et au premier ministre Munger, mais il faut être prudent avec la ministre Burns. Avec ses un mètre soixante, ses quarante-huit kilos, ses cheveux blonds et son visage angélique, elle projette une image de vulnérabilité. S'attaquer à elle ne serait pas bien perçu.

Pierre-André a à peine terminé que Karla Anaskova lance :

— Quel propos sexiste ! Monsieur Lepage, vous me surprenez.

Carole réagit sans attendre :

— Je connais bien Élisabeth Burns, et je sais qu'elle peut se défendre.

Pierre-André explique :

— Je parle ici de perception.

Jon met fin à la discussion avec un autoritaire :

— Je suis d'accord avec monsieur Lepage. Il faut être prudent. Notre objectif premier est de faire avancer les choses. Madame Delagrave nous a donné une excellente piste de solution. Il faut bien expliquer nos dossiers et revenir sur les motifs originaux pour lesquels les structures organisationnelles et fiscales que nous connaissons ont été établies, certaines mises en place il y a plus de cinquante ans. Souvent, les besoins de l'époque qui ont amené leur création ont disparu et il est temps de les remettre en question.

J'interromps :

— Il y a un nom savant pour ce phénomène : l'*incrémentalisme*, l'art suprême de modifier un organisme ou une procédure qui devrait plutôt être mis au rancart.

Jon réagit en me lançant :

— Oubliez les mots compliqués, il faut que la population puisse nous suivre.

Jon continue :

— Il faut que notre argumentation soit simple et se termine par une question bien précise aux personnes interpellées. Nous ne sommes pas dans un débat entre universitaires, nous voulons créer un débat que la population pourra suivre et comprendre.

Fred nous lance une mise en garde :

— Nous allons nous mettre à dos le gouvernement à Québec et placer les maires de la région dans une position difficile. Les médias vont vouloir les faire intervenir pour connaître leurs opinions et ils vont se trouver entre l'arbre et l'écorce.

— C'est justement l'objectif d'un groupe de pression.

Le ton de Jon m'apparaît un peu agressif. Je ne veux pas de conflit, je veux créer un front commun. Je m'apprête à intervenir lorsque Pierre-André Lepage lance :

— Il n'y a pas de problème si le tout se fait sans démagogie.

Carole ajoute :

— Ça, dans le Québec d'aujourd'hui, c'est une impossibilité.

— Les politiciens n'ont pas le choix d'être démagogues : la politique au Québec est devenue un sport extrême, dénué de règles et où l'éthique ou, si vous voulez, l'honnêteté intellectuelle, n'existe plus.

— Dur verdict, Maxime.

— Oui, et pour ne pas me mettre les maires de la région à dos, j'ai l'intention d'établir des relations discrètes avec eux et de les tenir informés de nos interventions.

Jon ajoute :

— Excellente idée. Après tout, si notre objectif est de créer un front commun dans la ville-région de Montréal, il va falloir qu'ils y participent.

Depuis le début de cette rencontre, je sens tout le monde un peu intimidé par la présence de Jon et de Pierre-André. Tony Adornato, que nous avons appris à connaître comme une personne très réservée, me surprend :

— Mes amis, vous avez tous raison. Proposer de nouvelles structures gouvernementales, s'attaquer à l'incrémentalisme, le changer sans changer, faire la promotion de la ville-région, se lancer dans un débat sur la pertinence de certaines institutions sont tous des sujets intéressants pour les universitaires, certains médias et la bureaucratie gouvernementale. Mais j'ai bien peur que ces débats se fassent en vase clos, bien au-dessus de la tête même de celui que nous voulons convaincre, le citoyen ordinaire, tant celui de Montréal que celui des banlieues. Tant que nous n'aurons pas réussi ce défi, les politiciens vont réagir soit avec la proverbiale langue de bois ou avec les platitudes qu'ils nous ont servies jusqu'à ce jour. Nous avons réussi à développer une belle crédibilité pour le Cercle et une image avantageuse, Maxime. Mais notoriété n'est pas approbation. Maxime est perçu comme un défenseur de Montréal ; une qualité positive pour la population de Montréal, mais négative à l'extérieur de l'île. En passant, Carole, il faudrait demander à la maison de sondage de travailler sur le Cercle et Maxime, mais en divisant les résultats entre Montréal et les banlieues. J'ai l'impression que nous risquons d'être surpris. Notre objectif est de créer un front commun dans la région. Si nous pouvons espérer du succès, il est essentiel que la population de la grande région de Montréal se rallie tant celle de l'île que celle des banlieues et, de grâce, attaquons-nous à des dossiers qui intéressent la population.

Tony termine et s'assoit. Un long silence suit son intervention. Les autres attendent ma réaction.

— Merci, Tony. Tu ne suggères pas que nous abandonnions les dossiers sur lesquels nous travaillons ?

— Il faut maintenir le débat actuel, mais ne jamais oublier la population. Il faut s'attaquer à tous ces dossiers à deux niveaux : le premier pour les spécialistes, le second pour la population. Il faut insister sur les conséquences que chaque dossier peut avoir sur le quotidien de la population.

— Merci, Tony, ce sont là des considérations importantes.

Fred intervient :

— Je reviens sur l'idée de cibler le premier ministre et les ministres. Je ne crois pas que ce soit une bonne idée.

Je réponds à Fred :

— Si ce n'est pas nous, qui les confrontera ? Les députés provinciaux de la région de Montréal sont liés par la discipline de parti, et les politiciens municipaux ne peuvent se mettre Québec à dos de crainte de perdre des subventions.

# Chapitre 31

# Beau-père

Aujourd'hui, grosse soirée en perspective : nous soupons au restaurant avec les parents de Noémie pour célébrer l'anniversaire de naissance de Maj, sa mère. Ses parents ont été plutôt discrets à mon égard depuis le souper de présentation, il y a de cela déjà trois semaines. Je les ai brièvement salués lors du dîner-bénéfice, mais nous ne nous sommes ni vus ni parlé depuis. Noémie communique avec sa mère tous les soirs, souvent sur Skype, comme elle avait l'habitude de le faire lorsqu'ils étaient en Floride, et son père John passe ses journées chez Montpossible pour mettre de l'ordre dans l'administration et la comptabilité. Pas un mot sur notre relation ou nos intentions. Je ne peux croire que les choses vont rester là. Le calme avant la tempête ?

Lors de notre première rencontre, son père avait démontré une réserve exemplaire. Mais je sens Noémie soucieuse et toujours inquiète de la réaction de son père à l'idée qu'elle fréquente quelqu'un qui n'est pas d'origine juive. Noémie lui a probablement joué un vilain tour en emménageant dans mon appartement quelques jours avant son retour à Montréal. Lorsque j'ai osé exprimer à Noémie mon inquiétude à ce sujet, je n'ai eu comme réponse qu'un : « Laisse-moi faire, c'est mon problème ».

Ce matin, Noémie a quitté l'appartement à sept heures trente pour se rendre à une rencontre avec le sergent Saucier du Service de police de Montréal. Saucier a communiqué avec Noémie pour lui fixer un rendez-vous ; il a refusé de lui expliquer les raisons pour lesquelles il voulait la voir, sauf pour lui expliquer que la rencontre était exploratoire. Hier soir, nous nous sommes perdus en conjectures et nous sommes arrivés à la conclusion que la rencontre ne pouvait concerner que l'un des trois cents jeunes qui fréquentent Montpossible. Impossible de deviner lequel ; ils ont presque tous eu des problèmes avec les autorités. Dans leur milieu, c'est un badge d'honneur de se faire arrêter. Elle est tout de même partie inquiète et elle a promis de m'appeler dès que la rencontre se terminerait.

En attendant l'appel de Noémie, je révise mes notes pour l'enregistrement de mon émission de cette semaine dans laquelle je questionne la pertinence de l'existence de trois sociétés de transport sur un même grand territoire, celui de Montréal. La conclusion à laquelle mes experts invités arrivent est simple : il faut fusionner les trois sociétés en une seule pour assurer une meilleure coordination, une répartition des coûts plus équitable et une grille tarifaire plus logique. Je devine déjà la réaction des maires de Longueuil et de Laval. Les recherchistes du Cercle ont rédigé un texte sur le même sujet, demandant au ministre Langevin de forcer la fusion des trois sociétés de transport.

À la radio, le *morningman* Parent se fait aller sur tous les sujets d'actualité ; je l'écoute d'une oreille discrète lorsque mon attention est attirée par la mention du Cercle de la Montréalie en référence à un article paru ce matin dans *Le Devoir*, sous la signature du journaliste André Tourangeau. Sur le moment, je ne replace pas Tourangeau, pour me rappeler qu'il est l'un des deux journalistes que nous avions approchés pour faire partie de notre comité de recherchistes au Cercle et que nous avions remerciés pour faire suite à l'intervention de Jean Deragon.

Parent donne à ses auditeurs un sommaire de l'article paru sous le titre : « Le mystère du Cercle ».

— Le Cercle de la Montréalie, la patente du candidat potentiel à la mairie, Maxime Beaubien, a tenu une activité de souscription la semaine dernière. D'après l'estimation du journaliste Tourangeau, l'événement aurait permis d'amasser vingt-cinq mille dollars. Or, toujours selon le journaliste, les dépenses annuelles du Cercle s'élèveraient à plus de deux cent mille dollars par année. Qui finance le Cercle ? Qui est derrière le Cercle ?

Parent ajoute :

— Tourangeau, un souverainiste notoire, termine son article avec des spéculations qu'il vaut la peine de tirer au clair. D'après lui, le Cercle serait financé par des organisations fédérales qui chercheraient à déstabiliser le « Québec des régions ».

Parent termine avec un commentaire qui m'est adressé :

— Voilà, monsieur Beaubien, les conséquences du manque de transparence. J'attends votre appel.

Il faut que je parle à Carole. Depuis la fondation du Cercle, nous savions que la question du financement serait soulevée et c'est maintenant fait. Je m'apprête à composer son numéro lorsque la sonnerie du téléphone se fait entendre. C'est Noémie.

— Allô, et puis ?

— Martin Desrosiers! Le sergent Saucier le soupçonne de faire partie d'un groupe d'anarchistes qui se sont baptisés *Égalitaristes du Québec*, l'EDQ; les membres de cet EDQ sont contre le capitalisme et la mondialisation. Il y a une réunion du Fonds monétaire international cet été à Montréal et les policiers se préparent en vue des inévitables manifestations. Martin a été identifié comme l'un des principaux organisateurs des manifestations.

— Qu'est-ce qu'ils veulent que tu fasses?

— Rien pour le moment; seulement le garder à l'œil.

— Nous devrions le foutre à la porte.

— Saucier nous demande justement de ne rien faire; ils préfèrent savoir où il se trouve et le garder à l'œil.

— Aucun doute qu'il recrute des jeunes du Centre.

— Saucier pense comme nous, mais crois que le foutre à la porte ne ferait qu'augmenter sa popularité auprès des autres.

— Il faut en parler à Conrad.

— Saucier me demande de n'en parler à personne.

— C'est déjà fait.

— Quoi?

— Tu viens de m'en parler.

— C'est pas pareil.

Je fais les nouvelles ce matin: un journaliste dans *Le Devoir* s'interroge sur les sources de financement du Cercle.

— As-tu parlé à Carole?

— Dès que je raccroche. À quelle heure tes parents doivent-ils venir?

— Vers dix-sept heures.

— Je te vois ce soir.

\* \* \*

Dès mon retour à l'appartement après l'enregistrement de mon émission, je rejoins Noémie à la cuisine pour voir si elle a besoin d'aide.

— Ça va? Tu as besoin d'un coup de main?

Suivi d'un baiser.

— Je ne sers que des noix et des crudités. Nous allons chez Moishe's et il faut se garder de la place. Tu y es déjà allé?

— Quelques fois. J'aime bien les steaks, mais j'aime moins l'attente à la porte d'entrée et la rapidité du service. On va chez Moishe's pour manger, pas pour dîner.

— C'est la raison pour laquelle nous les inviterons à revenir ici pour le dessert. Tu es d'accord?

— Bien sûr. Qu'est-ce que tu as acheté ?

— Rien. Nous reviendrons avec une demi-douzaine de mille-feuilles que le restaurant fait si bien.

— Bonne idée. Je n'ai jamais pensé à faire cela.

— Nous achèterons aussi de la salade de choux et des cornichons. Difficile à battre.

— Tout un dessert !

— Pour nous, niaiseux. Le courrier est sur le comptoir.

Trois enveloppes : deux comptes et une enveloppe style carton d'invitation. Curieux, je l'ouvre : une invitation à un bal au profit de la Fondation du Parkinson. La lettre d'invitation est signée de Paul Underhill. Je ne savais pas qu'il était impliqué dans cette fondation. Une autre surprise : Catheryne est la présidente d'honneur de la soirée.

— Regarde.

Noémie prend le carton d'invitation.

— Tu vas avoir l'occasion de revoir la belle Catheryne.

— Paul nous invite. Nous n'avons pas le choix d'y aller. J'achète une table.

— OK. J'ai acheté *Le Devoir* et j'ai lu l'article de Tourangeau. Qu'est-ce que Carole a dit ?

— De répondre que nous recevons des contributions de partisans et que je fournis aussi des fonds personnels. Elle m'a suggéré de communiquer avec Parent.

Noémie ajoute :

— Aussi bien dire la vérité ; les secrets ne font qu'augmenter l'envie d'en savoir plus.

Nous sommes interrompus par la sonnerie de la porte. Noémie me demande de recevoir ses parents pendant qu'elle termine ses préparatifs. Ils semblent de bonne humeur. Nous nous installons au salon : verre de chablis pour Noémie et sa mère, vodka sur glace pour John et moi. J'ai acheté une bouteille de Grey Goose.

John prend une longue lampée de vodka et remarque le regard réprobateur de Maj :

John explique :

— C'est ta fête, il faut célébrer !

— Aie ! les parents, ça suffit. Maman ! Comme le veut notre petite tradition, je t'ai acheté un petit cadeau.

Noémie se lève et se rend à une garde-robe d'où elle sort une boîte bien emballée.

Mag place le présent sur ses genoux et commence à le déballer.

— Noémie, tu t'écartes de notre tradition; tu as l'habitude de m'acheter un livre et cette boîte est trop lourde et trop grosse pour cela. Je suis curieuse.

Elle ouvre la boîte et sourit:

— Je comprends, ah, tu veux me tenir occupée pour les trois prochains mois.

La boîte contient effectivement les trois tomes de *Millénium*.

John ajoute:

— Imaginez le nombre de soirées où j'aurai la paix et pourrai regarder ce que je veux à la télé. Merci, Noémie. Maintenant une question qui me ronge: combien a rapporté le dîner-bénéfice?

— J'attends les derniers résultats, mais nous devrions atteindre les vingt-cinq mille dollars

— Le Cercle doit avoir un budget de plus de deux cent mille dollars! Comment finances-tu le reste?

— Vous avez lu *Le Devoir*?

— Non.

— Il y a un journaliste qui pose la même question. La réponse est simple: pour l'instant j'ai reçu quelques contributions et c'est moi qui finance le solde.

Maj nous interrompt:

— Les rumeurs de ta candidature à la mairie, c'est sérieux?

— Je ne me vois pas en politicien.

— Noémie, qu'est-ce que tu en penses?

— Maxime peut faire ce qu'il veut, et je l'appuierai.

John revient sur le sujet de l'argent:

— J'ai revu la situation financière de Montpossible: pas brillante, mais pas un désastre non plus, surtout si l'on prend en considération le million de dollars laissé par ton oncle. J'ai vu que tu donnais dix mille dollars par mois. Peux-tu te permettre de continuer de financer et le Cercle de la Montréalie et Montpossible pour plusieurs mois?

Je crois deviner où cette conversation se dirige et je décide de prendre le taureau par les cornes:

— Mon oncle m'a laissé six millions et il m'a demandé de consacrer une portion de mon héritage à Montréal: j'ai gardé trois millions pour assurer mon indépendance financière. L'autre trois millions sert à financer le Cercle de la Montréalie. Pour ce qui est de Montpossible, dès que la succession est réglée, je serai remboursé.

— Ton oncle est décédé avant Noël. La succession devrait déjà être réglée.

— J'ai une tante qui menace de contester le testament.

Noémie, sur un ton qui frise l'agressivité, lance à son père :

— *Does that answer your question ?*

Je sens que tout le monde est énervé et je ne sais pas trop quoi faire.

— Minute, lance John, en se levant. Mon verre est à sec.

— Papa, fais comme chez vous.

Maj ajoute son grain de sel :

— John, attention à la vodka.

La remarque n'obtient pour réaction qu'un long soupir.

Je me lève pour le rejoindre au comptoir pour aussi rafraîchir mon verre. Il me place la main sur l'épaule et me fait un clin d'œil.

Une fois de retour à nos places, John interrompt Noémie et sa mère qui discutent du mariage prochain d'une cousine :

— Mon cher Maxime, au cours des dernières semaines, j'ai beaucoup pensé à ma fille et à sa relation avec toi.

Je jette un regard vers Noémie ; son visage est impassible, mais je dénote tout de même un brin d'inquiétude dans ses yeux. Sa mère Maj est sereine et, de toute évidence, sait ce qui s'en vient.

— Depuis ma naissance, je sais que je suis juif avec les obligations que cela impose : une religion, une langue, une histoire et une responsabilité très particulière. On m'a inculqué depuis mon enfance que, comme membre du peuple choisi, j'avais l'obligation de préserver pour les générations futures ces caractéristiques uniques que je partage avec la diaspora juive du monde entier. Au cours des dernières semaines, je suis aussi arrivé à la conclusion que la préservation de ces caractéristiques ne devait pas déborder sur un nationalisme borné qui a souvent été la source de conflits dans le monde. Cela dit, si ta relation avec ma fille va plus loin, et je l'espère, j'aimerais que tu t'assures que vos enfants seront éduqués dans la religion juive.

Noémie me jette un regard, se lève sans dire un mot et va embrasser son père. Je me lève pour lui serrer la main et j'en profite pour embrasser Maj.

Noémie demeure sérieuse :

— Tu sais papa, les Québécois, aussi, sont fiers de leur langue, de leur culture, de leur histoire et de leur religion qu'ils ont préservées malgré beaucoup de difficultés.

J'aimerais changer de sujet. Il me semble que le père de Noémie a été clair et que le sujet est clos, mais je ne peux m'empêcher d'ajouter :

— Pas certain de la fierté pour notre religion et, malheureusement, plusieurs Québécois souffrent de nationalisme borné.

Maj se tourne vers Noémie :

— Nous devrions y aller. Tu nous appelles un taxi ?

— Le taxi sera ici dans cinq minutes.

Maj pose la question qui tue :

— Comment va ton ancienne copine, Catheryne Leclair ? Je l'ai vue au dîner-bénéfice.

Noémie m'interrompt :

— On l'a tous vue dans les journaux.

Il me vient une idée :

— Nous la verrons le 5 avril à un bal pour la Fondation de Parkinson. Nous avons retenu une table. Vous nous accompagnez ?

— Avec plaisir.

Maj se lève pour mettre son manteau et me glisse à l'oreille :

— Tu sais, Maxime, que nous ne pourrons avoir un mariage traditionnel juif. John en a fait son deuil. Pour lui, c'est un gros sacrifice.

Noémie a entendu :

— Maman, Maxime et moi sommes encore loin de discuter mariage.

À la toute fin de la soirée, une fois Maj et John partis, je demande à Noémie :

— Et puis ?

— Mon père a remporté le deuxième round.

— Comment cela ?

— Tu t'es engagé à éduquer nos enfants dans la religion juive.

— Pour moi, ce n'est pas un problème ; les enfants feront leur choix de religion lorsqu'ils seront adolescents.

— Il y a une chose que tu dois savoir : les enfants nés d'une relation entre une juive et un gentil sont considérés comme juifs.

— Et pas le contraire ?

— Non ; si nous avons des enfants, ils seront considérés comme juifs avec tout le bagage que cela comporte.

— Tu ne m'avais jamais dit cela.

— Maxime, on n'a jamais parlé de mariage, encore moins d'avoir des enfants.

# Chapitre 32

# Soirée de gala

Je suis songeur en ce beau samedi matin : j'ai été informé hier, en fin d'après-midi, que mon émission à Télé-Québec serait annulée à compter de la semaine prochaine. Les motifs de l'annulation se résument en une phrase : *Confusion entre mon émission et mon activisme politique.* De toute évidence une explication pondue par un comité et approuvée par le contentieux et la division des relations publiques.

Lors de la rencontre, l'on m'a présenté un contrat de terminaison, rédigé d'une façon que seul un avocat peut faire, avec une clause de confidentialité qui n'était rien de plus qu'une tentative pour me museler ; l'on m'a aussi présenté une copie d'un communiqué de presse succinct qui explique mon départ avec l'insipide : *pour des motifs personnels et professionnels.* Mon refus de signer les deux documents a été suivi d'un avertissement à l'effet que les paiements restant sur mon contrat seraient retardés pour une période indéfinie. S'ils savaient comment je m'en fous : merci, mon oncle Eusèbe. Même s'il n'y a pas de conséquences financières à l'attitude bornée du télédiffuseur, mon orgueil est durement touché.

L'annulation est survenue une semaine après la publication d'une chronique que j'ai rédigée sous forme d'une lettre ouverte adressée au premier ministre Raphael Munger dans laquelle je dénonce son « aveuglement volontaire » quand il est question de la région montréalaise et je l'accuse d'avoir des « préjugés favorables » en faveur des régions, une attitude motivée par des considérations électoralistes. Je lui demande, entre autres, de se pencher sur la gestion et le financement des services municipaux de la grande région montréalaise pour déterminer ceux qui pourraient fusionner et, partant, être administrés de façon plus efficace à l'échelle de la ville-région. Dans le texte, j'identifie quatre services : le transport en commun, la police, l'alimentation en eau potable et l'assainissement des eaux. Je termine en lui demandant de cesser « d'agir comme un politicien de carrière dont le seul objectif est sa réélection ».

La journée même de la diffusion, durant la période de questions, le chef de l'opposition a fait référence à mon texte et a demandé une réaction au premier ministre Munger. Celui-ci a répondu avec une généralité : « Mon gouvernement a entrepris un vaste programme de réingénierie de l'appareil de l'État et cela, à tous les niveaux. »

En question additionnelle, le chef de l'opposition a lancé une question au ministre Langevin, responsable de la région de Montréal : « Ce programme de réingénierie va-t-il aussi loin que de considérer la fusion de certains services municipaux à Montréal ? » La réponse du ministre était prévisible : « Si les élus de la région de Montréal désirent remettre en question la gestion de ces services, nous serons heureux de coopérer. » Toute une démonstration d'un manque de leadership et d'un déni de responsabilité.

Pour leur part, la réaction des politiciens de la région montréalaise a été unanime et peut se résumer par une phrase : « Nous sommes encore dans le processus d'apprendre à vivre avec les nouvelles règles établies après les défusions ; il est donc prématuré de se pencher sur des projets de fusions de services. » Tous ont insisté sur le terme *fusion* et ils ont tous soulevé l'épouvantail des hausses de taxes, inévitables, semble-t-il, si cela devait arriver.

Dans les médias, les éditorialistes ont renchéri sur l'idée de fusions et ont rappelé que celles du passé n'ont pas abouti à des économies d'échelles, bien au contraire. Ils ont oublié de mentionner que je parlais de fusions de services. Les bulletins de nouvelles, de leur côté, ont récité en ondes le contenu de SMS de quidams qui s'opposaient à l'idée des fusions. Tous sous-entendaient que, dans l'éventualité de fusions de services « les incompétents de la Ville de Montréal prendraient le contrôle ».

Je voulais mobiliser la population et j'ai réussi à le faire, mais pas dans le sens que je voulais. J'ai même eu droit à un éditorial du *Devoir* qui qualifiait ma lettre adressée au premier ministre « d'un dérapage dévastateur pour Maxime Beaubien et le Cercle de la Montréalie ».

Il est dix heures du matin lorsque Noémie vient me rejoindre dans mon bureau :

Elle s'assoit sur mes genoux, m'embrasse et me demande :

— À quelle heure t'es-tu réveillé ?

— Six heures. Je ne fais que penser à ma chronique de mardi prochain : j'ai fait une grave erreur en parlant de fusions et je ne sais pas comment m'en sortir. Je dois aussi aborder le sujet de l'annulation de mon émission. Je n'ai pas le choix.

— Vas-tu faire un lien entre l'annulation et ta lettre au premier ministre?

— Oui. Je devrai être prudent, je n'ai aucune preuve.

— Tu devrais peut-être en parler à Carole.

— C'est déjà fait, elle m'a appelé le jour même où ma chronique a été publiée, et elle était furieuse. Elle ne comprend pas pourquoi je me suis adressé directement au premier ministre et elle comprend encore moins l'idée de parler de fusions à ce moment-ci. Elle a même eu le culot de me demander de lui soumettre, pour approbation, mes futures chroniques. Il n'en est pas question.

— Elle a peut-être raison. La population ne fait pas la différence entre le Maxime Beaubien chroniqueur au *Journal de Montréal*, le Maxime Beaubien analyste d'affaires publiques et le Maxime Beaubien président du Cercle de la Montréalie.

— Je vais la rencontrer pour qu'on en discute. Dis-moi donc, sur un autre sujet : Martin?

— Je l'ai eu à l'œil toute la semaine et je n'ai rien remarqué, sinon qu'il semble y avoir plusieurs nouveaux visages qui fréquentent Montpossible. J'en ai rencontré quelques-uns et ils ont le même profil que les autres : décrocheurs, sans emploi, et rien à faire de leurs journées.

— C'est une bonne chose qu'il les attire, non?

— Je crois que oui. Martin a formé un comité pour nous faire des suggestions pour le déménagement.

— As-tu des nouvelles de la paroisse ou de l'évêché?

— Non, pas de nouvelles, et je m'inquiète.

— Tout va pour le mieux dans le meilleur des mondes : je me bats avec le premier ministre de la province, je me suis mis à dos une grande partie de la population, je perds mon emploi et tu ne sais pas où loger Montpossible.

Elle m'embrasse et me glisse à l'oreille :

— Viens, je connais une bonne façon de nous changer les idées.

Nous venons à peine d'entrer dans la chambre que le téléphone sonne. Je regarde l'afficheur :

— Bonjour, Jean.

— Je te dérange?

— Non, tu ne me déranges pas.

Noémie, tout en enlevant son soutien-gorge, articule en silence : « menteur ».

— Maxime, ta lettre au premier ministre a dérangé à Québec. Ils commencent à en avoir assez de toi et du Cercle.

— Je m'en doute.

— J'ai réussi à calmer les esprits et ils sont encore prêts à t'appuyer si tu décides de te présenter à la mairie, mais vas-y mollo et fais une faveur à tout le monde : cesse de parler de fusions, surtout quand il est question de Montréal.

— J'ai fait une erreur en parlant de fusions, mais je continue à croire que c'est une excellente piste de solution.

— Dans bien des situations, la pire gaffe qu'un politicien peut faire est de dévoiler sa véritable opinion.

— Je ne suis pas un politicien.

— Tu n'es pas loin d'être un politicien.

— Je te vois ce soir au bal de Paul.

\* \* \*

En préparation du gala au profit de la Fondation du Parkinson qui a lieu ce soir, Noémie s'est rendue, cet après-midi, au salon esthétique pour une séance de maquillage. Depuis que je la connais, c'est la première fois qu'elle utilise un tel service. Elle s'est aussi acheté une robe chez Holt Renfrew. La coupe de la robe passera en second plan, loin derrière un profond décolleté qui met en valeur la rondeur et la fermeté de ses seins. Je serai fier de l'avoir à mon bras. J'avais décidé de prendre un taxi et, en la voyant, j'ai changé d'idée.

La limousine nous laisse devant l'ancienne gare Windsor. Un tapis rouge nous dirige vers l'entrée et nous arrivons face à face avec Catheryne qui est à la tête d'une ligne de réception :

— Vous faites un couple magnifique.

Paul Underhill est à sa droite :

— Bonsoir, Noémie, bonsoir, Maxime, j'aimerais vous présenter le président de la fondation, Frank Copland.

Une poignée de main.

— Je vous remercie de votre appui.

Le protocole est terminé ; le tout a duré à peine une minute.

Nous entrons dans la salle ; les décorations sont à couper le souffle : le thème de la soirée est : *Bleu sur Blanc*. De grandes bandes de tissus de couleurs blanche et bleu pendent du plafond et des faisceaux lumineux dansent sur le décor pour créer une illusion de mouvement.

Tout près de l'entrée, j'aperçois les parents de Noémie, verre de champagne à la main, qui nous font signe.

Maj embrasse Noémie :

— Tu es splendide.

John me serre la main :

— Tu laisses ta copine se promener en public habillée comme cela ?

— *Dad*, s'il te plaît.

Nous sommes interrompus par deux statuesques mannequins vêtues de robes longues, l'une blanche, l'autre bleue. La première nous offre le champagne, l'autre nous présente des sushis au saumon fumé et au homard.

John me glisse à l'oreille :

— Je comprends pourquoi les billets étaient cinq cents dollars pièce. Tu es toujours certain que tu ne veux pas que je te rembourse ?

D'un signe de tête je lui indique que non.

Nous sommes interrompus par Jean Deragon et son épouse Isabelle. J'en profite pour leur demander :

— Savez-vous pourquoi Paul est aussi impliqué avec la Fondation du Parkinson du Québec ?

— Tu connais Paul, il est très discret quand il est question de sa vie personnelle : sa fille souffre du Parkinson. Elle vit à sa résidence de Frelighsburg. C'est la raison pour laquelle Anne-Marie vit là-bas ; la maladie de sa fille est tellement avancée qu'elle a besoin de soutien vingt-quatre heures par jour, sept jours par semaine.

Isabelle ajoute :

— Anne-Marie est en train de se faire mourir.

— Ils ont trois infirmières à temps plein ; Paul est au bord de la faillite et l'héritage de ton oncle, s'il est finalement distribué, va lui donner tout un coup de pouce.

— Ma tante Alma…

— Je suis au courant.

Depuis que Carole m'a informé de la mauvaise situation financière de Paul, plusieurs des explications usuelles me sont venues à l'esprit : problèmes de jeux, drogue, maîtresse. Mais je n'ai jamais osé lui poser la question. Maintenant que j'en connais la raison, je me sens penaud. Je jette un regard vers Noémie, avec qui j'ai partagé mes inquiétudes. Elle ne dit rien, mais son expression me laisse comprendre qu'elle partage mes pensées. Elle ajoute :

— Et ils nous disent que nous avons le meilleur régime de santé au monde.

Nous sommes interrompus par mes autres invités : Pierre-André Lepage, son épouse Murielle, Jon Van Tran et son épouse Minh. J'ai toujours aimé Minh pour son petit côté exotique ; pourtant elle est née à Alma et parle son français avec un accent bien québécois. Ses parents étaient des *boat people* du Vietnam qui ont abouti au Lac-Saint-Jean et y sont restés. Ce soir, elle est magnifique vêtue d'un traditionnel *ao dài* rouge et blanc. Elle demeure fière de ses origines.

La demoiselle qui nous avait servi le champagne s'approche de nous et nous demande de nous diriger vers nos tables.

Jean me prend par le bras et me dirige à l'écart :

— As-tu réfléchi à notre conversation de ce matin ?

— Jean, je n'ai aucune ambition politique.

— Maxime, je suis d'avis que tu pourrais accomplir de grandes choses. J'ai parlé à Charles Létourneau, et les gens de Progrès Montréal demeurent intéressés. En passant, j'ai appris la nouvelle pour ton émission ; veux-tu que je parle à Québec ?

— Non.

— Nous en rediscuterons.

Il n'en dit pas plus et il s'éloigne pour se rendre à sa table.

Noémie prend les choses en mains :

— Ce soir l'on ne s'assoit pas en couple : Maj, à côté de Pierre-André de ce côté-ci de la table, *Dad* à côté de Murielle de l'autre côté, Minh, tu t'assois avec mon chum et je m'assois à côté du tien.

Nous avons à peine terminé un velouté de choux-fleurs que l'on nous sert deux belles crevettes avec un chutney aux mangues. Après quelques minutes, le maître de cérémonie apparaît au micro :

— Maintenant que vous vous êtes créé un petit fond, il est temps d'ouvrir le bal. Je demanderais à notre présidente d'honneur Catheryne Leclair de nous faire les honneurs.

Son compagnon, un homme aux tempes grises, avec un corps svelte et la démarche exagérée du danseur professionnel, la dirige vers le centre du plancher de danse. Une valse de Strauss débute et, durant plusieurs minutes, Catheryne et son compagnon nous font une magnifique démonstration de leur talent.

Je ne sais si c'est mon imagination, mais j'ai l'impression que plusieurs regards interrogateurs sont dirigés dans ma direction : « Il n'est plus avec Catheryne Leclair ? »

Noémie s'approche de moi :

— Viens, allons danser.

Ses parents sont déjà sur le plancher de danse et me surprennent par leur performance ; loin de l'élégance professionnelle de Catheryne et de son compagnon, mais celle de bons amateurs, animés de bonne volonté.

Noémie a remarqué mon regard et me glisse à l'oreille :

— Ils prennent des cours de danse en Floride.

Nous avons à peine terminé la première danse que Catheryne s'approche et demande à Noémie :

— Tu permets, juste pour une danse.

Elle me dirige vers le milieu du plancher et elle me glisse à l'oreille :

— Ça fait plus d'un mois que je veux te parler, mais je n'ose pas à cause de ta relation.

— Merci, je l'apprécie.

— Je voulais te remercier pour ta visite à la clinique.

— Je t'avais promis.

— Je suis curieuse : as-tu pensé à moi lorsque tu as fait… tu sais… la donation.

— Tu parles d'une question.

— Je veux savoir tout simplement.

— Je pensais à la belle Asiatique qui se faisait aller à l'écran.

Catheryne reçoit l'explication avec une légère moue.

— Maxime ! Tu te souviens de cette robe ? C'était ta préférée.

Je me souviens très bien de cette robe ultramoulante et je me souviens aussi qu'elle avait l'habitude de ne rien porter en dessous.

— Je ne pourrai plus la porter dans les prochaines semaines. »

# Chapitre 33

# Salamanca

Dans ma chronique de mardi, j'ai choisi d'attaquer plutôt que de m'expliquer et j'ai dénoncé le charriage dans les bégonias qui survient à chaque fois qu'il est question de fusions ; j'ai évité de parler de la réaction des politiciens et j'ai continué à défendre l'idée que la fusion de certains services municipaux à la grandeur de la région pouvait être un élément de solution à certains problèmes et j'ai insisté sur l'idée que cela devrait faire l'objet d'une étude. Dans le dernier paragraphe du texte, à peine quelques lignes, j'ai abordé le sujet de l'annulation de mon émission. Je me suis limité à soulever l'étrange coïncidence entre ma lettre au premier ministre et l'annulation de mon émission à la télévision d'État.

Ma référence à « l'étrange coïncidence » a été interprétée comme une accusation et ces quelques lignes sont devenues la nouvelle du jour. Tout au cours de la journée, j'ai donné des interviews ; aucune question sur les fusions, seulement sur les motifs derrière l'annulation de mon émission, une annulation qui a le potentiel de faire scandale et qui est devenue en moins de vingt-quatre heures « l'affaire Beaubien ». Ce matin, avant de quitter l'appartement, Noémie m'a informé que nous soupions ensemble au restaurant Salamanca sur la rue De Brésoles dans le Vieux-Montréal, sans autre explication que : « pour faire changement ».

Après une journée mouvementée, j'ai hâte de la rejoindre. Le décor du restaurant fait Vieux-Montréal avec ses murs de pierres et ses poutres de bois apparentes, remises au naturel grâce à un sablage énergique. Pour faire espagnol, des parures en fer forgé ont été accrochées un peu partout. Le mur du fond est décoré d'une immense photo de la Plaza Mayor, la place-signature de la ville de Salamanca que je reconnais pour l'avoir visitée il y a quelques années.

Noémie est déjà installée à une table en grande discussion avec un homme vêtu d'une chemise blanche aux manches partiellement relevées et d'un pantalon noir. Noémie me reçoit en espagnol :

— *Buenas noces, querida.*

Je me penche et lui donne un baiser qu'elle reçoit avec ce petit ronronnement plein de promesses que j'aime tant.

— Maxime, je te présente Jorge, le propriétaire. Il est marié à l'une de mes amies.

— C'est un honneur de recevoir une vedette dans mon humble restaurant.

Le ton est amical, un brin taquin. Puis il ajoute :

— D'autant plus qu'il est le copain de ma bonne amie Noémie.

Noémie ignore la remarque :

— Je suis arrivée un peu à l'avance et j'ai écouté ton interview à l'émission de Mongrain sur la télévision de la cuisine. Ça s'est bien passé.

— Oui, mais Mongrain m'a surpris avec des questions sur plusieurs sujets autres que l'annulation de mon émission. J'espère que cela n'a pas trop paru ?

— Pas du tout. Tu as semblé hésiter l'espace d'une seconde lorsqu'il t'a posé la question sur les fusions.

— Il a été le premier à me poser une question sur le sujet. Tout le monde voulait parler de l'annulation de mon émission et de l'implication du premier ministre dans la décision. Tu as remarqué qu'il a fait le lien entre fusion et économie d'échelles, un lien que je n'ai jamais fait. J'ai toujours parlé d'efficacité et d'amélioration des services.

— Tu as bien fait de dévoiler les sources de financement du Cercle.

— Crois-tu que la population m'a cru ? Lui m'a semblé sceptique : « Comment un chroniqueur et un animateur de télévision a-t-il les ressources pour financer une telle organisation ? »

J'ai décidé d'aller jusqu'au bout et de dévoiler la source en répondant : un héritage. Mais je crois que ma réponse a été trop directe à son goût. Je lui ai coupé le sifflet. As-tu remarqué le moment de silence ? Je suis persuadé qu'il pensait que je refuserais de répondre et qu'il se préparait à me varloper en conséquence.

Noémie ajoute :

— J'ai aimé ta réponse à sa dernière question lorsqu'il t'a demandé les raisons pour lesquelles tu avais caché cette information.

— J'avais hâte que quelqu'un me pose enfin la question, et j'avais ma réponse toute prête : « Je ne l'ai jamais caché, on ne m'a jamais posé la question et si on l'avait fait, j'aurais donné la réponse que je viens de vous donner. »

Nous sommes interrompus par Jorge, qui place sur la table une assiette de saucissons tranchés et une autre, débordante d'olives noires marinées. Il nous quitte en nous informant que le reste suivra dans quelques minutes. Noémie ajoute :

— Je me suis permis de commander. La paella prend un peu plus de temps à préparer.

— Je ne suis pas pressé.

Noémie me répond avec un énigmatique :

— Moi, je le suis.

— Pourquoi ?

— Tu verras, sois patient, ce sera une surprise.

Je n'insiste pas et je n'arrive pas à deviner ce qui se cache derrière cette énigmatique affirmation.

— As-tu objection à ce que je me commande du vin ? Je ne suis pas un grand fan de la sangria. En passant, ton espagnol est excellent !

— J'espère : deux étés passés à Salamanca pour apprendre l'espagnol. C'est là que j'ai rencontré l'épouse de Jorge et que nous sommes devenues des amies.

Noémie fait signe à Jorge qui passe près de la table les bras chargés d'assiettes. D'un signe de tête, il indique qu'il reviendra, ce qui ne prend que quelques minutes :

— Maxime aimerait un verre de vin.

— Un bon soir pour cela. Je viens d'ouvrir une bouteille de Dominio de Valdepusa, 1997. Si vous aimez le Cahors, vous aimerez le Valdepusa.

Jorge parti chercher le vin, Noémie en profite pour me parler de Montpossible, un sujet que j'avais presque oublié, préoccupé par les interviews de la journée.

— J'ai finalement eu des nouvelles du vicaire apostolique : il ne voit pas de problèmes à ce que nous déménagions Montpossible dans le sous-sol de l'église et dans le presbytère, mais sur une base temporaire. Nous ne pouvons utiliser l'église elle-même parce que le processus de fermeture au culte n'est pas terminé.

— Sur une base temporaire ?

— Le protocole de fermeture exige au moins un an de préavis. La fabrique s'est traînée les pieds et n'a envoyé l'avis que le mois dernier et, seulement par suite de beaucoup de pression de l'archevêché. Il nous a avertis que sa décision de nous louer le sous-sol et le presbytère était loin de faire l'unanimité.

— Il faudrait que tu obtiennes une option d'achat dès maintenant.

— Mon père a dit la même chose.

Nous sommes interrompus par un serveur qui place sur la table une assiette de poivrons rouges grillés, une autre de champignons marinés et après l'avertissement usuel : « Attention, les assiettes sont très chaudes », un plat de crevettes à l'ail. Jorge suit, une bouteille de vin à la main. Il me montre d'abord l'étiquette de la bouteille ; je confirme d'un signe de tête, même si je ne me souviens déjà plus du nom du vin suggéré. Il prend le verre qu'il soulève à la lumière pour s'assurer de sa propreté et m'en sert un doigt pour dégustation tout en ajoutant :

— Vous verrez un petit goût presque sucré et une solide finale.

Je goûte et j'acquiesce avec un sourire.

Le rituel terminé, Noémie me ramène sur le sujet :

— Nous devons incorporer de nouveau Montpossible. Mon père a fouillé dans les dossiers et la dernière réunion formelle du conseil d'administration date de plus de trois ans. J'ai demandé à Florence de vérifier les registres et elle m'a informé que le conseil était formé de trois personnes : Eusèbe est président du conseil, Conrad en est le secrétaire et Fabrice Courtemanche, le trésorier.

— Connais pas.

— Conrad m'a dit qu'il était un bénévole au Centre qui s'occupait de l'administration. Il est décédé depuis deux ans.

Le Centre a perdu son statut de société parce que personne n'a complété les rapports annuels requis. Officiellement, le Centre Montpossible n'existe plus.

J'ai demandé à Florence de régulariser la situation. Tu seras le président du conseil, mon père sera le trésorier et l'une de mes copines a accepté d'être secrétaire. Je serai la PDG. Il faut faire vite ; il y a un bail à signer avec la fabrique et je ne veux pas donner à quiconque une raison pour ne pas signer.

La paella nous est servie ; une belle paella de mariscos garnie d'un demi-homard, un petit homard déposé là comme garniture et dont la chair, trop cuite, a perdu son goût au profit du riz. Je tasse le petit crustacé qui trône au milieu de l'assiette, et goûte au riz pour confirmer que le crustacé, les palourdes et le safran ont bien joué leur rôle.

— Je t'avais dit, la meilleure paella en ville.

Noémie prend une gorgée de sangria :

— Le sergent Saucier m'a appelée cet après-midi.

— Martin ?

— Oui. L'église Saint-Rusticule a été évacuée dimanche matin.

— Un appel à la bombe ?

— Non : les policiers ont remarqué la présence de Martin et de Sophie à la messe de dix heures. Apparemment Martin est disparu dans le sous-sol pendant la messe et est revenu après une quinzaine de minutes. À son retour, les deux sont repartis rapidement. La police n'a pas pris de chance et ils ont demandé à la vingtaine de fidèles de quitter les lieux, puis ils ont fouillé l'église de fond en comble sans rien trouver.

— As-tu parlé à Martin ?

— Oui et il a avoué. Il demande depuis une semaine au marguillier Chicoine accès au sous-sol pour prendre des mesures et celui-ci refuse. Dimanche matin, il s'est rendu à l'église pour prendre des mesures.

— Tu as informé Saucier ?

— Oui, par sa messagerie vocale et j'ai demandé à le rencontrer. Ça commence à être ridicule.

— Ils l'ont vraiment à l'œil.

Un moment de silence, un silence lourd. Le regard de Noémie s'assombrit malgré le timide sourire qui apparaît sur ses lèvres. Elle avance la main sur la table et je la prends. Noémie à voix basse me demande :

— M'aimes-tu ?

Cette question est souvent posée dans la vie, si souvent qu'elle est devenue coutumière ; elle fait partie du rituel de toute relation romantique naissante. Ni un ni l'autre des participants ne se prend au sérieux. « M'aimes-tu ? » « Oui, je t'aime. J'aime ton corps, j'aime tes seins, j'aime tes fesses, j'aime un bon livre, j'aime les crevettes, j'aime un martini. » Mais cette fois-ci, je sens que la question est sérieuse et le « m'aimes-tu ? » de Noémie exige une réponse qui risque d'avoir des conséquences. Je lui sers la main et réponds d'un simple :

— Oui.

Le sourire devient plus large, mais les yeux demeurent inquiets. Elle retire sa main de sous la mienne, et c'est maintenant elle qui sert la mienne tout en me demandant :

— Maxime, tu te rends compte que nous allons avoir une relation qui sort de l'ordinaire et que nous allons devoir faire face à toutes sortes d'obstacles. En passant, ma mère m'a déjà donné une liste de membres de la famille qui risquent de nous ostraciser.

— Noémie, l'important, c'est que nous soyons tous les deux sur la même longueur d'onde.

Elle se lève, m'embrasse et se rassoit ; son visage est éclatant. Elle prend une gorgée de sangria, regarde sa montre et fait signe à Jorge de nous apporter l'addition :

— Viens, j'ai une surprise pour toi.

— Je n'ai pas fini ma paella.

— Laisse faire la paella, nous reviendrons un autre jour.

Elle me prend par la main et, au coin de la rue Saint-Sulpice, me dirige vers la droite. Après une centaine de mètres, elle s'arrête devant le bureau d'une agence immobilière. Nous sommes attendus. Une jolie dame aux cheveux noirs se lève et reçoit Noémie d'une accolade et d'un discret « *all right* », pas assez discret pour que je ne l'entende. La complicité entre les deux est évidente. Noémie me présente Lise Fafard, qui me sert la main et s'empresse d'enfiler son manteau.

Nous reprenons la rue Saint-Sulpice vers le sud, à droite sur Saint-Paul et finalement à gauche sur Saint-Nicolas. Nous arrivons face aux Jardins d'Youville. J'avoue être perplexe et je le suis encore plus lorsque les deux conspiratrices me dirigent vers l'édifice où se trouve la copropriété d'Eusèbe. Noémie et Lise s'amusent comme deux adolescentes. Lise sort des clés et ouvre la porte d'entrée. Dans l'élévateur, Noémie, tout en me faisant un clin d'œil, appui sur le trois, l'étage où se trouve l'appartement d'Eusèbe.

À l'étage, nous nous arrêtons à la porte voisine de la copropriété de mon oncle. Lise m'explique :

— Noémie m'a demandé, il y a quelques jours, de communiquer avec le propriétaire pour voir s'il souhaitait vendre. Je me suis informé pour découvrir qu'il est un homme d'affaires new-yorkais qui avait acheté cet appartement au début des années quatre-vingt-dix comme investissement et pour l'utiliser durant ses vacances. Il a maintenant plus de soixante-dix ans, voyage beaucoup moins et serait prêt à vendre d'autant plus qu'il a été heureux d'apprendre que la valeur avait presque triplé.

Durant cette explication, nous sommes demeurés dans le corridor. Noémie ouvre la porte, me pousse à l'intérieur et ajoute :

— C'est un petit trois et demi. Viens, je veux te montrer.

Elle me dirige vers le mur mitoyen.

— Il suffit d'ouvrir ici pour communiquer avec la copropriété d'Eusèbe, puis nous transformons ce petit logement en une grande chambre à coucher pour nous avec une salle de bain.

Elle attend ma réaction. J'hésite. Ma meilleure réponse serait de la prendre dans mes bras et de l'embrasser, mais Lise est là. Je lui prends la main et la serre en guise de réponse. Lise comprend qu'elle est de trop :

— Vous n'avez pas besoin de moi. Je vous laisse. Assurez-vous de bien verrouiller avant de partir. Noémie, tu m'appelles demain.

Lise partie, j'enserre Noémie dans mes bras et l'embrasse en lui disant à l'oreille :

— Un beau projet. Je t'aime.

Le baiser se prolonge et devient plus passionné.

Noémie me chuchote à l'oreille :

— Viens, j'ai les clés de l'appartement d'Eusèbe.

Nous nous assurons de bien fermer et nous passons à côté. Je me dirige vers une lampe pour faire de la lumière lorsque Noémie m'arrête avec un «non». Elle place sa main derrière mon cou, me rapproche et m'embrasse d'un long baiser. Je sens sa main monter le long de mon bras et se diriger vers les boutons de ma chemise qu'elle enlève. Puis avec un délicat «viens», elle se dirige vers le divan tout en enlevant son chandail et son soutien-gorge qui rejoignent ma chemise sur le tapis. Je place mon bras autour de ses épaules, l'embrasse tout en plaçant ma main sur son sein. Sa main rejoint la mienne ; elle applique un peu de pression ; son corps réagit d'un court frémissement. Son autre main défait le bouton de son pantalon. Une invitation que je ne peux refuser : ma main passe de son sein, à son ventre et doucement entre ses jambes.

Je sens sa main entrer dans mon pantalon et elle me murmure à l'oreille :

— Vite, ça fait trois heures que j'attends.

Nous plaçons les coussins du divan sur le plancher, nos pantalons sont rapidement enlevés. Elle se couche et, en plaçant sa main sur ma hanche, m'invite entre ses jambes. Dans la pénombre des lumières extérieures, je vois son visage et je suis convaincu qu'elle est la femme de ma vie.

# Chapitre 34

# Influence

Hier après-midi, je suis revenu songeur de ma rencontre avec Jon. Il m'a fait réaliser, sans me le dire spécifiquement, que le Cercle était devenu l'un de ces groupes de pression que j'ai souvent décriés dans mes chroniques ; le genre de groupe, formé d'un nombre restreint d'individus qui ne font que critiquer sans proposer de solutions, et lorsqu'ils le font, proposent des solutions irréalistes. Il faut que le Cercle se rapproche de la population et, quoi qu'en pense Jon, il faut que je rencontre les élus municipaux des banlieues pour me les rallier, sinon le Cercle fera simplement partie des meubles comme bien des groupes de pression.

Deux appels téléphoniques ce matin m'ont permis d'amorcer le virage que je veux effectuer : Jon m'a avisé qu'il avait organisé une rencontre avec le maire Castonguay en fin d'après-midi, et Fred m'a appelé pour fixer un rendez-vous. Nous nous rencontrons lundi.

Hier, si mon après-midi s'est terminée sur une note positive, les choses se sont gâtées en fin de journée : Noémie est revenue de Montpossible dans une humeur massacrante. Plutôt que l'habituel bonjour avec bécot, j'ai eu droit à une question brutale. Comme dirait l'autre, la question qui tue. J'aurais dû m'y attendre.

— Catheryne est enceinte ?

Je sens qu'elle est pompée.

— Oui, je suis au courant.

— Pis tu ne me l'avais pas dit.

— Je ne voulais pas te troubler.

— Ah bon, tu voulais pas me troubler. Tu sais qui est le père ?

Depuis ma visite à la clinique et, encore, après la révélation de Catheryne au gala, je me suis mille fois demandé comment j'aborderais cette inévitable confrontation.

— Noémie, je t'assure que Catheryne et moi, c'est terminé.

Ma grande déclaration est reçue avec une froideur qui me donne la chair de poule.

— Belle réponse de politicien, lance-t-elle. Dis-moi que tu n'es pas le père !

Je n'ai plus le choix que de laisser aller le morceau. La sueur me coule dans le dos.

— Lorsque j'ai rompu avec Catheryne, elle m'a demandé d'être le père géniteur de son enfant. J'ai visité une clinique de fertilité et j'ai donné mon sperme. *That's it, that's all.*

— *That's it, that's all*, dis-tu ! C'est tout ce que tu trouves à dire ? Vas-tu me dire en plus que tu as juste oublié de m'en parler ?

Avant que j'aie le temps de répondre, elle m'a lancé une série de choses en arabe, certainement pas des compliments, et elle s'est réfugiée dans notre chambre. Le cadre de porte a failli s'arracher. Je ne l'ai pas revue de la soirée. J'ai dormi sur le proverbial divan de mon bureau.

Ce matin, quand je me suis levé, il y avait une note sur le comptoir de la cuisine : « Je suis chez mes parents pour la fin de semaine. » Pas de signature, pas de mots doux et évidemment pas de XOXOXO. Je suis atterré par la situation et je n'ai personne à blâmer pour mon manque total de jugement. Une heure de jogging à plein régime n'a rien réglé. Absolument rien.

Avant de partir pour une rencontre avec Florence, autre douche glacée : j'ai appelé Montpossible et Dédé m'a avisé que Noémie ne voulait pas être dérangée. Même lui m'a semblé moins jovial que d'habitude. J'ai tenté de la rejoindre sur son cellulaire sans succès. Je lui ai laissé un message. Beau cave que je suis !

Mais *the show must go on*. À mon arrivée chez Florence, celle-ci est au téléphone et me fait signe de me diriger vers la salle de conférence puis elle pointe ma cravate avec un soulèvement des épaules et un sourire.

Pour ma réunion avec le maire Castonguay cet après-midi, j'ai décidé de porter un complet foncé et une cravate ; je n'ai jamais vu Castonguay habillé autrement et je crains de l'indisposer si j'arrive avec un look trop décontracté.

— Maxime, où vas-tu avec ta cravate ?

— J'ai une rencontre un peu plus tard cet après-midi avec le maire Castonguay.

— Tu veux prendre sa place ?

— Non, je veux justement l'informer du contraire.

— J'ai appris que Catheryne était enceinte.

— Oui, je sais.

— Tu veux en parler ?

— Pas vraiment.

— As-tu quelque chose à voir avec sa condition ?

— Florence, s'il vous plaît.

— J'ai compris ; ce n'est pas de mes affaires.

Elle s'arrête un bref instant. Je comprends qu'elle est déçue que je n'aie pas voulu me confier, mais elle devrait comprendre que mes affaires avec Catheryne et Noémie ne regardent que moi.

— Ce n'est pas pour cela que je voulais te voir. Hier soir j'étais avec Conrad et nous discutions de ce qui t'arrive et du grenouillage autour de ta candidature. Comme tu le sais, l'oreiller a le pouvoir de libérer les confidences.

Elle s'arrête une seconde, un sourire apparaît sur ses lèvres, et elle me lance :

— Oui, même à notre âge.

Faute de savoir comment réagir, je souris.

— Cela dit, il y a quelques jours, Conrad m'a confié que Jean et Paul manigançaient, depuis la mort d'Eusèbe, pour faire de toi un candidat à la mairie. Ils soutiennent même que c'était l'objectif ultime d'Eusèbe et que c'est la raison pour laquelle il avait inclus la clause en question dans son testament.

— Tu crois que c'était vraiment l'objectif d'Eusèbe ?

— Ce dont je suis certaine, c'est qu'Eusèbe n'aurait pas osé aller aussi loin que de te demander de te présenter. La clause a été rédigée de façon tellement large qu'il te laissait toute la latitude voulue pour faire à ta tête. Tu le connaissais aussi bien que moi ; il n'avait pas l'habitude de faire quoi que ce soit derrière le dos de quelqu'un.

— Tu m'as dit que Jean et Paul manigançaient…

— Le tout a commencé en janvier avec le recrutement de Fred Barette. Il a reçu comme instruction de faire de toi un candidat crédible. C'est Jean qui le paye.

— Non, le Cercle reçoit des factures de lui toutes les semaines.

— Pour deux heures de travail alors qu'il y consacre presque tout son temps.

Vraiment, j'en ai encore beaucoup à apprendre.

— Est-ce qu'il y a autre chose ?

— Paul est « la source bien informée » du journaliste Hurtubise et cela depuis le premier article lors de la fondation du Cercle, jusqu'au dernier où il dévoile les approches du parti Progrès Montréal. Tu veux un café ?

— Un verre d'eau.

Un bref moment pour me remettre de ces révélations. Je me prends pour un beau naïf pour n'avoir rien vu. Florence revient deux verres d'eau à la main.

— Pour le dîner-bénéfice en mars, ils étaient tellement convaincus que tu accepterais la nomination du parti de Castonguay qu'ils ont vendu plus de trois cents billets à tous les gros bureaux d'avocats, d'ingénieurs et de comptables qui font affaire avec la ville pour « avoir la chance de rencontrer le successeur du maire Castonguay ». Tu n'as pas mordu à l'hameçon et ils ont eu l'air fou.

— Florence, je ne sais vraiment pas quoi te dire.

— Conrad me dit que Felicia McCormick les a tassés de Progrès Montréal.

— Je crois plutôt qu'elle a l'intention de les tasser. Ce n'est pas encore fait.

— Conrad est mal à l'aise avec toute cette histoire et voulait que tu sois informé. Ils vont sûrement faire une autre tentative pour te convaincre.

— Merci, j'apprécie ta confidence.

— Dans un autre ordre d'idées, j'ai parlé à ta tante Alma et elle accepte l'offre de deux cent mille dollars plus ses frais d'avocat.

J'acquiesce de la tête. J'en ai eu assez pour aujourd'hui.

Sur ce, je me suis levé et j'ai quitté son bureau pour prendre une longue marche en direction de l'hôtel de ville et mon rendez-vous avec le maire Castonguay. Je me sens comme un bel innocent qui ne voit personne venir malgré leurs gros sabots.

Ma réaction aux confidences de Florence me surprend : j'aurais dû être furieux, mais je suis plutôt déconcerté : j'aimerais donner à ces deux bons amis de mon oncle le bénéfice du doute. Je voudrais croire qu'ils sont de bonne foi et qu'ils veulent m'aider à réaliser ce qu'ils pensent être les dernières volontés d'Eusèbe. Mais j'ai des doutes, de gros doutes. Je crois qu'ils font preuve d'un altruisme intéressé.

\* \* \*

En chemin, j'ai vérifié ma messagerie téléphonique ; Noémie ne m'a pas rendu mon appel. C'est dans un état d'esprit un peu déséquilibré que je rejoins Jon face à la place Vauquelin, voisine de l'hôtel de ville.

Notre rendez-vous est à six heures et nous nous dirigeons immédiatement vers la réception. Nous signons le registre des visiteurs et attendons que l'on vienne nous chercher. À cette heure tardive, un vendredi soir par surcroît, nous sommes les seuls à la réception et il règne un silence insolite dans la salle.

Après quelques minutes, une dame vient nous chercher :

— Bonsoir, monsieur Van Tran ? Je suis Irène Sylvestre, l'adjointe du maire Castonguay.

Elle sert la main de Jon et se tourne vers moi :

— Monsieur Beaubien, il me fait plaisir de vous rencontrer.

Elle fait ce qui me semble une légère révérence puis nous invite à la suivre.

Le maire Castonguay est installé à sa table de travail, concentré dans la lecture d'un document.

— Monsieur le maire, vos visiteurs sont arrivés.

Il se lève, s'approche de nous et nous sert la main :

— Messieurs, je vous présente Irène, mon adjointe depuis trente ans. Les jours de semaine, en fin d'après-midi, elle prend la relève des jeunes qui ont des obligations familiales, et elle reste jusqu'à mon départ.

Il se tourne vers son adjointe :

— Merci, Irène. Vous pouvez quitter le bureau, la journée est terminée.

Irène nous quitte et le maire Castonguay ajoute :

— Elle ne m'écoute jamais et vous verrez, elle sera là quand vous quitterez. Messieurs, installez-vous.

Il nous dirige vers des fauteuils installés autour d'une table à café.

— Je vous offre quelque chose à boire ?

Nous refusons.

— Si vous le permettez, je vais me servir un scotch. Vous ne changez pas d'idée ?

— Pour vous accompagner.

Jon acquiesce aussi d'un signe de tête.

Il se lève et se dirige vers un buffet. Nous le rejoignons. Une bouteille de Dewar, des verres et un pichet d'eau ont été placés sur un cabaret.

— À soixante-dix ans, le scotch est mon calmant favori en fin de journée.

Il sert trois verres. Sa définition d'un verre est plus que généreuse.

— Messieurs, que me vaut votre visite ?

Jon me jette un coup d'œil ; je comprends qu'il me passe la balle :

— Monsieur le maire, vous connaissez le Cercle de la Montréalie.

— Il m'interrompt avant même que je n'aie eu la chance de dire un mot de plus.

— Pour commencer, des hommes qui partagent un verre de scotch utilisent leurs prénoms ; c'est donc Clément. Je vous demanderais de parler un peu plus fort. Je suis sourd d'une oreille.

Je m'apprête à reprendre, et il m'arrête de nouveau d'un signe de la main.

— En passant, Maxime, je veux te remercier des égards que tu portes aux politiciens. Dans toutes tes interventions, lorsque tu parles de moi, tu parles de monsieur le maire Castonguay. C'est la même chose lorsqu'il est question du premier ministre de la province, tu fais référence à monsieur le premier ministre Munger. C'est une habitude qui se perd, une situation qui contribue au manque de respect dont souffre la classe politique. Ce matin, j'écoutais le *morningman* Parent, ce minus pas de classe, parler de Castonguay, Munger et Beaubien. Les anciens politiciens du *Club des ex*, à RDI, font la même chose. Excusez l'interruption, j'avais besoin de me défouler. Maxime, tu as le crachoir.

— Clément, et en passant je ne me sens absolument pas à l'aise de vous interpeller par votre prénom.

— Je comprends, c'est simplement la différence d'âge. Fais-le pour moi : lorsque tu m'appelles monsieur, tu me fais sentir vieux.

— Mes excuses, Clément. Lorsque nous avons fondé le Cercle, notre but était d'abord de défendre les intérêts de la grande région de Montréal face aux attaques des régions et ensuite de former un front commun de la région montréalaise. Nous sommes au point où il est temps de former ce front commun. C'est la raison pour laquelle nous sommes ici ce soir.

— J'ai suivi avec intérêt les activités du Cercle et je dois vous féliciter : tu es devenu un interlocuteur crédible qui initie des débats sur des éléments importants pour la région, mais il existe un gros nuage qui plane au-dessus de cette crédibilité.

— Les rumeurs concernant ma candidature ?

— Oui.

— Monsieur le maire… Clément, je n'ai pas l'intention de faire carrière en politique.

— Maxime, en politique, la perception est importante. J'ai vu un sondage hier et trente-huit pour cent de la population de Montréal te considèrent comme un candidat. Felicia, que j'appuie comme tu le sais, est à vingt-quatre pour cent.

— Mon objectif est de réunir la grande région montréalaise.

— Ta crédibilité en a pris un coup à l'extérieur de l'île avec la levée de boucliers que tu as provoquée en parlant de fusions de services. Une grosse erreur, mon Maxime, ou une stratégie brillante pour te rendre encore plus populaire auprès de la population de la ville de Montréal.

Jon réagit :

— Maxime a toujours maintenu qu'il n'avait pas l'intention de se présenter.

— Je ne vous annonce rien en vous disant que mon parti, Progrès Montréal, est déchiré en deux. Felicia a décidé de faire le ménage et de se débarrasser de la vieille garde. Elle n'a pas le choix ; avec tous les scandales qui ont affecté mon parti, elle doit montrer patte blanche et doit réellement représenter un changement de garde. Je suis même surpris qu'elle n'ait pas créé son propre parti. Deux de tes proches, Jean Deragon et Paul Underhill, font partie de cette vieille garde et ils sont associés à certaines des magouilles qui ont entaché mon mandat. J'utilise le terme *magouille* parce que c'est le terme utilisé par les médias, mais, comme le disait un ancien premier ministre du Canada : « Que voulez-vous, c'est la façon que ça fonctionne. » Faudrait peut-être dire « fonctionnait ». Les choses vont devoir changer. Malgré cela, Jean et Paul ne veulent pas décrocher.

— Croyez-moi, je suis au courant et j'ai refusé toutes leurs approches.

— Je vais te donner le bénéfice du doute. Maintenant, revenons au Cercle. En tant que maire, je ne peux faire partie d'une organisation comme la tienne et je ne peux même pas paraître l'appuyer. Vous vous attaquez à mes patrons, le gouvernement du Québec. Le niveau municipal est une création du gouvernement provincial dont la fonction est de gérer des services de base. Québec a donné ces responsabilités aux municipalités, mais ne leur a pas donné les moyens financiers pour faire le travail. Une belle façon de tout contrôler sans que cela paraisse. Dès qu'il est question de faire de grands travaux, rénovation d'un échangeur, achat de matériel de transport en commun, réfection de route, il nous faut l'aval de Québec parce que c'est eux qui approuvent, c'est eux qui financent, c'est eux qui mènent. Dans l'intérêt de mes concitoyens, je ne peux me permettre de me les mettre à dos.

Il continue :

— Comprends-moi bien, un groupe de pression comme le tien, à la condition qu'il demeure apolitique, peut être d'une grande utilité pour faire passer des messages et mettre de la pression sur le gouvernement supérieur. C'est d'ailleurs ce que vous avez fait depuis le début et c'est ce que vous devriez continuer à faire. Vos efforts sont appréciés et servent la cause de Montréal, mais je ne peux me permettre de vous appuyer ouvertement.

— L'objectif de la rencontre était de vous informer.

— J'apprécie, mais je crois que vous auriez dû le faire dès le départ.

Il s'arrête, prend une longue gorgée de scotch et ajoute :

— L'idée de créer un front commun de la région sera un exercice difficile. La ville de Montréal est isolée, un peu par sa faute, mais aussi beaucoup par une mauvaise presse qui monte en épingle chaque petit dérapage et qui ne met rien en perspective. Le front commun ne sera possible que lorsque Montréal aura retrouvé sa crédibilité et cela n'est pas pour demain.

La rencontre s'est terminée sur une longue discussion sur les mœurs de la classe politique et le manque de rigueur et d'éthique intellectuelle de la classe journalistique du Québec. Bref, la journée de purgatoire se termine comme elle s'était présentée. Mal.

# Chapitre 35

# Mise au point

À mon retour à l'appartement vendredi soir, il y avait un message de Noémie sur ma messagerie : « Serai de retour pour souper dimanche ; peux-tu me préparer des crevettes au xérès. Je t'aime quand même. » Toute la fin de semaine, j'ai pensé l'appeler, mais je n'ai pas osé. Heureusement, les choses semblent vouloir s'arranger ; vaut mieux rester tranquille et lui laisser l'initiative.

J'ai bien fait : dimanche, vers dix-sept heures, elle est revenue, un sac d'épicerie dans les bras. Elle m'a planté un machinal baiser sur les lèvres et elle s'est dirigée vers la cuisine en me lançant :

— Je te rejoins dans une minute

J'ai obéi et je me suis installé sur le sofa du salon. Je me sentais comme un adolescent qui attend de se faire engueuler pour une bêtise ; ce n'est pas loin de la réalité. Après quelques minutes, elle est revenue avec deux verres de vin sur un plateau et, dans une assiette, des rouleaux printaniers au homard, mes favoris.

Elle s'est assise en face de moi :

— Maxime, raconte.

— Au début de février, Catheryne a demandé à me voir : elle voulait que je lui confirme qu'il y avait quelqu'un dans ma vie. C'est ce que j'ai fait et c'est là qu'elle m'a demandé, « avant que les choses aillent plus loin », d'être le père géniteur de l'enfant qu'elle désirait. C'est la dernière chose à laquelle je m'attendais. Je n'ai pas accepté sur-le-champ et j'ai demandé du temps pour réfléchir. La semaine suivante, tu es revenue de Floride et je t'ai sentie distante pour des raisons que je ne pouvais m'expliquer et puis, le samedi suivant, tu es allée à la Bar Mitsva de ton cousin sans m'inviter. Je me suis présenté à la clinique de fertilité le lundi suivant.

Noémie a pris une longue gorgée de vin et m'a regardé d'un air sévère. Dieu merci, elle a choisi d'ignorer mes dernières phrases que j'ai regrettées au moment même où je les prononçais.

— Je peux comprendre qu'elle t'ait demandé d'être le père de son enfant.

Je suis soulagé : elle comprend.

— Elle m'a assuré de sa discrétion.

— Je ne comprends pas pourquoi elle a voulu devenir enceinte au moment même où Hollywood frappe à sa porte avec un rôle dans un film avec Jack Nicholson. Bizarre.

Je ressens des sueurs froides. L'idée m'avait aussi traversé l'esprit. Est-ce ma paternité qu'elle visait ?

— Noémie, je t'en prie, assez de discussion sur le sujet. Catheryne et moi, c'est fini.

— C'est peut-être fini pour toi, ce n'est pas fini pour elle. Je l'ai vu au bal et cette femme t'aime. Cela se voit. Mais je suis d'accord : on n'en parle plus, on tourne la page et, s'il te plaît Maxime, à partir de maintenant l'on se dit tout.

Ouf !

Je me lève et je l'embrasse :

— Je dois mettre le riz au feu. Je reviens.

La soirée s'est quand même bien terminée, même si inconfortable à certains moments, un peu comme une autre soirée qui me reste à l'esprit.

* * *

Ce matin, je rencontre Fred et Carole : une confrontation en perspective. L'idée que les rumeurs entourant ma candidature avaient été orchestrées me désappointe ; j'aimais croire que c'était le résultat d'un véritable mouvement populaire. Je sais que Fred est en cause et j'ai de la difficulté à croire que Carole ne l'est pas. Je suis tenté de les remercier tous les deux.

Durant la fin de semaine, Felicia a lancé sa campagne pour devenir la candidate de Progrès Montréal. Lors de sa conférence de presse, elle a présenté les membres de son organisation et quelques candidats qui l'appuient. Comme les politiciens ont maintenant l'habitude de le faire, elle s'est présentée devant les micros avec une douzaine de *bobbleheads* derrière elle, des femmes et quelques hommes, des gens dans la quarantaine.

Durant sa conférence de presse, elle a insisté sur les besoins de renouveau tant à son parti qu'à l'hôtel de ville. Pour réaliser cet objectif, elle a déclaré vouloir rallier autour d'elle une nouvelle génération d'hommes et de femmes désireuse de servir la population. Elle n'a pas caché qui est sa clientèle cible lorsqu'elle a terminé sa présentation en déclarant que « les femmes sont plus difficiles à corrompre ».

* * *

Ce matin, ma rencontre avec Carole et Fred est prévue pour dix heures dans les bureaux du Cercle ; je me suis rappelé que Fred voulait me parler et je lui ai donné rendez-vous une demi-heure avant. À mon arrivée, il est dans la salle de conférence, le nez dans un journal. Lorsqu'il m'aperçoit, il me fait signe de m'approcher, puis il retourne à la page trois du *Journal de Montréal* et pousse le journal vers moi. Le titre de l'article domine la page : « UN IRRESPONSABLE ». Le sous-titre explique : « LAROCQUE ACCUSE BEAUBIEN ».

Durant la fin de semaine, lors d'un congrès d'orientation du Parti québécois à Saint-Hyacinthe, Sylvie Larocque, la chef de l'opposition à l'hôtel de ville, a fait une sortie en règle contre moi et le Cercle. Les accusations sont toujours les mêmes : « Le Cercle cherche à soulever la population de Montréal contre les régions [...]. »

Elle a raison.

« [...] alors que l'avenir du Québec dépend des régions. »

C'est là qu'elle fait fausse route : l'avenir du Québec passe par une ville-région de Montréal forte.

« [...] Maxime Beaubien, avec ses prises de position, risque d'isoler Montréal du reste de la province. »

Quelle révélation : Montréal est déjà isolée.

Je soulève la tête et Fred m'explique :

— Il fallait que Sylvie Larocque fasse une déclaration pour faire la une des journaux et ne pas laisser Felicia prendre toute la place avec la présentation de son équipe.

— Pourquoi s'attaquer à moi plutôt qu'à Felicia ?

— Si elle s'était attaquée à Felicia, elle lui aurait donné de la crédibilité. Tu es la plus grosse cible surtout devant un auditoire formé de délégués venant de partout en province.

— Fred, je voulais te parler.

— Moi aussi.

Je suis curieux, mais je suis encore plus pressé de le confronter :

— J'ai eu la confirmation que tu travailles avec Jean et Paul, depuis le début, pour mousser ma candidature.

Fred arbore un large sourire :

— Tu es surpris ? Il leur faut un candidat, et tu es leur choix.

— De là à couler de l'information à des journalistes, ou encore à vendre des billets à un dîner-bénéfice sous de fausses représentations, il y a des limites. Je suis vraiment mal à l'aise.

— N'oublie pas que les élections municipales sont dans sept mois, le parti Progrès Montréal est divisé et l'establishment du parti a besoin d'un candidat fort pour tasser Felicia.

— Je répète depuis le début que je ne veux pas me présenter.

— Pour des individus aussi politisés que Jean et Paul, la possibilité de proposer un candidat à la mairie se présente rarement et ne se refuse pas. D'autant plus que tu es en avance dans tous les sondages. Dans leur tête, ils te font une faveur inestimable, nonobstant les motifs qui les poussent à le faire, et ils n'arrivent pas à comprendre ton refus.

Je veux le confronter à l'idée qu'il est payé par Jean, mais il ne m'en donne pas la chance. Il sort une enveloppe et me la présente :

— Avant d'aller plus loin dans cette discussion, je dois t'aviser qu'à partir du 1$^{er}$ mai, je travaille à temps plein pour le Parti libéral du Québec à titre de conseiller spécial.

J'ouvre la lettre qu'il m'a présentée :

— Ta démission ?

— Maxime, je suis un mercenaire de l'organisation politique et voilà maintenant vingt-cinq ans que je suis associé au Parti libéral du Québec ; ils m'ont appelé la semaine dernière pour m'offrir un poste.

Notre discussion est interrompue par l'arrivée de Carole.

— Bonjour, messieurs.

Elle s'assoit à la table et pointe le journal :

— Sylvie Larocque te fait tout un compliment en s'attaquant à toi plutôt qu'à Felicia.

— Elle voulait éviter de laisser toute la place à Felicia.

— Tu as raison, mais il est intéressant qu'elle se soit attaquée à toi. Cela confirme que dans les milieux politiques et dans les médias tu es considéré comme un candidat sérieux.

— Je devrais donner une conférence de presse pour faire une mise au point et confirmer que je ne suis pas intéressé.

Carole referme le journal et me regarde d'un air sévère :

— Il faut parler de ta chronique.

— Je sais, j'ai fait une erreur.

— Une erreur qui aurait pu facilement être évitée si tu m'avais consultée. Nous avions élaboré une belle stratégie et tu as foutu le bordel en allant parler de fusions et en t'attaquant directement au premier ministre, avec le résultat que tu te retrouves au beau milieu d'une crise politique.

— Je n'ai jamais pensé que cela prendrait autant d'ampleur.

Fred se lève :

— Maxime, je dois m'en aller. En passant, ma démission prend effet immédiatement.

Il n'en dit pas plus et quitte la salle. Je jette un regard vers Carole.

— Je suis au courant et tu ne peux pas le blâmer. Il faut qu'il gagne sa vie et tu as mis son gagne-pain en danger en t'attaquant au premier ministre. Tu es maintenant *persona non grata* à Québec.

— Tu sais ce qu'il va faire ?

— Sa responsabilité est de s'assurer qu'il y ait le plus de candidats à tendances libérales aux élections municipales de novembre.

— Il va appuyer Felicia ?

— Maxime, tu vas apprendre qu'en politique ça joue dur.

— Et toi ?

— Si tu le veux, je continue.

— Étais-tu au courant des machinations de Jean et Paul ?

— J'avais mes doutes. Jean et Paul me connaissent assez pour savoir que j'aurais refusé s'ils m'en avaient parlé.

— Merci, maintenant revenons à l'histoire des fusions.

— Dès que tu as mentionné l'idée de fusion, tu es devenu suspect aux yeux de la population des banlieues, celle-là même que tu veux rallier pour compléter ton front commun. Heureusement, dans ta chronique tu parles d'études, ce qui nous ouvre une belle porte. Je te propose d'annoncer que, devant le refus des politiciens, le Cercle va donner à des chercheurs indépendants le mandat d'effectuer ces études sur l'efficacité des services municipaux de la région.

— Une excellente idée, mais où vais-je trouver des chercheurs dont les conclusions ne seront pas suspectes ? Les grandes firmes de consultation ont tous des mandats du gouvernement du Québec et leurs conclusions sont souvent biaisées en faveur de l'agenda du gouvernement en place, ou encore, quand elles ne font pas l'affaire des gens en place, politiciens ou fonctionnaires, elles se retrouvent sur une tablette.

— Le Québec est petit. Pourquoi ne pas donner le mandat à une firme américaine qui aurait une expérience dans le domaine et qui serait perçue comme totalement indépendante ?

— Excellente idée, et c'est nous qui diffuserons les conclusions.

— Je prépare un communiqué de presse.

— Sur un autre sujet, j'ai rencontré Clément Castonguay, vendredi dernier.

L'expression sur le visage de Carole en dit long.

— Une rencontre qui n'a pas donné grand-chose. Il est heureux des efforts du Cercle, mais il se dit dans l'impossibilité de nous appuyer ouvertement. La dépendance de Montréal face à Québec le force à marcher sur des œufs.

Carole lance :

— Fallait s'attendre à une telle réaction.

— J'aimerais rencontrer les maires de Longueuil et de Laval.

— Tu perds ton temps : depuis le début ils se méfient du Cercle et de l'idée de la ville-région.

— Est-ce que tu peux quand même m'organiser une rencontre avec eux ? J'aimerais leur expliquer de vive voix les objectifs du Cercle et les informer de notre décision d'effectuer des études sur les fusions de services.

— Je les connais tous les deux et, si j'étais toi, je ne serais pas trop optimiste quant aux résultats de ces rencontres. Maintenant, parle-moi de Montpossible.

— Je ne comprends pas. Qu'est-ce que tu veux savoir ?

— L'un de mes clients est l'évêché de Montréal et je les rencontre une fois par mois pour faire le point.

Carole cherche dans un dossier et sort un carton.

— Ce matin, ils m'ont montré cette carte postale.

Sur un côté, une photo de l'intérieur de l'église de Sainte-Rusticule remplie de fidèles réunis pour la messe de minuit, à en juger par les décorations ornant le temple.

De l'autre, un texte qui me chavire l'estomac :

L'église Sainte-Rusticule
deviendra un centre d'accueil pour Haïtiens et homosexuels
dirigé par une Juive d'Hamstead.
Ils devraient tous rester chez eux.
C'est notre quartier, c'est notre église.

— Ce n'est pas possible. Je n'aurais jamais cru que les choses iraient jusque-là. Noémie va être furieuse.

— Le texte est distribué dans toute la paroisse et l'évêque s'inquiète de la situation.

— Avec raison.

— J'ai avisé l'évêché que le Cercle était mon client, je les ai avisés de ton implication chez Montpossible, une information connue, et j'ai promis de suivre la situation de près.

# Chapitre 36

# Méfiance

Au cours de la semaine, Noémie et moi sommes revenus, autant que faire se peut, à notre routine ; que je le veuille ou non, l'annonce de ma paternité, même si anonyme, a eu l'effet d'un pavé dans une mare, un pavé suffisamment massif pour qu'on le voie encore au fond de l'eau. Comme si ce n'était pas suffisant, je suis de plus préoccupé par ma situation professionnelle : le téléphone ne sonne plus.

Avec l'annulation de mon émission, il ne me reste que ma chronique et le Cercle. J'avais espéré recevoir des offres des autres réseaux, mais rien, personne n'a communiqué avec moi. Le Cercle est sur son erre d'aller, même si le départ de Fred m'obligera à y consacrer plus de temps. Ma chronique ne me prend que quelques heures par semaine. Il me reste la consultation, mais je suis un spécialiste en administration publique et j'ai bien peur que mes activités avec le Cercle et mes dernières chroniques m'aient coupé bien des ponts. J'ai donc décidé de concentrer mes efforts à corriger mes erreurs stratégiques des dernières semaines.

Mes bonnes intentions se sont embourbées dès le départ avec le refus catégorique de Jeannot Simard, le maire de Laval, de me rencontrer. Jeannot, parce que c'est le prénom officiel dont on l'a affublé, n'admet pas l'idée qu'il fait partie de la ville-région de Montréal. Il défend l'hypothèse que Laval est la ville-région du corridor Laval–Mont-Tremblant et il ne veut rien savoir de Montréal. Il démontre autant de jugement que ses parents : qui baptise un enfant Jeannot ?

Ce n'est donc pas avec beaucoup d'enthousiasme que je rencontre, cet après-midi, Richard Gaudet, le maire de Longueuil. Lui aussi a d'abord refusé de me rencontrer. Carole est une fille de la Rive-Sud, elle a été élevée dans le Vieux-Longueuil sur la rue Labonté. Sa famille et celle de Richard Gaudet se connaissent bien ; c'est la seule raison pour laquelle il a finalement accepté le rendez-vous.

Carole a offert de me conduire. Nous sommes sur le pont Jacques-Cartier, un pont dont la structure m'a toujours impressionné.

Carole me demande :

— Tu connais la Rive-Sud ?

— Je peux compter sur les doigts d'une main les occasions où j'ai dû m'y rendre. Si quelqu'un m'interroge, je sais que Saint-Lambert est la ville snob et, fière de l'être, elle ne s'en cache pas, que Longueuil a toujours voulu tout diriger, que Boucherville est heureuse de son sort, que Saint-Bruno ne l'est pas et que Brossard, à son grand désarroi, est multiethnique.

— Pour quelqu'un qui ne connaît pas, tu sembles bien informé. C'est un portrait pas mal exact.

Carole regarde sa montre :

— La rencontre avec Richard est à quatorze heures et nous sommes en avance. Nous avons le temps, je vais te montrer le quartier où j'ai grandi.

Carole prend la rue Saint-Laurent vers l'est, puis elle tourne sur la rue Labonté ; elle s'arrête face à une magnifique victorienne à l'intersection de la rue Longueuil.

— Je ne savais pas que tu étais une petite bourgeoise.

— Mon père était notaire et a fait fortune avec la fusion de Longueuil et de Ville Jacques-Cartier.

Nous avons repris la rue Saint-Laurent vers l'est, une rue bordée d'arbres matures et de luxueuses résidences.

— Ce n'est pas l'image que je me faisais de Longueuil.

— Tu es dans le Vieux-Longueuil. Au début du siècle, c'est ici que la bourgeoisie francophone s'est installée, les anglophones, eux, s'étaient établis à *St. Lambert*.

Nous sommes maintenant sur le chemin de Chambly et le décor change du tout au tout. Je retrouve l'image que je me fais de la banlieue avec ses « merveilleux boulevards », Taschereau, Saint-Martin et compagnie.

Nous arrivons enfin à l'intersection du chemin de la Savane. Deux petites pancartes vertes sur un poteau de lampadaire nous informent que nous devons tourner à gauche pour nous rendre soit à l'hôtel de ville soit au stationnement incitatif du train de banlieue. Difficile de nier que Longueuil est une ville-dortoir.

Devant l'hôtel de ville, Carole dirige sa Lexus vers le stationnement des visiteurs. Je reste surpris par l'édifice. Un hôtel de ville devrait faire la fierté de sa population ; celui de Longueuil est un édifice recyclé qui n'a pas de gueule, tellement pas de gueule que l'architecte a tenté de la cacher derrière de grands écrans de plexiglas.

— Veux-tu bien me dire qui a décidé de foutre l'hôtel de ville ici, en plein champ?

— Je crois que les décisions ont été prises durant les tentatives de fusion et que l'administration d'alors voulait faire preuve de frugalité.

*  *  *

Monsieur le maire Gaudet nous reçoit dans un petit salon adjacent à son bureau. Il est accompagné de sa très jolie adjointe administrative; si sa compétence est égale à son apparence, le maire Gaudet a gagné le gros lot.

Durant notre long trajet sur le chemin de Chambly, Carole m'a informé sur Richard Gaudet: un épicier de métier, il a longtemps œuvré comme bénévole dans l'association de hockey de Longueuil. Il est devenu conseiller il y a une vingtaine d'années, et a été élu à la mairie lors de la dernière élection. Il a déjà annoncé qu'il se portait candidat aux élections de novembre.

— Monsieur le maire, je désirais vous rencontrer pour discuter avec vous du Cercle de la Montréalie et de ses efforts pour défendre les intérêts de la grande région montréalaise.

Pour cette rencontre, j'oublie mon concept de Montréal, ville-région. Longueuil a la prétention d'être la ville centre de la Montérégie.

— Vous voulez dire pour défendre les intérêts de Montréal.

— Nous avons utilisé le terme *Montréalie* pour bien faire comprendre que nous voulons défendre toute la région.

— Monsieur Beaubien, j'ai été un fan tant de votre chronique que de votre émission. J'ai cessé de l'être le jour où vous avez fondé le Cercle de la Montréalie. Si cette notion de ville-région de Montréal, dont vous faites la promotion, était acceptée, elle aurait pour conséquence la perte de notre identité au profit de Montréal; les Longueuillois sont fiers de leur identité propre et le manifestent par un très fort sentiment d'appartenance à leur ville.

Je pars de loin.

— Vous m'excuserez, mais vous mêlez ici plusieurs notions: d'abord la ville-région de Montréal existe déjà dans les faits, et son identité de ville-région est connue à l'échelle planétaire. Vos citoyens de Longueuil, lorsqu'ils sont à l'extérieur du pays, se présentent comme originaires de Montréal et ils sont fiers de le faire. Les efforts du Cercle n'ont rien à voir avec l'identité de votre ville; nos efforts visent à défendre les intérêts de la région et à obtenir les pouvoirs essentiels pour que la région puisse bien s'administrer.

Richard Gaudet prend un air offusqué :

— Nous sommes convaincus que le Cercle ne sert que les intérêts de Montréal dans ses ambitions…

Il s'arrête et consulte un document qu'il a placé devant lui puis il poursuit :

— … que les ambitions hégémoniques de Montréal sur l'ensemble de la région, et nous ne sommes pas les seuls à avoir cette opinion.

Une fois sa déclaration terminée et, pour l'appuyer, il nous distribue copie d'un texte qui a été publié dans le magazine *Quorum* de la Fédération québécoise des municipalités en ajoutant :

— Je l'ai reçu ce matin.

Je prends une minute pour prendre connaissance du texte : l'article dénonce le Cercle de la Montréalie comme un regroupement de Montréalais voués « à élargir de façon encore plus large l'iniquité qui existe entre les régions rurales et urbaines de la province ». L'article exhorte les lecteurs à joindre le Regroupement des communautés régionales pour former « un bouclier contre les tentatives de Montréal pour augmenter son hégémonie sur la grande région de Montréal et la province tout entière ».

— Je ne suis pas surpris : c'est toujours le même épouvantail levé par les régions du Québec pour faire échouer l'idée que la région de Montréal devrait obtenir une certaine autonomie fiscale et avoir accès à de nouvelles sources de revenus de façon à ce qu'elle puisse répondre à ses besoins particuliers.

— Si Montréal obtient de nouvelles sources de revenus, je ne vois pas pourquoi Longueuil, la ville centre de la Montérégie, n'obtiendrait pas les mêmes pouvoirs.

— Avec cette attitude, toutes les villes du Québec vont revendiquer la même chose.

— Et elles auront raison ; c'est une question d'équité.

— Donc, d'après vous, toutes les villes ont le même statut : Rimouski, avec ses quarante-cinq mille personnes, devrait avoir les mêmes pouvoirs que la ville de Montréal avec ses un million neuf cent mille personnes et sa région qui en compte plus de trois millions.

— Monsieur Beaubien, je vous sens agressif.

— Vous ne pensez pas que si Longueuil et Laval établissaient un front commun avec Montréal pour défendre les intérêts de la région, toute la région en tirerait profit ?

— La dernière chose que nous voulons, c'est de coucher encore plus près de cet éléphant mal élevé et de détester ce qu'est Montréal. Chaque fois que des rapprochements ont été tentés, ils ont dû être imposés et nos pouvoirs ont diminué et nos taxes ont augmenté. Mes citoyens se méfient de Montréal, considèrent que Montréal est corrompue et mal administrée, en d'autres mots que Montréal est un désastre. Je travaille avec les gens de Montréal et je sais que tout cela est exagéré, mais je ne peux rien faire devant la perception qu'ont mes concitoyens de Montréal.

Après un tel énoncé, rien ne sert de poursuivre la discussion. Carole a compris :

— Richard, je te remercie, cette rencontre nous sera très utile pour établir la stratégie du Cercle pour les mois qui viennent.

Je me permets d'ajouter :

— Monsieur le maire, ne prenez pas mes commentaires comme un reproche. Je comprends votre position : vos citoyens vous ont donné le mandat de les protéger contre toutes tentatives de regroupement avec Montréal et c'est ce que vous leur avez promis de faire lors de la dernière élection.

Le maire Gaudet ajoute :

— Et pour la prochaine.

Carole se lève et ajoute :

— Cette rencontre reste entre nous.

De retour dans la voiture Carole résume :

— Les politiciens des banlieues se méfient tous de Montréal.

— J'ai frappé un mur.

— Tu as frappé un mur et tant et aussi longtemps que l'administration de Montréal n'aura pas une meilleure réputation, les politiciens des banlieues, et leurs citoyens, refuseront toute forme de regroupement, de quelque façon que ce soit.

— Je comprends mieux pourquoi la mention même d'une fusion a soulevé une telle opposition.

— Attention, Maxime, le maire Castonguay t'a dit qu'il appréciait tes efforts et Richard Gaudet t'a dit la même chose. Ils vont aussi tous te dire qu'ils travaillent ensemble sur plusieurs dossiers dans la région. Mais n'oublie jamais qu'ils sont avant tout des politiciens, et que la politique est locale et se réduit au plus petit dénominateur, soit le comté, l'arrondissement ou le district, et ce sont les résidants de ce dénominateur qui élisent le politicien. Richard Gaudet peut bien croire que la fusion des services de police, par exemple, serait une bonne affaire, mais si les citoyens de Longueuil sont contre, il sera contre.

Chapitre 37

# Controverse

En entrant dans le restaurant au coin de la rue Sainte-Catherine et de la rue Poupart dans le quartier Hochelaga, je suis frappé par une envahissante odeur de friture ; mes vêtements vont sentir la patate frite pour le restant de la journée. Par contre, petit prix à payer pour avoir le plaisir de manger une portion de vraies frites, faites de patates coupées sur place et cuites dans une graisse qu'il ne faut surtout pas changer trop souvent : une huile à frire doit travailler quelques jours avant d'atteindre la maturité nécessaire pour donner à la patate ce goût particulier des frites préparées à une cantine de village.

Nous sommes à l'heure du midi et le restaurant est plein : j'ai l'impression que tous les yeux sont rivés sur moi : « Il y a un étranger dans la demeure ». L'homme derrière la caisse à la droite de la porte d'entrée devine la raison de ma présence et demande :

— Cosette ?

Je réponds d'un hochement de la tête et il me fait signe de me diriger vers l'arrière : je marche entre des banquettes recouvertes de vinyle rouge sous les yeux, d'abord curieux, puis intéressés, des réguliers :

« Qu'est-ce qu'une cravate fait ici ? Minute, je le reconnais : c'est le gars de la télévision ? »

J'aperçois Noémie et Conrad, déjà installés à une table à l'arrière du restaurant. Conrad me sert la main et m'explique avec un léger hochement des épaules :

— Le choix de madame Marquis.

Je m'assois près de Noémie et l'embrasse.

Conrad a appelé hier soir pour savoir si nous étions disponibles pour un lunch avec Cosette Marquis, la présidente du centre de bénévolat Sous-le-Pont dans le quartier Hochelaga-Maisonneuve. Il m'a expliqué que cette madame Marquis, qu'il ne connaît pas, l'avait appelé pour solliciter une rencontre ; elle n'a pas donné d'explication sauf que c'était urgent et qu'elle désirait rencontrer les dirigeants du Centre Montpossible. Elle a insisté pour que je sois présent.

Conrad jette un coup d'œil vers l'entrée ; madame Marquis se fait attendre.

— Grosse semaine dans les médias, mon Maxime !

— C'est du délire. Il me semble que toutes mes actions, toutes mes déclarations sont interprétées en fonction de ma candidature possible à la mairie. Jean et Paul ont fait un excellent travail et je ne sais pas comment m'en sortir.

Conrad me surprend :

— Tu es devenu un politicien malgré toi.

— Peut-être, mais l'idée de me lancer en politique me répugne. Regarde seulement tout le grenouillage autour de l'annulation de mon émission.

— Si ce n'est pas toi, qui ? De toute façon, tu es déjà une cible. Aussi bien te lancer dans la mêlée.

Durant la semaine, Felicia McCormick, la seule candidate déclarée, n'a rien trouvé de mieux que de s'attaquer au Cercle en le décrivant comme un « ramassis d'intellectuels avec la tête dans les nuages ». De son côté, Sylvie Larocque, la chef de l'opposition, a repris les arguments de l'article du magazine *Quorum* de la FMQ tout en ajoutant que je n'étais « qu'un fédéraliste pour travailler ainsi contre les régions, garantes de notre histoire et sur lesquelles repose l'avenir du Québec ».

Noémie ajoute :

— Toute une déclaration pour quelqu'un qui a l'ambition de devenir maire de Montréal. Une chose est certaine, elles te craignent toutes les deux et te perçoivent comme LE candidat dangereux.

Conrad se tourne vers l'entrée :

— Cela doit être elle.

Je ne sais pas pourquoi, son nom peut-être, mais je m'attendais à voir une corpulente matrone et je vois plutôt arriver une jolie dame à l'air distingué. Elle s'approche tout en enlevant son manteau de cuir. Elle est habillée d'un veston de velours noir, d'un jeans et d'une chemise blanche. Une broche, inspirée, je crois, des œuvres du peintre Modigliani, orne le revers de son veston. Ses vêtements sont de qualité ; madame a des moyens financiers et ne cadre pas avec l'idée que je m'étais faite de la présidente d'un organisme bénévole du quartier le plus pauvre de Montréal.

— Bonjour, monsieur Beaubien…

Elle me sert la main et se tourne vers Noémie :

— … et vous devez être Noémie Goodman.

Elle fait le tour de la table, donne une poignée de main à Conrad, le remercie d'avoir organisé la rencontre, puis s'installe à la table :

— Vous excuserez mon choix de restaurant, mais après une semaine à faire attention à ce que je mange, je me permets deux hotdogs, une poutine et une bière d'épinette, tous les vendredis Chez Raoul.

— Une bière d'épinette ? Je ne savais pas que ça se vendait encore.

— Peut-être pas dans les restaurants chics du centre-ville, mais ici, beaucoup de traditions sont préservées ; l'Orange Crush et le Kik Cola sont encore disponibles. Avez-vous déjà mangé du fromage en grains avec de l'Orange Crush ?

Je fais signe que non sans pouvoir dissimuler complètement une légère grimace. Ma « réserve » tient pour les deux et pas seulement pour le breuvage proposé : je n'aime ni le fromage en grains ni l'Orange Crush, et j'ai peine à imaginer une combinaison des deux.

— C'est l'une des traditions qui se préservent dans le quartier. Jacques Gill, le propriétaire du dépanneur, à l'autre coin de rue, a importé la recette de son village natal, Pierreville ; il y avait là une fromagerie qui vendait son fromage en grains avec de l'Orange Crush. C'était une tradition et les gens venaient de partout pour goûter à cette combinaison. Vous devriez essayer, vous serez surpris.

Cosette fait signe à la serveuse et nous suivons Cosette dans son choix : deux hotdogs relish-moutarde, et une poutine. *When in Rome…* Je pousse l'audace jusqu'à demander une bière d'épinette. Noémie n'est pas aussi aventureuse et demande un Coke diète. Dès que l'on nous sert, je regrette mon choix : la bière d'épinette goûte l'eau de vaisselle bien savonnée.

Je décide d'aller droit au but :

— Madame Marquis, Conrad me dit que vous vouliez nous rencontrer ; qu'est-ce qu'on peut faire pour vous ?

Cosette dépose sa fourchette, s'essuie les lèvres et me regarde dans les yeux :

— Je voulais vous rencontrer pour deux raisons : d'abord dans le dossier de la fermeture de l'église Sainte-Rusticule ; c'est l'église que j'ai fréquentée dans ma jeunesse. Vous devez savoir que cette fermeture ne fait pas l'unanimité ?

Noémie, d'un air inquiet, répond :

— Oui nous sommes au courant et nous avons même vu la « gentille » carte qui est distribuée dans le quartier.

— Comme vous pouvez le voir, la situation est en train de se détériorer. Il y a aussi une pétition qui circule contre la fermeture de l'église et contre son utilisation comme centre de jeunes. Le maire de l'arrondissement et deux conseillers ont déjà signé la pétition.

Conrad l'interrompt :

— Je croyais que nous serions bien reçus dans le quartier.

— Vous êtes perçus comme des étrangers dans le quartier…

Madame Marquis jette un coup d'œil vers Noémie et voit l'expression sur son visage. Elle lui prend la main :

— Je voulais vous rencontrer tous les trois pour vous dire que ce n'était pas tout le monde qui pense comme cela. Nous sommes plusieurs à nous inquiéter de la situation des jeunes et nous voyons l'arrivée de Montpossible d'un bon œil.

Noémie reçoit ces mots avec un bref :

— Merci, vous me rassurez.

Madame Marquis continue :

— Je vis dans le quartier depuis toujours et voilà maintenant douze ans que je m'occupe du Centre de bénévolat ; les besoins du quartier, au lieu de diminuer, augmentent sans cesse. Dans le passé nous aidions des personnes âgées et des familles monoparentales ; aujourd'hui s'ajoutent les jeunes décrocheurs et des fils et des filles d'immigrants, des minorités visibles qui ne peuvent trouver de travail, victimes d'un racisme latent que nous retrouvons partout. Si les vieux et les mères seules n'ont pas l'énergie pour se révolter, attention à tous ces jeunes qui, eux, ont l'énergie pour le faire, et pas grand-chose à perdre.

Noémie l'interrompt :

— Ce n'est pas seulement un problème ici. J'étais en France, il y a quelques années, quand les jeunes des banlieues se sont révoltés et ont incendié voitures et édifices. Pensez aussi au printemps arabe. La même chose pourrait arriver ici.

Madame Marquis renchérit :

— Je ne comprends d'ailleurs pas pourquoi ce n'est pas encore arrivé. Il suffirait d'une étincelle et le quartier pourrait sauter. C'est pour cela que je tenais à vous rencontrer. Les vieux sont résignés à leur sort, mais les jeunes, eux, sont frustrés devant une société qui ne leur fait pas de place et qui leur lève des barrières, infranchissables à leurs yeux, comme l'obligation d'obtenir un diplôme de cinquième secondaire pour la moindre *jobine*. Pas surprenant qu'ils se regroupent dans des gangs de rue. Ces jeunes sont ignorés par la société qui n'a pas réussi à les préparer à gagner leur vie.

— Les gouvernements se rendent bien compte qu'il y a un problème, mais ils cherchent des solutions à tâtons avec des réformes pour les générations futures et ignorent tous ces jeunes pour qui le système actuel a été un échec. Nous avons créé une génération de jeunes chômeurs qui n'ont pas d'autre choix que de se tourner vers le crime pour survivre.

— Madame Marquis, vous prêchez à des convertis. Revenons à la carte ; vous connaissez les auteurs ?

— J'ai mes doutes, mais je n'ai aucune preuve ; de toute façon vous ne pouvez pas faire grand-chose.

— Nous avons une entente verbale avec l'évêché.

— Je ne crois pas que la paroisse ait été informée. Si j'étais vous, je signerais le bail au plus vite.

— Merci du conseil. Vous aviez une deuxième raison de vouloir nous rencontrer ?

— Vous allez d'abord avoir droit à une courte biographie : je suis née dans le quartier et j'ai marié un gars du quartier, un ami d'enfance qui a réussi grâce au quartier : ses études ont été payées par la paroisse dans l'espoir qu'il devienne prêtre. La vocation n'était pas au rendez-vous, et il est devenu médecin. Je suis devenu la femme du docteur de la place. Dès le début, Jacques et moi avons choisi de demeurer dans Hochelaga et d'y ouvrir une clinique. Jacques est décédé d'un cancer il y a quinze ans et j'ai commencé à faire du bénévolat pour m'occuper.

Madame Marquis s'arrête un instant et j'en profite pour commander un Coke diète.

— À chaque élection, que ce soit au fédéral, au provincial ou au municipal, je suis approchée pour être candidate et souvent, par plus d'un parti. Mon bénévolat m'a toujours satisfaite et la dernière de mes ambitions est de faire de la politique. Pour être méchante, j'ai toujours refusé parce que je voulais continuer à être utile dans le quartier. Monsieur Beaubien, je ne connais rien à la politique et je n'ai aucune intention de me joindre au groupe de beaux parleurs qui sont là en ce moment.

Je ne sais vraiment pas où elle veut aller avec ce préambule et je me permets de réagir à ce dernier commentaire :

— Nous sommes sur la même longueur d'onde à ce sujet.

Elle continue sans réagir :

— Je suis, je devrais dire j'étais, une fidèle auditrice de votre émission et j'ai toujours apprécié vos explications et vos positions. Au cours des derniers mois, vous avez démontré que vous pouviez brasser la cage et c'est ce dont nous avons besoin. Mais vous me désappointez lorsque vous refusez de vous présenter à la mairie. Nous avons besoin de personnes comme vous qui ne sont pas des politiciens de carrière ; c'est la pire espèce parce qu'ils n'ont qu'un objectif : se faire réélire. Ils tentent donc de survivre, d'une élection à l'autre, sans rien bousculer. Les médias ne parlent que des nids de poule, de la congestion des rues, du déneigement, des infrastructures à renouveler, des vidanges à recycler, et les politiciens promettent de tout régler. Pendant ce temps, des bénévoles s'évertuent à nourrir, à vêtir et à loger de plus en plus de monde. Il y a quelque chose qui cloche dans le système et il faut que ça change.

Elle s'arrête un bref instant. Noémie en profite pour ajouter :

— Avec Montpossible, nous sommes bien placés pour le savoir.

Madame Marquis, d'un signe de la main, demande le silence :

— Je vais aller directement au but : si vous vous présentez, je m'engage à me présenter à la mairie de l'arrondissement Mercier/Hochelaga-Maisonneuve ; je crois avoir de bonnes chances de gagner. J'ai perdu confiance dans les gens en place et la seule façon de faire changer les choses, c'est d'abord de se débarrasser d'eux.

Chapitre 38

# Décision

Ma rencontre avec Cosette Marquis hier m'a dérangé une bonne partie de la nuit, et encore ce matin. Cette dame m'a présenté Montréal sous une tout autre perspective et m'a fait réaliser que les problèmes de ma ville ne se régleraient pas seulement par des changements de structures administratives. Sa solution est simple et j'en arrive à la même conclusion : si les gens en place ne veulent rien comprendre aussi bien prendre leur place.

Plus facile à dire qu'à réaliser, d'autant plus que l'idée de me joindre à la classe politique ne me plaît pas du tout et je ne suis pas le seul : il y a peu de gens qui veulent faire de la politique ; cette pénurie devient évidente lorsque l'on constate que cinquante pour cent des maires et des conseillers municipaux ont été élus par acclamation. Non seulement il y a pénurie, mais la qualité des élus n'est pas au rendez-vous. Quand des personnes ont besoin d'un code d'éthique pour faire la distinction entre le bien et le mal, ils n'ont pas d'affaire là.

C'est avec cette pensée en tête que je vais récupérer les journaux du matin. Un titre au bas de la première page de *La Presse* attire mon intention : « BEAUBIEN SOUS ENQUÊTE ». L'article est court, à peine une centaine de mots : « Nous apprenons d'une source généralement bien informée qu'un organisme dont Maxime Beaubien est président ferait l'objet d'une enquête policière. Felicia McCormick, qui siège sur la commission de sécurité publique, a refusé de réagir à cette information "pour ne pas nuire à l'enquête", a-t-elle déclaré. Il nous a été impossible de rejoindre monsieur Beaubien pour avoir ses commentaires. »

Noémie me rejoint à la cuisine :

— Tu devrais prendre connaissance de cet article.

Je me lève pour lui servir un café et reviens à la table. Elle lève les yeux. Son regard est furieux.

— La McCormick est une… une… *bitch*… une belle hypocrite. N'importe quoi pour détruire l'adversaire. C'est la façon que la politique se fait maintenant au Québec.

— Noémie, voulons-nous vraiment nous lancer dans cette galère ?

— Maxime, je commence à avoir l'impression que tu veux te présenter et je commence à penser que je veux participer. Il ne faut pas laisser la place à des Felicia McCormick. Elle est là depuis quinze ans, elle fait partie du régime. J'ai de la difficulté à accepter que des politiciens qui sont là depuis des années arrivent, comme par magie, avec des solutions à tous les problèmes lors des campagnes électorales.

— Cette histoire d'enquête ne s'arrêtera pas là. On fait quoi avec Martin ?

— S'il ne quitte pas le Centre, je le fous à la porte et le sergent Saucier peut aller chez le diable.

Noémie tourne la page du journal.

— Tu ne croiras pas ça.

Une grande page publicitaire en blanc avec un titre : « MONTRÉAL A BESOIN D'UN CHANGEMENT ». Un peu plus bas, en lettres de la même grosseur : « MAXIME BEAUBIEN À LA MAIRIE ». Au bas de la page. une signature : « LES AMIS DE MONTRÉAL » et une courte explication : « Les amis de Montréal regroupent des citoyens qui veulent un changement à l'hôtel de ville. »

J'ai à peine le temps de réagir que le téléphone sonne ; c'est Carole.

— Bonjour, Maxime. Tu as lu les journaux ce matin ?

Avant de répondre, je place l'appareil sur la fonction mains libres.

— LES… journaux ?

— *La Presse, Le Devoir*, la *Gazette* et *Le Journal de Montréal*.

— Je n'ai lu que *La Presse*. Jean et Paul ?

— Mon cher Maxime, tu vas t'apercevoir que le nombre de conspirateurs s'est élargi. J'ai l'impression que tu es le seul à Montréal qui ne sait pas encore que tu vas te présenter.

Sa déclaration me surprend et je jette un coup d'œil vers Noémie qui lève les épaules. Carole continue :

— Les médias vont tous vouloir ta réaction.

— Je leur dis quoi ?

— Pour le moment, limite-toi à : « J'invite les Amis de Montréal à se joindre à moi et au Cercle de la Montréalie pour travailler à la défense des intérêts de Montréal. »

— Carole, tu sembles en savoir plus que tu me dis.

— Tu soupes avec Jon ce soir. Il va t'expliquer.

Elle raccroche sans me donner la chance de réagir. Noémie fronce des sourcils. Nous avions organisé ce souper à la maison il y a au moins deux semaines.

— Il faut aller faire l'épicerie.

— Allons-y tout de suite et tu m'aides à faire le ménage à notre retour.

* * *

Jon et Minh sont arrivés vers cinq heures et, dès le départ, j'ai senti une tension : Jon semblait nerveux et Minh arborait un petit sourire narquois. Je pourrais dire la même chose de moi et de Noémie, sauf que le visage de Noémie trahissait un brin de colère. Toute la journée elle a été furieuse contre Felicia et elle a de la difficulté à accepter que mon entourage semble avoir tramé dans mon dos.

Pendant que Noémie s'empresse d'aller chercher des canapés à la cuisine, je leur sers un chablis.

Jon prend son verre :

— C'est quoi cette histoire d'enquête ?

De la cuisine, nous entendons :

— Attendez-moi.

Noémie dépose deux assiettes sur la table à café : sur l'une, elle a déposé des crevettes panées, sur l'autre des endives garnies de fromage à la crème, de saumon fumé et de câpres.

Minh donne à Noémie une chance de s'installer sur le divan et demande :

— L'organisme qui ferait l'objet d'une enquête, c'est Montpossible ?

La question est dirigée vers Noémie.

— Montpossible n'est pas sous la mire des policiers, un de mes employés l'est, et nous sommes au courant.

— Vous allez devoir réagir et mettre les choses au clair.

— Il ne fait aucun doute dans mon esprit que Felicia McCormick a quelque chose à voir dans cette affaire-là, ajoute Minh.

Jon change de sujet et s'adresse à Minh comme si Noémie et moi n'étions pas là.

— Minh, tu as vu les publicités pleines pages des journaux ce matin. Maxime Beaubien n'a pas d'autre choix que de se présenter.

Je sens que c'est l'entrée en matière, le début du canevas que Jon a imaginé pour amener la discussion sur le sujet de ma candidature. Je décide de le faire suer ; j'ignore la remarque et demande à Minh :

— Sur quel dossier travailles-tu ces jours-ci ?

Minh est une graduée de l'Université McGill en études internationales et travaille comme analyste chez Investissement Québec.

Je vois à sa réaction que j'ai dérangé leur petit scénario :

— Toute une équipe a été mobilisée pour étudier l'impact de l'émergence de la Chine et de l'Inde sur le secteur manufacturier du Québec.

— Laisse-moi deviner : c'est un désastre comme aux États-Unis.

— Malheureusement oui.

Jon nous interrompt :

— Maxime, les annonces dans les journaux ce matin…

Noémie a deviné mon jeu. Elle l'interrompt et nous invite à passer à table. Elle revient de la cuisine avec deux plats qu'elle dépose au centre de la table.

Jon en profite :

— Les pages d'annonce dans les journaux…

Noémie l'interrompt, mais cette fois-ci avec un léger sourire moqueur.

— Ce plat est ce qu'on appelle à la maison du *Gefilte Fisch* ; c'est vraiment un pâté fait de carpe qui se mange avec du raifort. Je ne suis pas un fan, mon père adore et je ne serai pas insulté si vous n'aimez pas. Maxime m'a demandé de préparer un mets juif exotique et c'est ce que j'ai trouvé de mieux à préparer. L'autre plat est l'alternative : des légumes grillés, des viandes froides et des marinades.

Je n'ai d'autre choix que de goûter à la carpe : un mets fade que le raifort ne réussit pas à me faire apprécier. Je suis heureux de savoir que ce n'est pas le mets favori de Noémie. À voir l'expression de Jon et Minh, je ne crois pas qu'ils deviendront des amateurs.

Jon dépose sa fourchette de façon délibéré pour attirer notre attention :

— OK. Vous deux, vous nous avez assez niaisés.

Pour un bref instant, nous savourons notre petite victoire.

Jon continue :

— J'ai parlé à Carole et elle m'a averti qu'elle t'avait parlé.

Jon sort une feuille de son veston et me la présente. L'entête au haut de la page me frappe aussitôt : LES AMIS DE MONTRÉAL. Sur la feuille une longue liste de noms : je reconnais les noms des employés du Cercle, des recherchistes et du conseil d'administration. Puis suivent les noms de Jean Deragon, Paul Underhill et une dizaine d'autres noms que je ne reconnais pas sauf un : Cosette Marquis.

— Tu connais Cosette Marquis ?

— Comme tu le sais, mon père était médecin et il a travaillé à la clinique Marquis.

— Qui sont les instigateurs derrière Les amis de Montréal ?

— Jean m'a approché et a offert le financement. Je n'ai eu aucune difficulté de recrutement.

— Je répète depuis le début que je ne veux pas me présenter.

— As-tu vraiment le choix ? Le Cercle est une bonne idée, le concept de ville-région est une réalité qu'il faut défendre et l'idée de créer un front commun de tous les intervenants de la région est une obligation, mais il y a un gros problème : la crédibilité de la Ville de Montréal.

— La Ville de Montréal a une bonne réputation à l'échelle mondiale ; ce sont ses gestionnaires et ses politiciens qui ont perdu toute crédibilité face aux citoyens.

— En passant, cette perte de crédibilité est injustifiée en grande partie, mais le dommage est fait.

— Maxime, au cours des dernières semaines, je suis arrivé à la conclusion que tant et aussi longtemps que l'administration de Montréal actuelle sera en place, nous perdons notre temps.

Jon fait une pause et Minh en profite pour ajouter :

— Maxime, ce n'est pas seulement Montréal, c'est toute la province. La politique au Québec est malade et elle est devenue malade parce que nous sommes dirigés par trop de politiciens de carrière, des gens qui n'ont aucun autre objectif en tête que de se faire réélire à la prochaine élection. La politique ne devrait pas être considérée comme une carrière, mais comme un endroit où des hommes et des femmes, qui ont fait leurs preuves ailleurs dans la société, décident de consacrer quelques années au service de la population.

— Vous êtes drôles tous les deux. Réalisez-vous l'importance de l'engagement que vous me demandez de prendre ?

Minh sourit, prend la main de Jon et lui laisse le soin de réagir :

— Maxime, si tu te présentes, je me présente et j'ai approché une dizaine d'amis qui, eux aussi, seraient prêts à se présenter.

— Nous n'avons pas d'organisation.

— Maxime, tu es déjà le choix d'une majorité d'électeurs.

Jon et Minh sont repartis vers minuit. Je ne leur ai pas donné une réponse définitive.

Noémie lave la vaisselle et j'essuie.

— Maxime, tu veux te présenter ?

— Je commence à penser que oui.

— Je crois que tu devrais le faire.

Nous rangeons la vaisselle dans le buffet. Un moment de silence.

— À quoi penses-tu ?

— À mon oncle Eusèbe.

# Épilogue

## Maxime Beaubien réussira-t-il son pari?
Rodrigue Hurtubise (exclusif à *La Presse*)

De source bien informée, on apprend que Maxime Beaubien annoncera la semaine prochaine ce dont tous les observateurs de la scène politique se doutaient depuis belle lurette: il sera candidat à la mairie de Montréal.

Grosse commande pour ce chroniqueur, ex-professeur et animateur de télévision. Il se rendra vite compte que se faire élire à la mairie, c'est probablement la chose la plus facile à l'intérieur de tout le processus politique. Le vrai problème se présente une fois élu, tout particulièrement dans son cas.

On raconte, en effet, dans les coulisses municipales, que si la candidature de Maxime Beaubien ne fait pas l'affaire du parti du maire, elle fait encore moins l'affaire du premier ministre et qu'on ne se serait pas gêné à Québec pour le lui faire savoir. Dans les deux cas, on aurait préféré qu'il soit le colistier de la conseillère McCormick, quitte à ce qu'il lui succède plus tôt que tard. Question de loyauté pour services rendus, dit-on. Et à Québec, l'idée de faire face à l'avenir à une véritable opposition venue de Montréal ne suscite aucun enthousiasme, bien au contraire.

Dans l'entourage du candidat, on nous dit que les derniers sondages lui donnant plus du tiers des votes s'il se portait candidat, même indépendant, auraient précipité cette décision. «On ne gaspille pas un tel capital politique!» affirme un de ses principaux conseillers.

Il est donc plausible, voire probable, qu'il deviendra maire de Montréal, mais une fois rendu là, que pourra-t-il faire? Il sera probablement minoritaire au conseil de ville, harcelé au sud et au nord par deux maires qui ne voudront pas lui céder une once de capital politique, privé de la collaboration de Québec, (on dit que le premier ministre se serait juré de lui faire payer cher son obstination). Quel pouvoir aura-t-il pour promouvoir avec succès son concept de Montréal ville-région, la Montréalie, comme il le dit ?

Peut-être envisage-t-il la mairie de Montréal comme un tremplin pour se rendre lui-même à Québec, car, indépendant de fortune, on le dit ambitieux par-dessus tout. Encore là, il aura l'appui de la région métropolitaine, mais les régions, elles, ne l'appuieraient certainement pas, bien au contraire. Dans les villes et villages de nos campagnes, il est déjà Satan incarné.

Ou bien sera-t-il un de ces nombreux politiciens qui, ébranlés au premier échec, redécouvrent, après un seul mandat, les joies — jusque-là insoupçonnées — de la vie de famille (notre homme aurait, incidemment, une nouvelle conjointe) et l'attrait d'autres défis ?

Maxime Beaubien, étoile filante ou symbole d'un profond renouveau politique ? Bien malin qui pourrait le dire. Comme le disent les anglophones : *time will tell*.

On attend la suite avec impatience, monsieur le candidat. Nul doute qu'elle viendra.

# Table des matières